D1328091

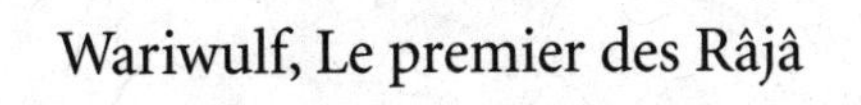
Wariwulf, Le premier des Râjâ

BRYAN PERRO

WARIWULF

1. Le premier des Râjâ

Les Éditions des Intouchables bénéficient du soutien financier de la SODEC et du Programme de crédits d'impôt du gouvernement du Québec.

Nous remercions le Conseil des Arts du Canada de l'aide accordée à notre programme de publication.

Nous reconnaissons l'aide financière du gouvernement du Canada par l'entremise du Programme d'aide au développement de l'industrie de l'édition (PADIÉ) pour nos activités d'édition.

ASSOCIATION NATIONALE DES ÉDITEURS DE LIVRES Membre de l'Association nationale des éditeurs de livres.

LES ÉDITIONS DES INTOUCHABLES
4701, rue Saint-Denis
Montréal, Québec
H2J 2L5
Téléphone : 514-526-0770
Télécopieur : 514-529-7780
www.lesintouchables.com

DISTRIBUTION : PROLOGUE
1650, boulevard Lionel-Bertrand
Boisbriand, Québec
J7H 1N7
Téléphone : 450-434-0306
Télécopieur : 450-434-2627

Impression : Transcontinental
Illustration de la couverture : JEIK
Conception de la carte : Pascal Barriault
Maquette de la couverture et logo : Geneviève Nadeau
Infographie : Geneviève Nadeau
Révision, correction : Patricia Juste Amédée, Élyse-Andrée Héroux

Dépôt légal : 2008
Bibliothèque et Archives nationales du Québec
Bibliothèque nationale du Canada

ISBN : 978-2-89549-333-4

Scythie
Thrace
Veliko Tarnovo
Royaumes Grecs
Mer Noire
Byzance
Heraclée
Anatolie
Çatal Hüyük
N
O
E
S
Égypte

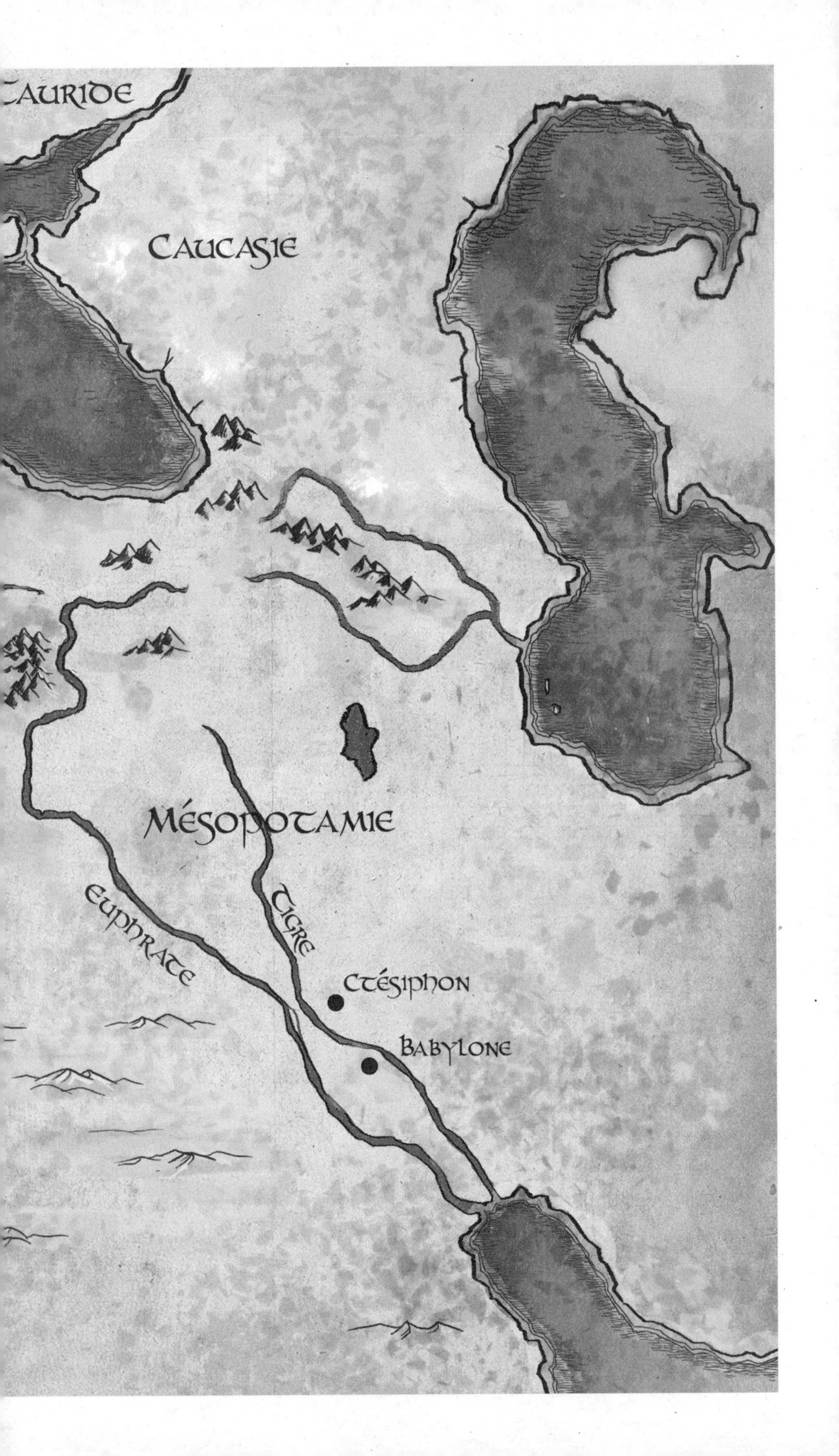
TAURIDE
CAUCASIE
MÉSOPOTAMIE
EUPHRATE
TIGRE
CTÉSIPHON
BABYLONE

Première partie

L'œil de Börte Tchinö

I

Alors que la lune était bien ronde dans le ciel et que les étoiles scintillaient comme des diamants, la vieille louve quitta le confort de sa tanière et se mit à marcher lentement en direction de la montagne. La meute au grand complet, une vingtaine de loups en tout, la regarda partir sans essayer de la retenir. Après tout, elle était l'arrière-grand-mère de plusieurs d'entre eux, et sa sagesse était si grande que nul n'aurait osé, ni même pensé, l'avertir des dangers qu'elle courait en quittant la meute. Elle connaissait le territoire par cœur et, même aveugle, elle aurait pu chasser sans jamais se heurter à un arbre. Le chef, la queue bien haute et le torse bombé, s'inclina légèrement pour la saluer, ce à quoi elle répondit d'un hochement de tête. À chaque début de saison, la vénérable Maïcha, ainsi baptisée par les humains, gravissait la montagne afin d'aller prendre un bain à sa fontaine de jouvence.

Encore une fois cette année, la vieille louve que la mort semblait avoir oubliée grimpa péniblement jusqu'au sommet de la montagne, où se trouvait un petit lac. Le plan d'eau entouré de hautes herbes trônait paisiblement au centre d'une éclaircie tout à fait discrète et quasi inaccessible aux humains. À part Maïcha, seules les dactyles, de puissantes chamanes qui vouaient un culte à Börte Tchinö, aussi appelée « le Loup bleu » et réputée pour être l'âme céleste des canidés, connaissaient le chemin pour s'y rendre. En cette magnifique soirée sans nuages, les étoiles se reflétaient si bien dans l'eau immobile qu'on aurait dit que toute la voûte céleste était contenue dans le minuscule bassin.

Comme elle en avait l'habitude chaque fois qu'elle atteignait cet endroit, la vieille Maïcha commença par se désaltérer avant de s'allonger quelques instants dans les roseaux pour récupérer. Une fois remise de son escalade, elle se leva et, impassible, s'avança dans l'eau et se mit tout doucement à nager en direction de l'autre rive. Comme si elle était plongée dans l'infini du cosmos, la louve se laissa porter par l'onde, entre le ciel et la terre, parmi les étoiles et leurs reflets ondoyants et, sous la lumière bienveillante de la lune, elle sentit le poids des années l'abandonner. Comme cela se produisait à chacune de ses baignades dans le lac de la montagne, ses douleurs rhumatismales aux pattes se dissipèrent, puis elle poussa un long soupir de soulagement avant de disparaître entièrement de la surface de l'eau. Quoique brève, son immersion lui sembla durer une éternité au cours de laquelle se désagrégèrent d'abord ses griffes et ses dents, puis son pelage et, enfin, ses grandes oreilles velues. Sans plus de douleur, son squelette entier se rompit en mille endroits pour reconstituer graduellement une charpente longiligne. Les coussinets plantaires de ses deux pattes antérieures devinrent des doigts à la base desquels se formèrent des mains, pendant que les extrémités de ses pattes postérieures prenaient la forme d'orteils et de pieds. Sa longue queue se dessécha jusqu'à ce qu'elle ait l'aspect d'une branche morte, puis se détacha de son bassin avant de couler lentement au fond du lac. Sans souffrance toujours, son museau devint un nez et sa bouche rétrécit. Tandis que Maïcha cherchait à remonter à la surface pour respirer, son crâne s'arrondit. Sa métamorphose fut alors complète. Comme à chaque saison, la mutation s'était opérée, et c'est une vieille dame aux longs cheveux gris qui, dans un énergique coup de brasse, émergea nue de l'eau.

La vieille femme admira son nouveau corps. De fois en fois, elle était fascinée par cette transformation qui la laissait sans queue ni fourrure. Elle effleura la peau de ses bras, de ses jambes et de ses hanches. Elle s'amusa à remuer ses orteils et se mit à rire en tapotant son nez, aussi petit qu'inapte à repérer les odeurs. Comme seul ornement, elle portait autour de son cou un pendentif en bois de forme cylindrique, sur lequel apparaissaient clairement des lettres runiques.

Dans les buissons étaient cachés de petits flotteurs rudimentaires que Maïcha avait elle-même fabriqués avec des branches d'arbre et des roseaux. Elle les libéra des hautes herbes et les fit glisser sur le lac. Elle installa ensuite le dispositif sous ses bras et bascula la tête vers l'arrière. Ainsi soutenue, elle se laissa flotter en admirant les étoiles.

La vieille dame ne connaissait pas le nom des astres, des galaxies et des constellations qui brillaient au-dessus d'elle. Le firmament, à ses yeux, était simplement rempli de petits points lumineux formant parfois d'étranges dessins. Il y avait des images familières, un arbre par exemple ou le contour d'une montagne. Il lui arrivait d'y voir des animaux, un cerf ou un sanglier. Mais, inévitablement, elle y distinguait les immenses yeux d'un loup qui semblaient l'observer avec bonté. Il y avait dans ce regard la tendresse infinie d'une mère et la force tranquille d'un grand chef de meute. On aurait dit que le titan céleste se réjouissait de voir la louve découvrir le monde sous une forme humaine. Et quel bonheur pour celle-ci que de pouvoir contempler le ciel à travers des yeux humains ! Que de couleurs, de nuances et de précision ! Les hommes avaient une chance extraordinaire. Leurs pupilles, inefficaces dans le noir, avaient par contre la formidable faculté d'embellir le monde le jour, de rendre fabuleux le moindre chatoiement, le plus insignifiant détail ou le plus faible éclat de lumière. Même chose pour les oreilles. D'aucune utilité pour entendre au loin, elles avaient la très agréable particularité d'envelopper les sons et de rendre les ambiances plus douces. Et que dire de la perception de la plus minuscule variation de température sur sa peau et du plaisir de pouvoir toucher la nature autour de soi ! Quel plaisir de sentir entre ses doigts chacune des imperfections d'une brindille ! Malgré tout le plaisir que lui procurait le corps humain, la louve n'aurait cependant jamais voulu abandonner définitivement son aspect original. Bien que séduisante à première vue, la vie des humains semblait mal adaptée à la nature. L'homme devait avoir sans cesse recours à des outils pour assurer sa survie. Il ne pouvait chasser sans armes, devait se vêtir afin de se protéger du froid et vivait constamment dans la crainte des bêtes sauvages. Assez rebutant pour un loup…

Maïcha songea aux deux bébés humains qu'elle avait jadis adoptés, puis élevés comme des loups. Deux petits êtres nus et sans défense que le destin avait placés sur sa route. Elle les avait nourris comme ses propres louveteaux, les allaitant et leur donnant la nourriture qu'elle régurgitait pour eux. Malheureusement, un seul avait été accepté par la meute alors que l'autre, un enfant dissipé et incapable de s'adapter au mode de vie de la bande, avait été abandonné dans la forêt, près d'un village. Jamais Maïcha n'avait revu cet enfant qui refusait tout le temps d'obéir au chef et qui, de plus, ne ratait jamais l'occasion de lui tirer la queue. Railleur comme seuls les humains savent l'être, c'est-à-dire incapable d'observer les règles établies et refusant de baisser les yeux en signe de respect, il avait été rendu à la nature. Cependant, son frère, un enfant docile qui savait interpréter les signes et se conformer aux exigences du chef, avait grandi auprès d'elle et était demeuré un gamin estimé des autres loups de la meute. Il pouvait passer des heures à caresser chacun d'eux. Ceux-ci étaient bien contents, par ailleurs, qu'il fût là pour leur retirer des échardes ou pour les débarrasser de chardons accrochés à leur fourrure. En outre, il était capable de grimper aux arbres afin de trouver des nids contenant des œufs, un mets de choix dont les loups raffolaient. Trop lent pour la chasse et trop frêle pour affronter ne serait-ce qu'un écureuil, il était par contre le seul membre de la meute qui fût en mesure de soulager les autres d'une épine de porc-épic. Ce précieux don, immensément apprécié des loups, justifiait à lui seul qu'on le traite comme un membre à part entière du groupe.

Après plusieurs saisons au sein de la meute, le petit humain avait un jour disparu dans la nature sans laisser la moindre trace. Malgré les recherches intensives qu'avait menées la meute, il était resté introuvable. L'odorat exceptionnel des loups n'était jamais arrivé à le repérer. Un ours affamé l'avait probablement dévoré tout rond...

Maïcha se surprit à verser une larme. Elle avait aimé ce petit comme aucun autre de ses louveteaux, et sa perte la faisait encore souffrir par moments. Après tout, l'éducation et la croissance de ce garçon avaient pris tellement de temps, comparativement à celles de ses autres rejetons, qu'il était bien normal qu'elle ait éprouvé un attachement spécial pour lui. Cette larme sur sa joue lui rappela que les émotions humaines avaient d'étranges façons de se manifester. Enfin, la soirée était belle, et le ciel, lumineux…

Lorsqu'elle se fut suffisamment délectée de ses nouveaux sens, la louve cacha de nouveau ses flotteurs dans les buissons, puis sortit complètement de l'eau pour exposer son corps nu à la lumière de la lune. Afin d'exprimer sa reconnaissance à l'esprit du loup qui lui permettait chaque saison de se métamorphoser en femme, elle hurla pendant un long moment. Puis elle replongea dans l'eau et s'immergea complètement. La magie opéra, et Maïcha recouvra son corps d'animal.

Elle se secoua vigoureusement et, ragaillardie par la transformation, elle rejoignit en bondissant toute la meute qui l'attendait au pied de la montagne.

Parmi les étoiles, les yeux de Börte Tchinö se refermèrent en attendant qu'une autre créature se baigne dans son lac.

II

Les oreilles rabattues et de l'écume plein la gueule, le loup courait à travers l'épaisse forêt de pins. Sous le couvert des arbres géants, l'animal bondissait, toutes griffes dehors, vers sa proie. L'odorat en alerte, il détectait de plus en plus précisément, à chacun de ses bonds en avant, l'exhalaison du cerf. Alors qu'il sentait cette odeur de poils, de sueur et de peur, il goûtait à l'avance le sang chaud de sa victime. Avec ses frères qui le suivaient de près, il pourrait bientôt se repaître de la viande et des viscères, mais également des yeux et, surtout, de la moelle bien grasse de leur victime. À chaque mètre parcouru, leur festin devenait de plus en plus réel.

Ils étaient douze en tout à cavaler après le cervidé. Douze bêtes assoiffées de sang et qui criaient famine depuis des semaines. Les loups avaient bien eu quelques poissons à se mettre sous la dent, mais ce repas frugal volé à un ours ne les avait pas contentés et, pour survivre, ils avaient chassé la souris des bois. Un jour, ils avaient même lorgné le cadavre d'un homme à demi enseveli sous un tapis de feuilles mortes. Mais les humains n'étaient bons que frais, et celui-là grouillait déjà d'une colonie d'asticots si considérable que les loups s'en étaient vite désintéressés. Heureusement, la chance leur avait enfin souri en cette matinée d'automne, lorsque ce magnifique cerf s'était aventuré sur leur territoire. Sans faire ni une ni deux, crocs sortis, ils s'étaient tous lancés à sa poursuite en salivant.

L'enivrement de la chasse, voilà qui plaisait particulièrement au loup de tête, le chef de la meute. Le plaisir de sentir le vent sur son museau et de courir les muscles tendus et le cœur battant à tout rompre n'avait pas de prix. Il aurait choisi la mort plutôt que d'être privé de sa liberté pour s'asservir aux humains. Plusieurs des siens avaient subi la domestication. Ces malheureux vivaient désormais dans des cages et étaient obligés de participer à des chasses sans intérêt. Ils devaient prendre leurs repas dans des écuelles et, surtout, endurer des caresses humiliantes. Comment pouvait-il être possible de s'avilir à ce point? Comment une créature aussi libre qu'un loup pouvait-elle s'abaisser à servir de tels maîtres et à se soumettre à leurs règles? Un loup est libre et ne peut se conformer qu'à une seule et unique loi, celle du plus fort. Depuis l'aube des temps, il en était ainsi, et cela ne cesserait qu'avec la fin du monde.

Dans sa course effrénée, chacune des pattes du loup labourait la terre avec force. Il pouvait enfin distinguer, devant, la petite queue blanche et frémissante de sa proie. Affamé et obsédé par le désir de faire de cette proie son repas, le loup émit un hurlement de rage et poussa une pointe de vitesse, distançant davantage les autres membres de la meute. Il fixait les pattes arrière du cerf. S'il pouvait s'approcher suffisamment de lui pour en saisir une, la victoire serait presque assurée. S'il y parvenait, le cervidé s'écroulerait, permettant à la meute de l'immobiliser pour le dévorer vivant. Mais la proie était encore inatteignable et continuait de se faufiler avec une prodigieuse aisance entre les arbres. On aurait dit qu'elle avait des ailes, qu'elle volait, défiant la gravité d'un bond à l'autre comme par magie, quand soudainement… une crevasse vint lui barrer la route. Le loup serra les mâchoires; la poursuite s'achevait enfin.

Nullement inquiété par l'obstacle, le cerf se propulsa dans les airs de façon presque surnaturelle. Après un vol gracieux d'à peine quelques secondes, l'animal se posa tout aussi élégamment de l'autre côté de la faille et poursuivit sa course comme si de rien n'était. Quant au loup, sa trop grande vitesse ne lui permit pas de faire une halte afin d'évaluer la situation. Il n'eut d'autre choix que de s'élancer malgré lui au-dessus du vide et arriva de justesse de l'autre côté.

Au terme de son saut, il avait réussi à poser ses pattes de devant sur le bord de la crevasse et à y planter ses griffes. Le reste du corps suspendu dans le vide, le loup, sonné par le choc, demeura d'abord immobile. De l'autre côté, ses onze frères avaient les yeux braqués sur lui. Ils espéraient que leur chef parviendrait à se sortir de là et, pour l'encourager, ils se mirent tous à pousser des hurlements répétés. Comme il était extrêmement rare qu'un cerf de cette taille se retrouve sur leur territoire, toute cette viande était inespérée. Leur chef devait atteindre son but.

Les griffes toujours plantées dans le sol friable de la paroi glaiseuse, le loup se mit à remuer pour tenter de remonter ses pattes postérieures. Tout au fond de l'abîme, un petit cours d'eau serpentait à travers de grosses pierres tranchantes. S'il abandonnait, jamais il ne survivrait à sa chute. Il lui fallait trouver un moyen de regagner le sol.

« Je n'y arrive pas ! » se dit en grognant le loup qui se sentait défaillir.

Affamé et épuisé, il n'avait plus l'énergie de combattre. Voyant que la fatigue était sur le point de triompher de leur chef, ses frères l'encouragèrent de plus belle en hurlant encore plus fort.

« Je dois faire un dernier effort, pensa le loup, sur le point de se laisser tomber dans le vide. Je suis le plus fort et je peux m'en sortir. Je vais me reprendre et attraper ce cerf ! »

Alors que sa mauvaise posture le maintenait entre la vie et la mort, un puissant coup dans les côtes le fit sursauter de douleur. La Bête se réveilla en jetant un cri plaintif.

– Debout ! Le travail t'attend ! lui lança une voix bourrue qu'il connaissait bien. Tiens, ton bout de pain, La Bête ! Et ce n'est pas tout ! Qu'est-ce que j'ai pour toi, ce matin ? Comme tu as bien travaillé hier, tu as droit à un morceau de viande ! Allez, dépêche-toi, mange !

Celui qu'on appelait « La Bête » engloutit le bout de viande desséchée qui lui sembla être le plus grand des festins. Puis, plus lentement cette fois, il mangea son bout de pain trempé dans de l'huile d'olive rance et but son bol d'eau. Il alla ensuite se plaquer contre la porte de sa cage. Le corps décharné et marqué d'innombrables cicatrices à cause des coups de fouet, La Bête n'était pas un animal, La Bête n'était pas un homme, La Bête était un esclave.

Son maître, un homme court au ventre rebondi, portait, autour de la taille, une pièce d'étoffe multicolore à motifs de taureaux qui lui couvrait entièrement les jambes. Il ouvrit la porte de la cage et accrocha immédiatement une longe aux pattes enchaînées de son esclave.

– Va, et ne traîne pas ! lui ordonna-t-il en essuyant la sueur qui perlait continuellement sur son crâne chauve et à travers sa fine moustache.

Il regarda le soleil qui se levait déjà à l'horizon.

– Nous sommes presque en retard, La Bête. Fais vite ou tu devras passer ton tour.

La Bête alla derrière un buisson et s'accroupit comme un animal. À peine eut-il le temps de terminer ses besoins que le maître tirait déjà sur sa laisse.

– Plus vite ! Tu dois être sur le chantier avant tout le monde !

La Bête replaça la bande de tissu qui le couvrait de la taille aux genoux et marcha docilement vers son maître. Malgré les chaînes qui lui liaient les pieds et les mains, l'esclave arrivait à se mouvoir sans difficulté. Au fil du temps, il avait mis au point une technique de marche : grâce à la force de ses chevilles, il se propulsait par petits bonds. À l'occasion, pour gagner de la vitesse, il s'aidait de ses mains en les posant par terre à intervalles réguliers. En outre, avec ses longues jambes ployées en permanence, il ressemblait à un animal, en l'occurrence à un loup, et c'est pour cette raison que, dès son plus jeune âge, on l'avait surnommé « La Bête ».

Une fois arrivé sur le chantier, La Bête se mit immédiatement au travail. Esclave depuis son enfance, il avait jusqu'à ce jour exécuté une multitude de travaux différents allant de la taille de la pierre jusqu'à l'agriculture. Son maître actuel, un Mésopotamien de la grande cité de Ctésiphon, l'avait acheté alors qu'il était tout jeune, à peine cinq ans, et l'avait élevé comme un animal domestique. En fait, il avait bien essayé de le traiter plus humainement, mais La Bête était un emporté qui pouvait parfois se montrer redoutable. Il était impossible de lui faire assimiler quelque notion que ce fût sans le rouer de coups de bâton. Plus jeune, il avait des crises de rage qui lui faisaient perdre complètement la tête. Durant ces moments de folie, il grognait furieusement et essayait de mordre tout ce qu'il pouvait atteindre. Parfois, un gros morceau de viande crue parvenait à l'apaiser un peu, mais, la plupart du temps, seule la bastonnade pouvait en venir à bout. D'une force et d'un caractère hors du commun, l'enfant devait être dominé et mené avec une poigne de fer par un maître obstiné. Cet homme, on l'appelait « le Mésopotamien » dans le nord du pays, et il faisait partie de ces maîtres entêtés qui réussissaient avec le temps à maîtriser n'importe quel être bouillant et à le transformer en un excellent travailleur. Après vingt ans de captivité, La Bête était devenu le plus productif de tous ses esclaves.

Comme plusieurs marchands de son époque, le maître de La Bête vendait le travail de ses esclaves aux hommes puissants et fortunés des grandes cités du monde. Il avait fait des affaires à Babylone, à Palmyre et à Antioche, mais, actuellement, il vivait à Çatal Höyük, bien au nord de sa Mésopotamie natale, où il avait installé sa grande tente et ses esclaves. Çatal Höyük était une grande ville en pleine expansion qui comptait six mille habitants. Le souverain de l'endroit, un riche forgeron devenu un puissant seigneur de la guerre, voulait en faire sa capitale. Il avait donc chargé plusieurs propriétaires d'esclaves de lui construire suffisamment d'habitations pour héberger une population toujours croissante de prospères agriculteurs.

Çatal Höyük était bien différente des autres cités de l'Anatolie situées à l'ouest du Tigre et de l'Euphrate, où avaient déjà travaillé le maître et ses esclaves. Dans cette agglomération de plusieurs centaines de résidences, les rues étaient inexistantes. Les constructions étaient serrées les unes contre les autres, et on ne pouvait pénétrer dans chacune d'elles que par une ouverture pratiquée dans le toit. Ce trou, dans lequel on descendait en empruntant une échelle de bois, servait aussi à évacuer la fumée des feux de cuisson. Sans porte de communication entre ces maisons à pièce unique et dépourvues de fenêtres, chaque famille vivait dans sa cellule et ne rencontrait les autres que sur les toits. Les rares espaces vides entre les demeures – bien souvent, des bâtiments détruits ou condamnés – servaient de dépotoir.

Mais le souverain de la ville n'avait pas que des projets d'agrandissement résidentiel pour Çatal Höyük. Il voulait également y faire ériger une ziggourat, exactement comme celles qu'on pouvait voir dans les grandes cités d'Ur et de Lagash. Au cours de l'un de ses voyages dans le Sud, il avait pu contempler ces immenses temples en forme de pyramide à étages, flanqués d'un gigantesque escalier extérieur qui conduisait à une salle de prière protégée par un dôme en or. L'homme avait imaginé offrir à son dieu un édifice semblable, recouvert de pierres très fines et orné de magnifiques peintures. Il rêvait de processions religieuses et de cérémonies célébrant le passage des saisons. De plus, il était de notoriété publique que les déesses descendaient parfois du ciel pour aller honorer de leur présence le dernier étage des ziggourats. Et les rois mortels pouvaient alors les y rejoindre et passer une nuit d'amour avec elles, unissant ainsi le ciel à la terre. Cet acte assurait à la cité du roi une grande protection divine et des récoltes exceptionnelles pour des décennies entières. Du haut de son temple, le souverain de Çatal Höyük pourrait admirer ses terres tout en songeant au legs qu'il faisait à sa descendance : un royaume bâti de ses propres mains.

L'endroit était bien choisi pour établir une cité prospère. De grandes terres fertiles entouraient la masse de briques et de pierre taillée qu'était devenue Çatal Höyük. Les anciennes terres volcaniques fournissaient de la nourriture en abondance pour la population et le bétail. Gazelles, cerfs et tortues abondaient, et les chasseurs ne revenaient quasiment jamais bredouilles. Les femmes avaient mis au point, au fil des années, des techniques de tissage leur permettant de produire de magnifiques étoffes qui se vendaient à prix d'or dans les marchés mésopotamiens et, souvent, bien au-delà de la mer Caspienne. Les dessins de ces tissus montraient habituellement le taureau dans toute sa splendeur. Il n'y avait rien d'étonnant à cela, puisque les habitants de Çatal Höyük louaient cet animal comme un dieu et ornaient leur intérieur d'immenses œuvres murales à son image. C'était d'ailleurs un vêtement fait d'une de ces étoffes que portait le maître de La Bête.

– Aujourd'hui, fabrication de briques, La Bête ! ordonna le Mésopotamien. Les maçons en réclament ! Travaille vite et tu auras droit à un autre morceau de viande ce soir même ! Et encore plus gros que celui de ce matin ! Tu aimes la viande, toi, n'est-ce pas ?

La Bête sourit en imaginant le plaisir de mordre dans de la chair, même pas très fraîche, et se mit à couler de la glaise dans les moules de bois. Le maître avait enchaîné son esclave à une colonne de pierre construite à cet effet et, une fois la confection des briques commencée, il alla parler au Mâj Gayak[1], qui était toujours le premier à arriver sur le chantier.

– Mâj Gayak, lui dit-il avec un fort accent du Sud, prends note qu'un de mes hommes est déjà au travail. Je te prie d'ajuster la rétribution en conséquence. Quant à mes autres esclaves, ils le rejoindront au cours de la matinée.

– C'est déjà noté, le Mésopotamien ! répondit le responsable du chantier, visiblement agacé. Je connais mon travail, mais tu sembles en douter ! Sache que Çatal Höyük est une cité de gens honnêtes, et nous vous payons aussi bien, gens du Sud, que nos propres propriétaires d'esclaves. Sauf que toi, le Mésopotamien, tu n'en as jamais assez, n'est-ce pas ? Tu es pareil à tous ceux de ta race…

– De quoi parles-tu donc, Mâj Gayak ? Qu'entends-tu par « race » ? Et puis, il est normal qu'on me paie dès qu'un de mes esclaves est présent sur le chantier, non ?

– Je parle de la race des avares comme toi, et non pas des Babyloniens ni des habitants des plaines du Tigre ! Écoute, vil Mésopotamien de Ctésiphon, tu fais beaucoup trop travailler cet esclave ! Tous les jours, il est ici à l'aube et c'est le dernier à partir le soir. À cette cadence, il ne résistera pas ! De plus, il est sous-alimenté ! Si tu t'acharnes à traiter cet homme comme un chien, il finira par te mordre, et ce sera bien fait !

– Ne me dis pas comment faire mon métier, Mâj Gayak ! Je connais mieux que toi mes esclaves et je sais comment en tirer le meilleur parti. Si tu connaissais La Bête aussi bien que moi, tu le ferais travailler tout autant. Et puis, dans le Sud, nous avons un code d'honneur que je m'efforce de respecter partout où je vais, y compris chez toi.

---

1. Contremaître.

– Et pourquoi donc le ferais-je travailler aussi fort, homme cupide de Ctésiphon ? lança le chef de chantier en ricanant. Ton esclave serait-il un demi-dieu ?

– Je te jure qu'il m'arrive de le croire, Mâj Gayak, avoua gravement le maître en regardant son esclave qui s'activait plus loin. Ce n'est pas un homme ordinaire en tout cas. Il est fort comme un bœuf et agile comme une gazelle... Je dois le maintenir dans un état d'épuisement constant afin qu'il ne démolisse pas sa cage ou qu'il ne s'attaque pas aux autres esclaves. Les coups de fouet l'indiffèrent et jamais je ne l'ai vu malade. Même les pestes d'Acridoc l'ont ignoré, alors que tous mes autres esclaves en sont morts. Avec un bout de pain seulement et peu d'eau, il trime des journées entières sans s'effondrer... Je n'avais jamais rencontré quelqu'un comme lui avant.

– Tu parles sérieusement, le Mésopotamien ? demanda le Mâj Gayak en fronçant les sourcils. J'ai peine à te croire, pourtant tu as l'air sincère... Et où donc as-tu trouvé ce phénomène ?

– Chez un marchand du pays de Mysie, dans le nord de l'Anatolie. Il était très jeune, encore un enfant, expliqua le maître en se remémorant les faits. Le marchand l'avait acheté à un éleveur de cochons qui lui-même l'avait trouvé dans une forêt durant un voyage sur les terres des Thraces...

– Les Thraces ! s'écria le Mâj Gayak. Que les dieux nous protègent de ces barbares !

– Le marchand aurait voulu l'élever comme son propre fils, poursuivit le Mésopotamien, mais c'était de la mauvaise graine. Sans cesse, le petit mordait et voulait se battre... Quand je l'ai acquis, il m'a fallu le mater à grands coups de bâton. Aujourd'hui, il n'est guère mieux, mais je l'épuise au travail et, ainsi, j'en garde le contrôle.

– Bien, je comprends maintenant. Je te prie de m'excuser, car j'ai été désobligeant envers toi, déclara le Mâj Gayak. Je ne connaissais pas cette histoire et je croyais que tu étais de ceux qui ne respectent pas leurs esclaves. Regarde, j'ai du fromage et du thé que je serais heureux de partager avec toi...

– Ce n'est pas de refus ! Je décline rarement une invitation de ce genre, particulièrement si elle vient de l'homme qui paie !

– Ah ! ah ! c'est qu'il ne s'agit pas de mon argent, mais de celui de mon souverain… C'est lui qui te paie ! Allez, assieds-toi…

Les deux hommes s'installèrent sur une grosse pierre d'assise destinée à la ziggourat pour manger le fromage. Ils devisèrent de choses et d'autres, comme le temps qu'il faisait et la chasse à la gazelle. Puis le Mésopotamien quitta le chantier pour aller chercher ses autres esclaves. Demeuré seul, le Mâj Gayak observa longuement La Bête. À part sa fine morphologie aux longs muscles, rien ne le différenciait des autres esclaves. La peau noircie par le soleil, de longs cheveux en bataille et la barbe poussiéreuse, il avait le même aspect que tous ceux qui travaillaient depuis des lunes sur ce chantier. Le Mésopotamien avait éveillé sa curiosité à son sujet. Le Mâj Gayak s'approcha prudemment de l'esclave, puis, avec son bâton, il lui tapota les côtes. La Bête réagit aussitôt en se mettant à quatre pattes, manifestement prêt à recevoir des coups.

– De quel pays viens-tu ? Serais-tu d'origine thrace, par hasard ? Ce peuple de chiens barbares capables de tuer leur père pour coucher avec leur mère…

La Bête comprenait ce qu'on lui disait, mais il ne répondit rien ; il baissa simplement la tête. Avec le temps, il était devenu insensible et, n'ayant pas de réputation à défendre, il ne s'offusqua pas de tels propos.

– Est-ce que tu comprends ma langue, esclave ? demanda encore le Mâj Gayak en lui donnant de petits coups insistants. Serais-tu un Thrace de la mer Noire ? Un barbare de ce pays d'insoumis sans âme ni culture ?

Encore une fois, l'homme n'obtint qu'un long silence en guise de réponse. De toute façon, La Bête n'avait jamais tenté de prononcer un seul mot de toute sa vie, et ce n'était pas aujourd'hui qu'il s'y mettrait. D'ailleurs, personne ne lui avait appris à parler et, pour s'exprimer, il grognait ou, lorsqu'il était content, poussait de brefs aboiements.

– Réponds, esclave, ou je te frappe ! vociféra l'homme. Ton maître m'a dit que tu es habitué aux coups de bâton, eh bien, laisse-moi t'en flanquer quelques-uns qui te délieront la langue ! Ici, c'est moi qui donne les coups, et sois certain que je le ferai comme tu le mérites... Alors, tu obéis, sale Thrace? Tu parles?

Au moment où le Mâj Gayak levait son bâton, La Bête lui saisit le pied et lui mordit le gros orteil. Paralysé par la douleur, l'homme laissa tomber son bâton que l'esclave récupéra prestement avant de bondir sur son agresseur pour lui asséner un bon coup entre les deux yeux. La violence de l'impact fit perdre conscience sur-le-champ au Mâj Gayak qui tomba mollement aux pieds de l'esclave.

La Bête se pencha sur le corps de sa victime et regarda attentivement son visage abîmé. L'homme avait une plaie béante au-dessus du sourcil, et son nez cassé laissait s'échapper du sang qui coulait dans son cou. C'est alors que l'esclave remarqua le collier que portait le contremaître; sa chaîne retenait un gros pendentif serti d'une pierre bleue translucide. C'était une pierre remarquable, constellée de petits points lumineux qui évoquaient les étoiles. On aurait dit la voûte céleste en miniature. La Bête, émerveillé, contempla le bijou. Mais, soudain, celui-ci s'anima lentement. Les minuscules étoiles convergèrent vers le centre de la pierre et formèrent un œil. Un œil de loup. Amusé par le phénomène, La Bête fit à l'œil un petit signe de la main, ce à quoi ce dernier répondit en se refermant deux fois. Subjugué par le «regard» indulgent de la pierre bleue, l'esclave ressentit pour la première fois de sa vie le désir de posséder une chose bien à lui. Après tout, autour de lui, on possédait des maisons, des vêtements et des bijoux. Pourquoi ne pourrait-il pas disposer, lui aussi, d'un bien quelconque? Sans attendre, il détacha avec ses dents la pierre de son médaillon et l'avala. Sourire aux lèvres, il reprit son travail devant le moule à briques comme si rien ne s'était passé, en ignorant le Mâj Gayak étendu à ses côtés.

Plus tard, à l'instar de ses confrères, le Mésopotamien arriva sur le chantier avec ses esclaves, enchaînés, qui le suivaient comme des canetons. Alors que débutait cette nouvelle journée de travail, les gardes armés du souverain de Çatal Höyük commençaient eux aussi à prendre place ici et là afin d'assurer la sécurité du chantier. Le maître s'approcha de La Bête. Il resta interdit en apercevant le corps inerte de son nouvel ami.

– Malheureux ! Mais qu'as-tu fait là ? Que t'est-il passé par la tête ? NE T'ARRÊTERAS-TU DONC JAMAIS ? ! Des problèmes ! Toujours des problèmes ! Voilà ce que tu m'apportes, La Bête ! Tu n'auras pas de viande ce soir, ni demain d'ailleurs ! Oh là là ! J'espère qu'il n'est pas mort !

Le Mésopotamien souleva le contremaître et le traîna jusqu'à une grosse pierre contre laquelle il l'adossa. Il alla vite chercher un peu d'eau et lui en aspergea le visage pour tenter de le réveiller. Mais le pauvre homme était parti pour les étoiles et n'en reviendrait visiblement pas de sitôt.

– Mâj Gayak ! Réveillez-vous, Mâj Gayak..., répétait le Mésopotamien, anxieux. C'est sûrement un accident... C'est ça ! Vous avez fait une mauvaise chute...

– Que se passe-t-il ici ? demanda soudainement une voix grave. Mais c'est le Mâj Gayak ! Que lui est-il arrivé ? Que lui avez-vous fait ?

– Mais rien... rien, je vous assure, s'empressa de répondre le Mésopotamien en constatant qu'il s'agissait d'un garde qui avait entamé sa ronde. Notre pauvre Mâj Gayak a eu un malaise soudain... Je tente de l'aider. Ce matin, il allait bien, nous avons même pris le thé ensemble et... et voilà que, maintenant, il est étendu par terre, évanoui ! Sûrement un coup de chaleur !

– Un coup de chaleur ? Mais le soleil est à peine levé et l'air est encore assez frais... Non, je ne crois pas que... Mais... mais il est blessé ? ! s'exclama le garde en dégainant son épée. Cette balafre sur le front ! Elle a la taille d'une pointe de lance !

– Ah oui ? Une balafre ? Voyez-vous ça ! Je n'avais même pas remarqué... Mais attendez, je me rappelle... Finalement, je suis certain d'avoir vu cette marque ce matin, alors que...

– Contre le mur, le Mésopotamien ! Tu es en état d'arrestation ! vociféra le garde en posant sa lame sur sa gorge.

« La journée commence mal », se dit le maître en se demandant ce qu'il adviendrait de lui.

III

Encore cette nuit-là, comme toutes les autres nuits depuis qu'il était petit, La Bête rêva au loup qui poursuivait le cerf. Ses compagnons de meute, de magnifiques bêtes au pelage cendré, s'essoufflaient en essayant de tenir la cadence. Dans la végétation dense de la forêt, le loup dominant donnait encore une fois sa pleine mesure. Il lui fallait attraper cette proie tenace qui représentait l'unique chance d'apaiser cette souffrance que lui causait une faim insupportable. Encore un effort, un de plus, et il pourrait goûter sa chair et se repaître de son sang.

Comme d'habitude, au moment où le loup allait saisir une des pattes arrière de sa victime, une crevasse, toujours la même, s'ouvrit devant lui. Elle lui barra la route alors que le cerf, lui, venait aisément de la franchir. Tout comme dans les autres rêves de La Bête, le loup se retrouva alors suspendu au-dessus du vide, et il sentit le gouffre l'attirer. C'était un abîme profond, noir, une gueule immense aux dents acérées dont le seul but était de le broyer. L'animal pouvait presque sentir le souffle de cette gorge des ténèbres monter jusqu'à lui. Luttant pour sa vie, il enfonça davantage ses griffes dans la terre, mais, au bout d'un instant, sentant ses dernières forces l'abandonner, il leva la tête et vit les étoiles. C'était la première fois que La Bête voyait cette scène dans son rêve. Tous les points lumineux du ciel convergèrent vers le centre de la voûte céleste et formèrent un œil. Exactement comme dans la pierre bleue du Mâj Gayak, apparut l'œil bienveillant d'un loup. La Bête ouvrit les yeux alors que son maître venait justement le réveiller.

– Debout ! cria le Mésopotamien en donnant un violent coup de pied sur la cage. Lève-toi, il est temps d'aller travailler ! Pas de viande aujourd'hui, que du pain et de l'eau, tiens !

La Bête ne mit qu'un instant à tout avaler, après quoi le Mésopotamien ouvrit la porte de sa cage, attacha une longe à ses fers et lui ordonna d'aller faire ses besoins. L'esclave remarqua que son maître avait le nez fracturé, ainsi que deux grands cernes noirs autour des yeux. Il eut un léger sourire, mais tout de même assez marqué pour que le Mésopotamien s'en aperçoive.

– Si je te vois encore une fois sourire, je te tue, La Bête ! grogna l'homme avec rancœur. Tout ça est de ta faute !

La veille, en reprenant ses esprits, le contremaître s'était aperçu de la disparition de sa pierre et avait attribué le vol au Mésopotamien, qu'un garde retenait sur le lieu de l'incident. Abasourdi par cette accusation injuste, le suspect avait tenté de clamer son innocence, mais le Mâj Gayak lui avait fracassé la figure d'un solide coup de bâton, mettant ainsi fin au plaidoyer. Le Mésopotamien avait fini par se relever avec l'épée du garde sous le menton et l'obligation de payer sur-le-champ la pierre volée.

– On m'a obligé à payer cette damnée pierre ! grommela le Mésopotamien en colère. Et puis, comment veux-tu négocier avec une lame sous la gorge ?... Je mettrais ma main au feu qu'il n'y a jamais eu de pierre sur ce fichu pendentif ! Ces maudits Anatoliens ! Escrocs de père en fils, et putains de mère en fille. Ils m'ont soutiré une fortune avec leur petite mascarade... Je me suis bien fait avoir. Ah, les salauds ! Ça m'apprendra à relâcher ma vigilance et à vouloir me faire un ami... Alors, La Bête, tu te dépêches ?

Pendant que le Mésopotamien grognait de l'autre côté du buisson, La Bête avait récupéré dans ses excréments encore chauds la pierre bleue qu'il avala de nouveau. Pour l'instant, il n'y avait pas d'endroit plus sûr pour la cacher.

– Je sais que c'est toi, La Bête, qui lui as transformé le nez en chou assyrien, au Mâj Gayak, râla le maître en conduisant son esclave au chantier. Je te jure qu'un de ces jours, je me vengerai ! Tu me payeras ce coup-là et tous les autres que tu m'as faits au cours des années. J'en ai plein le dos ! Je vais te faire crever au travail, je le jure !

Au chantier, le Mésopotamien ordonna de nouveau à La Bête d'entreprendre le moulage de briques et, en fuyant le regard triomphant du Mâj Gayak, il s'en retourna aussitôt chercher ses autres esclaves.

C'était l'aurore, et le chantier était encore désert. Le contremaître en profita pour aller trouver La Bête, mais, cette fois, il demeura sur ses gardes en restant à bonne distance.

– Oh ! La Bête, regarde-moi ! Écoute, je sais que c'est toi qui m'as volé mon pendentif, mais ne crains rien, ton maître me l'a grassement payé ! gloussa l'homme sur un ton complice. Si j'ai accusé ton maître à ta place… c'est qu'à mon avis, seulement pour la façon dont il te traite, ce chien du Sud méritait bien son châtiment !

La Bête eut un léger rictus. Avec tous les coups de fouet et de bâton qu'il avait pris, il trouvait assez amusant d'imaginer son maître en train de se faire battre à son tour… Et cette pierre… elle était bien en sécurité dans son ventre, et personne ne pourrait la lui enlever…, à moins de lui ouvrir l'estomac… Oui, il y avait de quoi sourire. Et enfin, La Bête possédait une chose bien à lui.

– Écoute, La Bête, j'ai très peu de temps avant l'arrivée des gardes et celle du Mésopotamien, mais je veux te dire un mot… Hier, pendant la journée, j'ai envoyé un message à mon cousin Nosor pour lui parler de toi… C'est le puissant chef d'un clan de nomades du Nord. Je lui ai dit à quel point tu es fort. Alors, sois courageux parce que ta vie pourrait bientôt changer… Nosor sera ton maître, tu comprends ? Un bon maître… Et ce n'est pas tout : je t'ai apporté de la nourriture… Tiens, prends-la vite ! Je ne veux pas qu'on te surprenne à manger sur le chantier…

Le Mâj Gayak lui jeta un gros morceau de fromage et de la viande de mouton cuite.

– Ne crains rien, continua-t-il d'un ton rassurant, la nourriture est saine. Il faut que tu sois en bonne santé pour que mon cousin t'acquière. Tu comprends ce que je te dis ? C'est très important que tu te nourrisses bien et que tu reprennes des forces.

La Bête ne répondit rien et s'empara des aliments. Comme un ogre, il dévora le tout en quelques bouchées.

– Bien, je vois que tu as saisi ! se réjouit le Mâj Gayak en s'assurant que personne ne rôdait autour d'eux. Cette nuit, j'enverrai une servante te porter des fruits et du lait afin que tu manges convenablement deux fois par jour. Et puis, mets moins d'ardeur au travail ! Comme c'est moi qui ordonne qu'on fouette les fainéants, tu n'as rien à craindre, je te le promets ! Je trouverai même un moyen pour que tu puisses faire une sieste dans l'après-midi...

La Bête n'en revenait pas. Il demeura interdit devant son moule à briques. C'était bien la première fois de sa vie qu'on lui demandait de se reposer !

Puis le contremaître lui ordonna de s'asseoir et lui tendit un bol de thé chaud. L'esclave ne se rappelait pas avoir mangé autant depuis des années. Et ce breuvage tout chaud ! Et ce goût délicieux ! La Bête était au comble du ravissement. L'estomac rempli de viande et de fromage, il se retrouvait repu sous l'aile d'un protecteur inattendu. Il recouvrait un peu de paix et, dans ses veines, une nouvelle énergie s'était mise à circuler.

Pour la première fois depuis très longtemps, La Bête se redressa complètement et respira profondément l'air frais du matin. Comme dans son rêve, il discerna l'odeur caractéristique qui lui venait de la forêt située par-delà le chantier, et dans son âme naquit alors la certitude qu'il appartenait à cette forêt et qu'il devait la retrouver.

– Encore du thé ? demanda le Mâj Gayak en se levant pour lui en reverser. Cette boisson est la nourriture de l'âme. Bois-en plus et tu verras ce que je veux dire... Attention, c'est chaud !

La Bête but son second bol et sentit de nouveau le liquide chaud se répandre dans son corps. On aurait dit une douce caresse à l'intérieur. Une sensation de bien-être encore inconnue à ce jour s'empara de lui et, bientôt, il afficha un sourire béat. Satisfait, le contremaître sourit aussi, mais pour d'autres raisons. Il avait un plan derrière la tête.

– Ça suffit maintenant ! siffla-t-il nerveusement. Un garde vient... et des esclaves avec leur maître, plus loin. Allez, au travail !

Machinalement, La Bête reprit sa posture voûtée et se remit à remplir son moule de glaise. Comme le lui avait recommandé le Mâj Gayak, il travailla beaucoup plus lentement et, malgré la promesse faite par ce dernier, il demeura étonné de ne recevoir aucun coup de bâton. Au soleil couchant, le Mésopotamien vint le chercher comme d'habitude et l'enferma dans sa cage.

– Tiens, ton pain ! Pas de viande ce soir non plus, tu ne l'as pas méritée ! maugréa-t-il en tournant aussitôt les talons.

La Bête avala sa pitance, se recroquevilla et ferma les yeux.

Une fois de plus, il rêva au loup qui poursuivait assidûment le cerf. Les mêmes scènes se déroulèrent dans le même ordre et se terminèrent avec le loup au bord de l'abîme, levant la tête vers le ciel. Cependant, cette fois-ci, apparut un immense loup bleu qui le regardait affectueusement. Il était vaporeux et avait la luminosité d'une aurore boréale. Il ouvrit lentement sa gueule, puis prononça de bien étranges mots :

– Börte Tchinö, Börte Tchinö, Börte Tchinö...

C'est alors que La Bête rouvrit les yeux et remarqua une présence au-dessus de sa cage. Quelqu'un, une vieille dame, lui offrait gentiment des fruits et un grand bol de céréales chaudes. L'esclave, qui ne se rappela pas tout de suite les promesses du Mâj Gayak, s'étonna qu'une âme charitable vienne ainsi le nourrir au beau milieu de la nuit. Il avala tout avec appétit, y compris les noyaux des fruits, puis il se recoucha aussitôt le festin terminé. La vieille récupéra le bol et repartit en silence.

La Bête s'était rendormi et rêva encore à son loup. Mais, cette fois, l'animal ne chassait pas parce qu'il n'avait pas faim. Il courait parmi les étoiles du ciel sous le rire amusé de l'énorme loup bleu. Depuis des lustres, La Bête n'avait fait que des cauchemars, et voilà maintenant qu'il rêvait d'un loup qui se déplaçait allègrement dans le cosmos sous l'œil protecteur d'une apparition divine ! Malheureusement, son plaisir fut abruptement interrompu par la réalité.

– Debout ! cria son maître en cognant durement sur sa cage. Le jour va bientôt se lever, et le chantier te réclame ! Voilà ton morceau de pain... et tu devras encore te passer de viande aujourd'hui !

La Bête, alourdi par son repas nocturne, ouvrit les yeux difficilement. Il but l'eau, mais dédaigna le pain rassis. Puis il fit signe à son maître de le faire sortir de sa cage.

– Voilà qui est surprenant ! fit le Mésopotamien en accrochant la longe aux chaînes de son esclave. Tu veux aller faire tes besoins avant même d'avoir mangé ! Et tu n'as pas l'habitude non plus de refuser de la nourriture ! Serais-tu malade ? Ce serait bien la première fois ! Même enfant, tu ne l'as jamais été !...

Pendant que son maître, perplexe, continuait de se poser des questions à voix haute, l'esclave déféqua, puis récupéra la précieuse pierre. Il l'avala une troisième fois.

– Bon, au chantier ! ordonna le Mésopotamien en fixant le bout de pain au fond de la cage. Es-tu certain de ne pas vouloir manger ? Je te préviens, c'est ton unique repas de la journée... Il me semble que tu ferais mieux de...

Sans se soucier de ce que lui disait son maître, La Bête se mit à marcher en direction du chantier.

– Oh, mais un instant ! s'exclama le Mésopotamien en tirant par saccades sur la longe. Qu'est-ce que tu fabriques ? C'est moi qui mène, et non le contraire ! La Bête, je suis ton maître ! Rappelle-toi, j'ai mon bâton à la ceinture et... et... et tu auras affaire à...

La Bête s'immobilisa et poussa un profond soupir.

– Bien ! C'est mieux ! Les esclaves ne sont jamais prompts à se rendre aux travaux forcés. Je ne vois pas pourquoi il en serait autrement pour toi !

La Bête savait que, malgré son air bourru et sa volonté de respecter les coutumes de son métier, cet homme n'était pas dépourvu de bonté. Alors que beaucoup de maîtres frappaient leurs esclaves par pur plaisir, jamais il ne portait la main sur les siens sans raison. D'accord, il était pingre, notamment sur la nourriture, mais il n'hésitait jamais à payer pour qu'un docteur soigne un esclave mal en point. Les enfants étaient traités durement, mais pas de façon inhumaine, et jamais il n'avait forcé les femmes à se prostituer. Le Mésopotamien disposait en tout d'une quarantaine d'esclaves qu'il logeait dans quatre grandes cages sur roues avec des limons pour les atteler. L'une était réservée aux familles, majoritairement des familles noires provenant du Sud-Ouest, une autre, aux femmes, peu nombreuses, tandis que les hommes occupaient les deux dernières cages. Seuls les tout-petits ne portaient pas de fers aux pieds et aux mains, mais, dès l'âge de huit ans, le maître les enchaînait pour leur faire faire des travaux légers. Pour ce qui était de La Bête, il vivait à l'écart dans sa petite cage, incapable qu'il était de s'adapter à la vie en groupe.

Pour se faire aider, le Mésopotamien avait engagé deux gardiens armés, ainsi que la veuve de son frère, qui s'occupait des repas et de l'entretien en général. Quant aux gardes, ils surveillaient les esclaves pour les empêcher de s'évader. En réalité, plusieurs d'entre ces derniers n'étaient pas mécontents d'être au service du Mésopotamien et n'auraient jamais voulu être vendus à quelqu'un d'autre. Certains n'envisageaient même plus de s'échapper un jour, trop vieux qu'ils étaient pour songer à se refaire une vie. Entre la mendicité et le travail forcé, le second l'emportait haut la main. Le maître n'était pas le meilleur ni le pire des propriétaires d'esclaves de la Mésopotamie, c'en était un parmi d'autres. Et même si ses affaires n'étaient pas des plus florissantes, il se débrouillait plutôt bien.

Mais La Bête, ancien enfant rebelle qui avait grandi sous les coups de bâton et de fouet, espérait mieux de la vie. Il n'avait aucunement envie de pourrir dans une cage jusqu'à son dernier souffle, mais il n'avait jamais réussi à trouver le courage de fuir, même s'il avait eu maintes occasions de le faire. Le Mésopotamien était la seule famille qu'il se rappelait avoir connue et il s'imaginait difficilement vivre sans lui. La routine était devenue sécurisante. Bien que son estomac criât souvent famine, il y avait de grands avantages à servir les autres plutôt que de diriger sa propre destinée. Au moins, sa cage lui procurait un peu de sécurité et de quiétude.

– Mange, La Bête, mange ! lança le Mâj Gayak lorsqu'il se retrouva seul avec lui sur le chantier. Du bon fromage et de la viande qui te rendront encore plus vigoureux ! Dépêche-toi avant que tout le monde arrive. Tiens, je vois que tu manges moins goulûment qu'hier… Ha ! ha ! ha ! tu as bien reçu ta livraison nocturne, n'est-ce pas ? Tu m'en vois ravi ! Et rappelle-toi : pas de zèle dans ton travail ! Je ne voudrais pas que tu te blesses ou que tu tombes malade avant que mon cousin arrive ! Il sera ici dans quelques semaines tout au plus… Allez, avale tout ! Je veux que tu sois fort !

L'esclave mangea sans vraiment s'interroger sur les intentions que cachaient les bonnes actions du chef de chantier à qui, après tout, il avait cassé le nez. Pour lui qui était régulièrement battu, ce comportement, même s'il était obséquieux, était le bienvenu.

Des semaines s'écoulèrent ainsi durant lesquelles La Bête, grâce à son ami le contremaître, put se reposer et même prendre du poids. Il finit par croire que la pierre bleue, qui logeait toujours dans son ventre, lui portait chance. Sa vie s'était grandement améliorée et il ne faisait plus de cauchemars. Au lieu de courir derrière un cerf dans l'espoir de le manger, son loup se baladait toutes les nuits dans les étoiles, bondissant d'une galaxie à une autre. Toujours sous l'œil amusé du grand loup bleu, il courait après les étoiles filantes tout en profitant de la chaleur bienfaisante du soleil.

À son réveil, toujours contrarié de retrouver la dure réalité de sa condition, La Bête, abattu, ne faisait qu'attendre la fin de sa journée pour retourner voler dans le firmament. Chaque matin, il refusait systématiquement le pain rassis offert par son maître, et son changement radical d'attitude plongea ce dernier dans la confusion.

« Un homme qui jeûne ne devrait pourtant pas engraisser ! se disait-il la nuit venue. Ce n'est pas normal d'affamer un esclave et de le retrouver, même des semaines plus tard, bien portant… Ce n'est pas possible, l'énergumène doit manger de la boue… Mais oui, puisqu'il en utilise pour ses briques… Il doit y avoir quelque chose dans cette terre… Je devrais peut-être en donner aux autres… Cela m'éviterait d'acheter du pain… »

Puis, au cours d'une de ces nuits où il se retournait dans son lit en se posant des questions sur le comportement de La Bête, le maître entendit des pas à l'extérieur de sa tente.

« Sûrement des petits voleurs anatoliens, pensa-t-il en se redressant sur sa couche. Ces bâtards en veulent sûrement à mes biens… Alors, voyons cela, je vais te les rosser, ces chiens. »

Avec précaution, il se leva et saisit son bâton préféré, le dentelé qui pouvait déchirer la peau. Cette arme était parfaite pour châtier des voleurs ayant osé s'aventurer dans son campement. Comme un chat qui chasse les souris, le

Mésopotamien se faufila dehors en passant par un des replis de la tente, qui faisait office d'ouverture secrète. Bâton levé, il contourna prudemment sa petite habitation de toile pour finalement apercevoir, devant la porte d'entrée, une ombre qui s'y introduisait. Furieux, il plongea sur le voleur et lui asséna un bon coup derrière la tête. L'intrus tituba jusqu'au centre de la tente où il s'effondra mollement. Le Mésopotamien fit un peu de lumière et fut épouvanté lorsqu'il s'aperçut que du sang se mêlait au rouge écarlate du tapis tissé par les femmes de Çatal Höyük.

Bien qu'il fût dans tous ses états, il prit quand même le temps d'aller examiner les alentours afin de s'assurer que personne ne l'avait vu. De retour dans la tente, il ralluma la chandelle et examina sommairement le corps de l'inconnu qui gisait par terre.

« Ah non, me voilà pris avec un cadavre... Je dois le dissimuler... Du calme... Je vais aller l'enterrer dans le désert... Personne ne saura jamais ce qui est advenu de lui. »

L'homme se préparait à enrouler la dépouille dans le tapis souillé lorsqu'il décida de l'examiner d'un peu plus près. L'intrus était vêtu d'une cape et d'une armure légère en cuir noir. Sous le turban qui lui ceignait la tête, son visage était peint en jaune, du nez jusqu'au front. Le Mésopotamien se mit à trembler en voyant cela, car cette caractéristique ne trompait pas : il venait de tuer un membre de la secte d'Iblis, célèbre dans toute la Mésopotamie ! Dans le cou du cadavre, on pouvait voir un tatouage représentant une salamandre noire... Cette même salamandre était sculptée sur le pommeau de la longue et fine dague qu'il portait sur le côté.

« Qu'Ahura Mazda me protège ! Je suis dans de beaux draps..., pensa le Mésopotamien, le cœur agité. Si jamais cette secte d'assassins et de mercenaires me découvre, je pourrai compter mes heures ! Et que fabriquait-il chez moi, celui-là ? Il n'y a pourtant aucune raison pour que ces hommes veuillent s'en prendre à moi... Non, non, ce doit être une erreur... Mais que faire maintenant que j'ai tué l'un d'eux ? Aïe aïe aïe ! Je dois disparaître et me faire oublier... »

Le Mésopotamien ramassa vite quelques affaires et déguerpit sans faire de bruit. Il s'arrêta net lorsqu'il entendit des murmures provenant de la cage de La Bête. Il se retourna et parvint à distinguer deux personnes qui parlaient à la lueur d'une torche. Voulant savoir ce qu'elles complotaient, il décida de se rendre en douce derrière les cages de ses autres esclaves. C'est alors que de gros nuages se détachèrent de la lune et qu'il vit, dans la lumière de cette dernière, ses esclaves gisant dans leur sang, tous égorgés. Lorsque se révéla cette image d'horreur, il retint un cri et décampa sans demander son reste. Tout à coup, il reconnut, à leurs visages peints, deux membres de la secte d'Iblis qui venaient de surgir de l'ombre et qui le plaquèrent au sol, face contre terre.

– Arrêtez ! Je n'ai rien fait ! s'écria le maître de La Bête, en proie à la panique. Vous faites erreur… Je vous jure que je n'ai rien fait ! Laissez-moi ! Tenez, prenez mon argent et laissez-moi tranquille ! Ne me tuez pas, je vous en prie… Si j'avais su qu'il était un des vôtres, jamais je ne l'aurais frappé… Je suis désolé ! Tellement désolé !

Tandis qu'il s'embourbait dans ses propos, sans mot dire les deux hommes lui ligotèrent les mains, l'amenèrent aux deux individus qui se trouvaient près de La Bête, puis disparurent dans la nuit. Le Mésopotamien vit, devant la cage, le Mâj Gayak et un petit homme enturbanné qui avait le visage à moitié peint en rouge et des dents en or. Tous deux l'accueillirent avec un vilain rictus. Quelqu'un était étendu de tout son long à leurs pieds. Le maître reconnut avec stupeur La Bête. Un mince filet de sang coulait sur sa tempe.

– Je suppose que tu es surpris de voir ton esclave ainsi, le Mésopotamien ? Ah, mais, d'abord, laisse-moi te présenter mon cousin, Nosor Al Shaytan ! fit le contremaître. Ce sera le nouveau maître de ton esclave ! Dis-moi, tu n'y vois pas d'inconvénient, j'espère ?

– Mais bien sûr que non, pas du tout ! Qu'il le prenne, il est à lui, répondit l'autre, décidé à sauver sa peau. De toute façon, je n'en voulais plus… Pour moi, il n'est que problèmes, alors ! Ton cousin saura probablement mieux s'y prendre que moi pour le mater… Allez, je le lui donne ! Et avec plaisir en plus ! C'est cela, tout le plaisir est pour moi ! Vraiment !

– C'est trop aimable de ta part! se moqua le Mâj Gayak en voyant son interlocuteur ramper. Je pense que je t'avais sous-estimé, le Mésopotamien… Vraiment, ta bonté me touche.

– Euh… je t'en prie… ce n'est rien…, bafouilla le maître de La Bête, terrorisé.

Le contremaître se tourna vers son cousin.

– Tu as entendu, Nosor? Cet esclave est à toi! Tes hommes et toi pourrez partir avec lui.

– Bien, mon cousin, très bien! répondit Nosor en souriant de toutes ses dents. Voilà donc pour toi, très cher ami, une petite bourse dans laquelle j'ai aussi mis quelques pièces destinées à ta charmante femme et à tes enfants. Je me rends compte que c'est toujours très plaisant de commercer avec toi… Au fait, si tu déniches encore d'autres esclaves, disons, aussi intéressants, je suis toujours preneur! N'hésite pas à me faire porter un message.

– C'est également un immense plaisir de faire affaire avec toi, cher Nosor. Et j'ouvrirai l'œil, c'est promis.

– Eh bien, voilà, transmets mes salutations à ta femme et à tes enfants… J'aurais bien aimé raconter une de mes histoires à ta plus jeune, mais ce sera pour une autre fois…

– À ton aise, Nosor! Allez, qu'Iblis protège ceux que tu aimes et qu'il guide tes pas vers son royaume, conclut le Mâj Gayak avant de s'incliner et de s'en aller.

Nosor Al Shaytan fit alors signe à ses hommes de déverrouiller la cage de La Bête et de détacher le Mésopotamien. Ne sachant trop à quoi s'attendre, ce dernier prit la parole nerveusement lorsqu'ils s'approchèrent de lui:

– C'est bien… Je suis content pour La Bête… Il sera heureux avec son nouveau maître, j'en suis certain…, balbutia-t-il en reculant de quelques pas.

– Tout à l'heure, tu as eu la visite de mon frère, n'est-ce pas? demanda l'un des deux serviteurs d'Iblis en posant la main sur le pommeau de sa dague. Alors que c'est toi qui devrais être mort, c'est lui qui a disparu! Qu'as-tu à dire?

– RIEN! Je n'ai rien fait! J'ignorais que… enfin, qu'on voulait me… Alors, je suis sorti pour… Bref, j'ai vu de la lumière… Non… D'accord, je vais vous dire la vérité: c'était un accident… J'ai pris votre frère pour un cambrioleur… Si j'avais su qui il était, je ne me serais pas défendu, mais personne ne m'a rien dit, alors je…

– On dirait que tu aimes les histoires, le Mésopotamien…, intervint Nosor qui prenait plaisir à le voir tenter ainsi de se dépatouiller.

– Euh… oui… Oui, en fait, j'adore les histoires…

– Alors, connais-tu celle de l'homme qui avait appris d'une voyante son décès prochain et qui avait décidé de fuir la mort en se cachant au fond d'une grotte, au cœur de la montagne ?

– Non, non… c'est la première fois que… Mais, allez, j'aimerais beaucoup l'entendre… vraiment beaucoup…

– Bien. Cet homme croyait pouvoir éviter de mourir et vivre en sécurité en s'enfermant dans une grotte. Or, aussitôt dans sa nouvelle demeure, il se retrouva face à face avec la mort. Tu imagines ?! Elle était là, la Faucheuse, qui pleurait à chaudes larmes. Elle pleurait de honte d'avoir laissé filer entre ses doigts osseux l'âme de cet homme parti se cacher dans la montagne…

– Oh ! fit le Mésopotamien, de plus en plus nerveux. Et qu'est-il arrivé ensuite ?

– Stupéfait de trouver la mort en face de lui, il est décédé subitement dans la minute qui a suivi son arrivée dans la grotte…, poursuivit Nosor en haussant les épaules. Comme cela avait été prévu, la Faucheuse a pris son dû. Sais-tu ce que cela signifie, le Mésopotamien ?

– Que… qu'il ne sert à rien de… de fuir la mort ?

– Ha ! ha ! ha ! Eh oui, car elle finit toujours par nous rattraper ! Tu comprends vite !…

Le Mésopotamien sentit alors dans son dos la morsure froide d'une lame, qui le fit chanceler. Un des hommes de Nosor venait de le poignarder.

– Tu as évité la mort une première fois, mais elle n'a pas tardé à te rattraper, conclut Nosor avant de lui enfoncer à son tour un poignard dans l'estomac. Meurs en paix, je prendrai soin de ton esclave !

Blessé à mort, le Mésopotamien finit par s'effondrer. Avant de fermer les yeux pour toujours, il comprit qu'il ne reverrait jamais plus les eaux calmes de l'Euphrate, lui qui avait rêvé de finir ses jours à Ctésiphon, sa ville natale, et d'être mis en terre près du grand temple… Son regard s'embruma, puis il s'éteignit.

IV

Électra, la fille du roi de Byzance, regardait la ville par la fenêtre du palais. Reconnue pour ses caprices et pour son impatience, elle poussait soupir après soupir en pestant contre sa pénible condition de princesse qui l'obligeait à demeurer cloîtrée entre les murs du palais. Tous les jours depuis trois semaines, elle harcelait son père pour qu'il la laisse se promener en ville sans garde personnelle. C'était sa nouvelle lubie. Un nouveau jeu pour se désennuyer. Le roi avait beau lui expliquer qu'une princesse n'est pas une citoyenne ordinaire et que sa sécurité est primordiale pour le royaume, celle-ci, têtue comme une mule, ne voulait rien entendre.

– Vous désirez que j'arrange votre coiffure ? lui demanda Phoebe, sa grosse gouvernante.

– Non. Tout ce que je veux, c'est qu'on me laisse sortir de cette prison ! répondit Électra qui voulait encore attirer l'attention. Les gens du peuple m'aiment bien, il me semble, alors pourquoi ne me laisse-t-on pas circuler librement parmi eux ?

– Mais, vous savez, la sécurité du palais vaut mieux que la liberté de courir le monde ! expliqua Phoebe. Comme vous l'a déjà dit maintes fois votre père, nous vivons à une époque bien dangereuse… Les barbares et les infidèles règnent partout autour des villes ! Au nord, les Thraces nous épient alors que, au sud, ce sont les Mésopotamiens qui lorgnent nos richesses… Et il ne faut pas oublier les Anatoliens, de l'autre côté du Bosphore !

– Balivernes ! Les Anatoliens ne sont, pour la plupart, que d'inoffensifs nomades ! riposta Électra. En ce qui concerne les Mésopotamiens, tout le monde sait que mon père vient de signer un traité de paix avec leur souverain, Assurbanipal ! Depuis, ils font même du commerce dans notre port, et mon père a dit que nous formerons, dans quelques années, le pivot de leur route commerciale ! Tu vois, Phoebe, le monde n'a jamais été aussi sûr autour de nous !

– Et les Thraces ? Que faites-vous des Thraces ?

– Pfft !... Byzance ne les intéresse pas !

– Qu'est-ce qui vous permet de penser cela ?

– J'écoute aux portes..., dit à voix basse la princesse.

– Vous espionnez votre père ?!

– Je fais mieux, avoua Électra avec un sourire espiègle. J'ai lu des lettres confidentielles et j'ai mis la main sur des procès-verbaux intéressants ! Je sais tout du royaume ! Je connais sa politique et son économie ! Et tu sais quoi, Phoebe ? Si j'avais du souci à me faire, eh bien, ce serait au sujet de l'administration de mon père !

– Taisez-vous, malheureuse ! Votre père, notre roi, est un excellent administrateur !

– Ah oui ? Alors, explique-moi pourquoi nos coffres sont à ce point vides que nous risquons même de devoir annuler les épreuves olympiques ?

– Mais c'est impossible... Si les Jeux n'avaient pas lieu, le peuple se révolterait !

– Alors, il se révoltera sans doute, et ce sera la catastrophe.

– Je ne peux vous croire...

– Libre à toi, ma chère Phoebe, mais tu verras bien ! À moins de vendre le stade ou notre flotte entière de navires marchands, ou bien de lancer nos troupes dans une guerre de conquête, Byzance ne tardera pas à s'écrouler sous le poids de sa dette...

– Mais taisez-vous donc ! dit Phoebe, horrifiée.

– Ce n'est pas tout. Nos créanciers, seulement ceux à qui nous devons le plus d'argent, c'est-à-dire les Spartiates et les Troyens, prendront par la force le contrôle de la ville ! Mon père, ses femmes et ses descendants seront soit brûlés vifs sur la place publique, soit vendus comme esclaves. Quant à moi, puisqu'on me dit jolie, je ne serais pas surprise qu'on me contraigne à devenir putain dans un de ces bordels de Sparte...

– Je vous en supplie, arrêtez, Électra ! C'est la fin du monde que vous m'annoncez là !

– C'est pourtant le piège qui nous guette, si l'incompétence de mon père continue de mener les affaires de Byzance…

Un lourd silence tomba. Électra se remit à regarder au loin par la fenêtre. Elle soupira, mais, comme chaque fois que la jeune capricieuse réussissait à faire de l'effet, elle se sentait satisfaite. La gouvernante, elle, au comble de l'angoisse, s'était mise à faire les cent pas, puis était parvenue à s'asseoir.

– Vous ne devriez pas me raconter toutes ces choses, dit-elle, le cœur gros. D'abord, cela ne me regarde pas et, ensuite, je m'inquiéterai tellement que je ne pourrai plus trouver le sommeil.

– Mais tu es ma seule amie et confidente, Phoebe. À part toi, je n'ai personne…

– Vous m'en voyez honorée, Électra, mais ce n'est pas une raison valable pour me révéler les affaires confidentielles du royaume. Moi, je n'ai que vous au monde également, mais…

– C'est faux, tu mens ! Deux fois par semaine, tu vas rendre visite à mon oncle Héraclès. Je t'ai vue ! Après tes courses au marché, tu passes toujours par le stade et tu demandes à voir le responsable ! On te conduit dans les thermes de l'arène où mon oncle Héraclès t'attend après son entraînement de pancrace ! Alors, tu sautes le rejoindre dans le bain chaud et…

– Mais… mais… mais com…, bredouilla la grosse femme, figée sur son siège.

– Je t'ai fait suivre, Phoebe ! Je n'ai rien à faire de mes journées… Ma vie se résume à espionner celles des autres ! Ne t'en fais pas, je ne vois rien de mal à ce que tu passes de bons moments avec mon oncle, mais n'essaie plus de me faire croire que je suis ta seule amie.

– Ça alors ! Il faut vraiment trouver de quoi vous divertir, grogna la gouvernante, passablement humiliée.

– Voilà pourquoi j'aimerais avoir plus de liberté ! Je voudrais aller en ville, me promener dans la forêt, être seule et libre, comme une louve !

– Comme une louve ? Vous n'êtes vraiment pas sérieuse…

– Oh ! que si, Phoebe ! ajouta Électra qui adorait abuser de la crédulité de sa gouvernante. Si un jour j'arrivais à m'échapper d'ici, j'irais vers le sud… Je marcherais jusqu'au pays du sable où, dit-on, de puissants magiciens ont la faculté de transformer les hommes en loups grâce à une potion faite avec des plantes vénéneuses…

– Vous me faites marcher ! s'exclama Phoebe, énervée. Et pourquoi n'allez-vous donc pas chez les Thraces ? On dit bien que c'est le pays des loups ! Avez-vous peur de vous faire dévorer ?

– Pas du tout, c'est même une excellente idée ! répondit Électra qui continuait à s'amuser aux dépens de sa gouvernante. Et dans ma lettre d'adieu, je dirai à mon père que c'était ton idée !

Révoltée, la grosse Phoebe se leva et se dirigea vers la porte de la chambre.

– Si vous n'avez plus besoin de moi…

– Allez, Phoebe, ne te fâche pas ! C'était pour rire.

– Eh bien, merci, la blague était très drôle.

La grosse femme sortit de la pièce.

– Mais quelle gourde, celle-là ! soupira intérieurement Électra. De toute façon, il faut vraiment être désespérée pour entretenir ce genre de relation avec Héraclès… Cet homme est plus chaud qu'un lapin. Pff ! pauvre imbécile !

Électra sortit sur le balcon de sa chambre. De grands feux éclairaient des parties importantes de la ville presque déserte à cette heure tardive, mais beaucoup de rues demeuraient plongées dans l'obscurité d'une nuit sans lune.

« Plus de lumière, plus d'espoir…, se dit la jeune princesse, découragée. Artémis, grande chasseresse et déesse de la Lune, viens à mon secours. Accorde-moi la liberté et, comme toi, insoumise et fière, je parcourrai le monde en quête d'aventures. Je ferai tout ce que tu voudras pour quitter le royaume de mon père, je me soumettrai à chacune de tes exigences et je te louerai avec ferveur. Je t'en prie, aide-moi à quitter ce palais. Artémis, grande Artémis, reçois ma prière et deviens mon alliée… »

V

La Bête ne s'était pas rendu compte qu'on l'avait enlevé. Le Mâj Gayak avait bien préparé son plan et, la journée même où Nosor Al Shaytan et ses hommes avaient débarqué à Çatal Höyük, il l'avait mis à exécution.

Ce soir-là, comme tous les autres depuis quelques semaines, la vieille dame était venue nourrir La Bête. Seulement, cette fois, un puissant somnifère à base d'orties avait été ajouté à la nourriture de l'esclave, qui s'était endormi profondément à la fin de son repas. C'est durant son sommeil que les membres de la secte d'Iblis s'étaient emparés de lui, après avoir pris la double précaution de l'assommer afin d'être certains qu'il demeure bien tranquille. Comme le Mâj Gayak avait parlé à son cousin de l'extraordinaire résistance de La Bête et de son incroyable capacité de récupération, il valait mieux qu'ils mettent toutes les chances de leur côté.

Voulant s'assurer qu'aucun témoin ne parle, le Mâj Gayak avait fait éliminer les autres esclaves, ainsi que le Mésopotamien. Les sbires de la secte d'Iblis avaient vidé de ses cadavres une des cages sur roues et y avaient installé La Bête avant de prendre la route du désert d'Anatolie, vers le nord.

La nuit de son enlèvement, La Bête ne fit aucun rêve, mais il se réveilla en poussant un affreux cri de douleur. Lorsqu'il ouvrit les yeux, il constata que trois individus coiffés de turbans noirs le maintenaient au sol, alors qu'un quatrième se tenait debout devant lui. Son omoplate gauche le faisait terriblement souffrir. Quand il détecta une odeur de chair brûlée, il comprit qu'on venait de le marquer au fer rouge. Il avait déjà vu plusieurs propriétaires d'esclaves utiliser cette méthode pour identifier ces derniers. Par réflexe, il tenta de toutes ses forces de se dégager, mais il ne tarda pas à s'apercevoir que ses efforts étaient inutiles: des chaînes entravaient ses pieds et ses mains. Affolé, l'esclave poussa un cri de rage qui impressionna ses assaillants.

– Hé, calme-toi ! lui dit une voix avec un fort accent anatolien. C'est presque terminé... Plus tu bougeras, plus ce sera douloureux !

L'homme qui était debout appliqua le fer une seconde fois au même endroit, ce qui arracha à La Bête un autre cri de douleur terrifiant, presque inhumain cette fois.

– Voilà, c'est terminé maintenant ! Il faut toujours brûler la peau deux fois pour que la marque demeure bien visible. Vous trois, ramenez-le dans sa cage !

Aussitôt, les trois hommes bondirent sur leurs pieds et rouèrent l'esclave de coups jusqu'à ce qu'il soit bien tuméfié. Ensuite, ils le tirèrent brutalement jusqu'à la grande cage montée sur roues dans laquelle on l'avait transporté. Le plancher maculé de sang témoignait encore du massacre de la veille à Çatal Höyük.

Une fois la porte à treillis métallique refermée sur lui, La Bête remarqua que ses tortionnaires avaient la moitié du visage peint en jaune. Il pouvait aussi voir leurs yeux injectés de sang et leurs dents recouvertes d'argent. Il s'agissait de guerriers. Sur leurs hanches, deux longs djambiyas[2] le confirmaient.

La Bête essaya de se redresser, mais en fut incapable. Il demeura étendu sur le sol de la cage, toutes ses forces l'ayant abandonné. Comme pour le loup dont il avait si souvent rêvé, la terre se dérobait maintenant sous ses pieds, et le vide l'attirait. Pour la première fois de sa vie, il crut plus raisonnable de se laisser glisser dans l'abîme que de continuer à lutter. Il avait si mal que la mort lui apparaissait comme l'unique solution. Qu'avait-il à attendre de l'existence ? Esclave depuis toujours, il finirait de toute façon sa vie avec les mêmes chaînes aux pieds. Et une fois mort, on l'enterrerait sans cérémonie dans un trou et on l'oublierait dès la dernière pelletée de terre jetée. Ou, pire,

2. Longs couteaux à la pointe recourbée, d'origine moyen-orientale.

son maître l'abandonnerait aux charognards. À moins de fuir pour mener une vie de mendiant qui, peut-être, serait encore plus difficile que celle d'esclave, en somme, il ne servait à rien d'espérer.

Ne sachant ni où il se trouvait ni pourquoi on l'avait battu, La Bête décida qu'il ne souffrirait plus. Il ferma les yeux pour s'abandonner patiemment à la mort. Cependant, le froid mordant d'une eau glacée vint le sortir soudainement de sa torpeur. De l'autre côté des barreaux, un autre homme enturbanné, celui-là au visage à moitié peint en rouge, lui souriait de toutes ses dents en or. L'esclave en déduisit qu'il devait être plus important que les autres qui, eux, avaient le visage peint en jaune.

– De l'eau ! ordonna l'homme. Il n'a pas l'air encore très réveillé…

Presque aussitôt, l'esclave reçut un second seau d'eau froide qui le fouetta assez pour qu'il retrouve enfin la force de s'asseoir. Il releva la tête et fixa son visiteur droit dans les yeux. Ce dernier lui sourit et s'approcha davantage de la cage.

– Tu es fier, toi… et résistant en plus… Mon cousin, le Mâj Gayak de Çatal Höyük… Tu l'as connu, n'est-ce pas ? Bref, il ne m'a pas menti… Tu ne parles pas ? Au moins, saisis-tu ce que je dis ? C'est très important que tu me comprennes, car je suis ton nouveau maître. Entends-tu ce que je te dis, oui ou non ?

La Bête hocha la tête de haut en bas. L'homme parlait un dialecte mésopotamien que l'esclave avait souvent entendu au cours de ses voyages avec son ancien maître. Même s'il ne connaissait pas la signification de certains mots, il comprenait le sens général de ses paroles.

– Excellent ! lança joyeusement l'homme en tapant avec sa main sur les barreaux de la cage. Bon, voilà, je t'explique… Mon nom est Nosor Al Shaytan, et je t'ai acheté à ton ancien maître, le Mésopotamien… Actuellement, nous nous trouvons à mi-chemin entre Çatal Höyük et le nord de l'Anatolie où nous allons. D'ici à ce que nous arrivions là-bas, s'il te prenait l'envie d'essayer de fuir, mes frères te battraient de nouveau. Pour t'acquérir, j'ai dû verser un montant important, alors j'attends de toi que tu m'obéisses en tout.

L'esclave baissa les yeux en signe de soumission, mais il était en état de choc. Ainsi, son ancien maître s'était débarrassé de lui. C'était bien peu de reconnaissance pour toutes les années de dur labeur qu'il lui avait données. Le Mésopotamien aurait au moins pu l'aviser de son intention. La Bête se sentait trahi, ce qui renforça son envie de mourir afin de disparaître le plus rapidement possible.

– Ton ancien maître vantait tes capacités physiques ! Il disait que ta force et ton agilité sont hors du commun. En plus, il paraît que tu n'es jamais malade, est-ce exact ?

La Bête fit signe que oui.

– D'accord, dit Nosor Al Shaytan, ravi de voir avec quelle docilité se comportait son nouvel esclave. Tu m'excuseras pour ce réveil brutal au fer rouge, mais je voulais te marquer aujourd'hui même du sceau de la secte d'Iblis. Dorénavant, tu fais partie de notre grande famille, et je te montrerai comment la servir correctement.

La Bête acquiesça d'un signe de la tête.

– On m'a dit que tu n'avais pas de nom… qu'on t'appelait simplement « La Bête » ! Ha ! ha ! La Bête… Bref, désormais tu porteras le nom de Varka. C'est le diminutif du mot « *varkana* » qui signifie, dans la langue des Anatoliens, « loup ». Un jour, peut-être gagneras-tu le privilège de te faire appeler « le grand *varkana* », mais, pour l'instant, tu es louveteau : le petit Varka !

Un nom ! Il avait un nom bien à lui ! En réalisant cela, La Bête regagna un peu d'espoir. Pour la première fois de sa vie, il existait pleinement, car il était Varka. Il n'était plus un esclave parmi d'autres esclaves, mais bien un individu à part entière. L'homme au turban venait de le nommer, lui, et, par cette action, il en avait fait un être humain. L'esclave sentit ses forces revenir peu à peu et eut envie de servir son nouveau maître avec dévotion. Il pensa alors à la pierre bleue qu'il gardait dans son ventre et il se souvint de l'œil bienveillant du loup bleu qui l'observait depuis le ciel étoilé. Malgré ses souffrances, il n'était pas seul et cette pensée le réconforta. Tandis que Nosor Al Shaytan s'éloignait, l'esclave posa une main sur son ventre et s'endormit jusqu'à ce que le cortège se remette en branle, beaucoup plus tard.

La caravane des adorateurs d'Iblis, menée par la bande de Nosor, soit une vingtaine d'hommes à la tête enturbannée et au visage peint, reprit sa route vers le nord. Outre les petits chevaux nerveux que montaient ces hommes, il y avait un grand nombre de chameaux qu'on avait couverts de tapis, de tentes pliées et d'une grande quantité de provisions. Suivaient un petit troupeau de moutons et quelques chèvres. Derrière ceux-ci, deux bœufs tiraient la cage sur roues de Varka. À côté, deux autres gros bœufs tiraient pour leur part une charrette surmontée de deux coffres immenses qu'on devinait remplis d'objets précieux comme des épées et des rouleaux de tissus fins. Varka remarqua qu'il était le seul esclave parmi tout le cortège.

Peu habitué à se faire porter, il apprécia le fait que son nouveau maître ne l'ait pas obligé à faire le trajet à pied. Le Mésopotamien lui avait toujours imposé de longues et pénibles courses, souvent sans chaussures, sur des chemins de cailloux. Avec le temps, une couche de corne s'était formée sous ses pieds, aussi solide que des semelles de cuir, mais il arrivait parfois qu'elle se fende et cela le faisait terriblement souffrir. Or, en plus de ne le forcer ni à marcher ni à courir, on avait posé, dans un coin de sa cage, un panier rempli d'aliments de toutes sortes, ainsi qu'une cruche d'eau. On lui avait également donné une couverture et même – quel luxe ! – un petit coussin. Il y avait plus qu'il ne fallait pour assurer son bien-être.

Normalement privé de nourriture, Varka profita de la manne : il mangea et but tant qu'il put. Une fois rassasié, il s'enroula dans la couverture et posa confortablement sa tête sur le coussin. Jamais de sa vie il n'avait été aussi bien installé. Déjà, il se portait beaucoup mieux. Il ressentait moins la douleur du fer rouge sur son omoplate. Au rythme de la route uniforme et du pas régulier des bêtes qui tiraient la cage, il savoura le plaisir de se laisser bercer jusqu'à ce qu'il s'endorme.

L'esclave rêva de nouveau. Comme dans ses derniers songes, le loup filait à travers la forêt. Il ne courait pas après une proie, et il n'avait pas faim non plus. Il était descendu des étoiles et bondissait entre les arbres, heureux et libre. Il n'avait pas d'objectif précis ; s'il le voulait, il n'avait qu'à fendre l'air à la vitesse d'une flèche, et cette liberté lui donnait des ailes. Soudain, son attention fut attirée par une salamandre qui se tenait immobile sur un tronc d'arbre abattu. Le loup s'arrêta net, revint sur ses pas et se figea devant le petit animal. Le corps noir de l'amphibien vira au vermeil, et ses taches jaunes devinrent de minuscules étoiles noires qui s'alignèrent sur son dos. Puis un fluide laiteux couvrit sa peau. Le loup avança alors la tête pour sentir l'étrange liquide qui lui brûla le bout du museau. Il hurla de douleur et, en un instant, il fut pris de convulsions qui le plaquèrent violemment par terre. Ses poils tombèrent d'abord par touffes autour de lui, puis un feu à l'intérieur de son corps le consuma graduellement de la tête à la queue, jusqu'à ce que son cadavre noirci soit avalé par la terre. Varka se réveilla en poussant un horrible cri.

Il faisait nuit et la caravane s'était encore arrêtée. Quelques hommes montaient la garde près d'un feu de camp en jouant au chaturanga[3] quand le cri de l'esclave les fit sursauter. L'un d'eux saisit une torche et se hâta d'aller voir ce qui se passait dans la cage.

– Hé, le louveteau, ça va ? As-tu fait un mauvais rêve ?

Varka demeura immobile.

– Bon, rendors-toi pour être en forme, car je vais miser tout mon argent sur toi. J'espère que tu m'apporteras la fortune…

Varka regarda l'homme retourner à ses occupations, puis s'enroula dans sa couverture en s'interrogeant sur ce que ce dernier venait de déclarer. Qu'avait-il voulu dire par là ? Pourquoi miserait-il tout son argent sur lui, un esclave ? Cela ne tenait pas debout. Si Varka avait été gladiateur, c'est-à-dire un combattant entraîné pour les arènes et les foires, de tels propos auraient eu un sens… À moins qu'on ne l'ait acquis dans un autre but que celui de le faire travailler ? Mais l'esclave se raisonna en se disant qu'il ne servait à rien de se faire du mauvais sang pour l'instant.

Il contempla les étoiles et pensa à la pierre bleue qu'il avait toujours en lui. Depuis qu'il l'avait volée au Mâj Gayak du chantier de Çatal Höyük, sa vie avait tout de même beaucoup

3. Ancêtre des échecs.

changé. Ses conditions de détention s'étaient grandement améliorées, et il mangeait toujours à sa faim. Du coup, le Mésopotamien ne lui manquait pas du tout, même s'il l'avait longtemps considéré comme un père. Après tout, peut-être avait-il vendu son esclave à ces voyageurs fortunés en sachant que celui-ci aurait une meilleure vie auprès d'eux? Malgré ses airs de dur à cuire, le Mésopotamien avait un bon cœur.

Le regard toujours dans le ciel, Varka songea que, finalement, cette pierre bleue était son étoile de chance et qu'il ferait tout pour la garder jusqu'à la fin de ses jours. Ainsi décidé à ne jamais s'en séparer, il ferma les yeux et serra les poings pendant un moment pour espérer de toute son âme qu'elle continue de le guider vers un avenir toujours meilleur. Comme l'Étoile polaire oriente les marins, la pierre bleue lui indiquerait peut-être le chemin qui le conduirait à la liberté, qui sait? L'esclave se rendormit sur cette pensée heureuse et sombra dans un sommeil profond.

Au petit matin, après qu'un copieux petit-déjeuner eut été servi à Varka, la caravane reprit sa route. Vers midi, alors que le soleil dardait ses rayons sur une terre déjà aride et crevassée, une seconde caravane, constituée celle-là d'une trentaine de membres de la secte d'Iblis, vint se fondre à celle de Nosor Al Shaytan. Parmi les nouveaux venus, Varka aperçut un homme chauve de race noire à qui on avait lié les mains et qu'on avait attaché entre les deux bosses d'un chameau. Il portait une cape flamboyante et un collier de cuir auquel était fixée une longue chaîne qui rejoignait le cheval d'un membre de la secte. Le prisonnier, qui n'avait pas l'air mal en point, regarda Varka à travers les barreaux lorsqu'il passa à côté de sa cage roulante et lui cracha dessus dans un énorme éclat de rire méprisant. Varka, humilié, décida de ne pas faire attention à lui et lui tourna le dos. Il posa sa main sur son ventre et concentra son esprit sur son étoile.

Ce n'est que le lendemain matin, au beau milieu d'une vallée rocailleuse, que la grande caravane s'arrêta de nouveau. Elle se joignit à un campement composé de centaines de tentes qui arboraient l'étendard de la secte d'Iblis, reconnaissable à son emblème: une salamandre. Des milliers d'hommes qui portaient un turban et avaient le visage peint se réveillaient tour à tour et allaient faire leurs ablutions à différents puits. Des moutons entiers cuisaient sur des broches au-dessus de feux et embaumaient l'air d'une appétissante odeur de viande grillée. Un peu partout, des gardes soûls et bruyants terminaient des parties de chaturanga. Sous de grands auvents, sur des coussins épars, se prélassaient de jolies femmes dont les tenues légères laissaient paraître les tatouages et qui, pour quelques pièces, offraient leurs charmes. Le sol était jonché d'une incroyable quantité d'amphores vides, celles-ci témoignant de l'ampleur de la fête qui s'était déroulée tout au long de la nuit.

À peine la caravane de Nosor Al Shaytan se fut-elle immobilisée que trois hommes pénétrèrent dans la cage de Varka pour l'emmener dans une tente, non loin de là. Deux vieilles femmes étaient déjà à l'intérieur devant une grande cuve d'eau. Les hommes retirèrent les fers des poignets et des chevilles de l'esclave, l'assirent dans la cuve, puis reculèrent pour laisser la place aux femmes. Celles-ci se penchèrent sur lui et entreprirent de le décrasser. Elles lui lavèrent d'abord le visage et le cou, puis le torse, les bras, les fesses, les jambes et les orteils. Elles se concentrèrent ensuite sur les parties plus poilues de son corps. À l'aide de lames bien effilées, leurs mains habiles lui rasèrent le crâne, le visage ainsi que le reste du corps, y compris le sexe. Varka était devenu imberbe et, lorsqu'il sortit du bain, tout propre et frissonnant, ce fut pour voir les vieilles femmes l'habiller d'abord d'une culotte de soie et d'un pantalon bouffant à larges bandes noires et vertes. Ensuite, elles posèrent sur ses épaules une cape sombre et passèrent autour de son cou un large collier de cuir semblable à celui que portait l'homme noir qui lui avait craché au visage.

– Te voilà fin prêt pour l'épreuve, marmonna l'une des deux femmes en lissant sa cape. J'espère que tu feras bonne figure, c'est essentiel pour notre réputation.

Même s'il était intrigué par ces paroles, Varka se contenta de la regarder et de lui faire un sourire.

– Une fois décrotté et rasé, tu es plutôt bel homme..., ajouta la dame qui, d'un geste, ordonna aux gardes de l'emmener.

Ces derniers attachèrent au collier de cuir de Varka une chaîne avec laquelle ils le menèrent jusqu'à la tente de son nouveau maître, Nosor Al Shaytan. Ce dernier fit signe à l'esclave de s'asseoir par terre, et à ses hommes de demeurer sur place.

Dans la luxueuse tente du maître, des tapis aux motifs colorés couvraient le sol et de fins tissus étaient suspendus un peu partout. Installées sur de gros coussins moelleux, Varka remarqua trois jeunes femmes, à demi nues, qui le regardaient furtivement. Tout en versant du thé chaud pour son invité et lui, Nosor Al Shaytan ordonna aux femmes de se vêtir et de sortir. Elles obéirent d'abord mollement et en rouspétant, mais il s'impatienta, les sommant de se taire et de se dépêcher. Une fois débarrassé d'elles, il s'assit en face de Varka et lui tendit son verre de thé.

– Elles sont belles, ces putains, non ? dit-il en montrant toutes ses dents dorées. Toi aussi, tu pourrais les avoir, mais tu dois d'abord les mériter ! Pour l'instant, bois ton thé pendant qu'il est chaud…

Varka prit une petite gorgée de thé et apprécia le goût de menthe et de miel qui lui emplit la bouche.

– Dans quelques jours aura lieu une grande course en l'honneur d'Iblis, lui annonça soudainement Nosor Al Shaytan en levant son verre. Iblis est un puissant djinn que nous vénérons tous, et c'est toi que j'ai choisi pour représenter mon clan. Si tu remportes la victoire, tu auras droit à une nuit complète avec l'une des prostituées que tu as vues tout à l'heure. C'est magnifique, non ? Par contre, si tu perds, je te ferai empaler sur un poteau et les charognards se chargeront de t'arracher les yeux.

Nosor Al Shaytan s'interrompit pour prendre une gorgée de thé. Varka baissa les yeux afin de dissimuler son trouble.

– Il y a très longtemps que nous n'avons pas gagné cette course, et je ne veux pas que cette situation perdure, poursuivit l'homme. Tu vois, Varka, ces dernières années, aucun de mes anciens coureurs n'est parvenu à franchir la ligne d'arrivée et, à la longue, je deviens la risée des autres chefs de clans. Je ne supporte plus cette humiliation, tu saisis ?

Varka releva les yeux et lui signifia qu'il comprenait.

– Quand mon cousin, le Mâj Gayak de Çatal Höyük, m'a fait savoir qu'il avait déniché chez ton ancien maître un candidat de valeur, je n'ai pas hésité à me déplacer jusque chez lui pour t'acquérir. Je t'ai déjà dit que j'avais payé le prix fort pour toi, et j'espère que tu ne me le feras pas regretter. Mais j'ai confiance en toi… Si tu gagnes cette course, nous irons ensuite à Byzance pour un grand tournoi où tu représenteras la secte d'Iblis au grand complet. Là-bas, si tu le désires, des femmes splendides t'accueilleront dans leurs draps de soie, et on te donnera de magnifiques vêtements dont tu seras fier ! Mais, rappelle-toi, tu dois d'abord être le vainqueur de la grande course de la secte d'Iblis ! Me suis-je bien fait comprendre ?

Nosor Al Shaytan avait appuyé sur chacune des dernières syllabes. Varka avala le restant de son thé d'une traite et hocha légèrement la tête.

– Alors, tu m'en vois ravi, fit le maître en se levant pour montrer que l'entretien tirait à sa fin. La course aura lieu dans quatre jours, et ce sera le point culminant de nos festivités ! D'ici là, repose-toi, mange peu et bois beaucoup d'eau. On t'installera dans une tente près de la mienne où on te surveillera nuit et jour. Je ne crains pas de te voir filer comme un voleur ; je tiens plutôt à m'assurer que personne n'attentera à ta vie. Tous désirent remporter la victoire, et beaucoup sont prêts à tout pour éliminer les meilleurs concurrents… Allez, va maintenant, j'ai tout dit.

VI

Depuis l'aube des temps, l'homme s'est tourné vers les étoiles pour obtenir des réponses à ses questions. Alors qu'ils scrutaient les astres et notaient l'évolution du monde autour d'eux, des sages en sont venus à considérer le ciel comme une immense toile constituée d'étoiles toutes reliées entre elles par des liens invisibles. Afin d'interpréter les diverses variations de cette toile cosmique, les chamans, les astronomes, les sorciers et les autres grands maîtres se sont livrés à des observations rigoureuses qui leur ont permis de prévoir les conséquences de ces mouvements sur le monde. Chacun à sa façon, par conjecture ou avec des moyens plus scientifiques, ces érudits ont pu prédire pour leur peuple des inondations ou des tremblements de terre, des guerres ou des périodes de paix, des pêches prodigieuses ou des famines. Pour quiconque savait lire ces signes, l'avenir pouvait alors devenir un grand livre ouvert qui révélait les décisions des dieux et leurs actions directes.

Voilà comment le grand mage de la vallée du Nil, lieu où vivaient les pharaons qui dominaient alors une grande partie du monde, fut l'un des premiers à déceler quelque chose d'anormal dans le ciel. Aidé de ses instruments de calcul, de ses papyrus et de sa vaste connaissance des étoiles, le vieil homme fut à même de constater des changements majeurs dans la structure même de la voûte céleste. La lune et les étoiles, constantes dans leurs déplacements, prenaient maintenant une tout autre trajectoire. À peine perceptible pour le non-initié, ce phénomène était en tout cas préoccupant pour un astronome aguerri…

« Un événement grave va se produire, pensa le mage de la secte des initiés de Thot. Jamais je n'ai vu une chose pareille…

Je crains le pire... Une inondation... En tout cas, une malédiction pourrait frapper le royaume... »

Il continua de fouiller dans ses livres de cosmologie, puis entreprit de savants calculs. L'homme, complètement absorbé, ne vit pas entrer son jeune assistant. Âgé de douze ans à peine, le garçon était au service du maître depuis cinq ans déjà et voulait devenir, lui aussi, un initié de la secte de Thot.

– C'est incroyable..., marmonna le maître qui se croyait toujours seul. Moi qui craignais une catastrophe naturelle ou une malédiction divine... Il s'agit de la naissance d'un prince... Non, du plus grand des rois... Si, dans les prochains mois, cette constellation entre en conjonction avec l'étoile de Phozas, les conditions seront favorables... Ça alors ! Même les plus grands pharaons n'ont jamais été aussi favorisés par le ciel...

– Maître, voici votre boisson ! lança le garçon pour avertir le vieux sage de son arrivée. Puis-je vous aider ?

L'homme sursauta et laissa échapper son compas qui, en tombant par terre, indiqua de sa pointe sèche la bibliothèque. Embarrassé, le garçon se pencha aussitôt pour le ramasser, mais le vieil homme l'en empêcha.

– Non ! Ne touche à rien... Il faut savoir reconnaître les signes du destin et c'en est peut-être un. Va plutôt me chercher le grand rouleau de papyrus à l'embout bleu... C'est ce que désigne la pointe du compas...

Le garçon alla retirer de la bibliothèque ce qui s'avéra être un ouvrage, retranscrit par les scribes du port, racontant le séjour d'un explorateur à Veliko Tarnovo, une grande cité du peuple des Thraces située près de la mer Noire.

– Veliko Tarnovo..., murmura le maître en passant une main dans sa barbe. Hum, ce serait un roi thrace, donc...

– Maître, regardez le dessin entre ces deux caractères, on dirait un loup !

– Tu as raison, Sénosiris. En fait, Veliko Tarnovo est une lointaine contrée située dans le Nord et que l'on surnomme « le pays des loups ». On a longtemps cru que ses habitants pouvaient se transformer en bêtes. Cherche dans ces écrits et tu verras qu'ils portent le nom d'hyrcanoï... Vois ces symboles, ils montrent un lac juste au-dessus d'une grande montagne.

Je crois qu'il s'agit d'un repaire, ou du moins d'un endroit qu'ils fréquentaient…

– Y croyez-vous, maître ?

– Je sais les dieux capables de grands miracles quand ils s'y mettent… Cependant, je doute qu'un homme puisse se transformer en animal. Même les pharaons, pourtant descendants directs d'Osiris, en sont incapables, alors… Nous devrions par contre fouiller un peu plus le sujet…

À ce moment précis, le maître de la secte de Thot ne se doutait pas qu'une multitude de savants dans le monde se penchaient également sur le phénomène cosmique qui avait attiré son attention. S'il avait pu survoler la planète jusque dans une contrée lointaine du soleil levant, il aurait été témoin de l'annonce concernant la venue prochaine d'un nouveau souverain que fit à un puissant guerrier l'astrologue de l'empereur de Niramatsu. Selon le présage, l'enfant naîtrait au-delà des pays barbares de l'Ouest et, fait remarquable, il jouirait d'un don rare, soit l'immortalité.

S'il avait ensuite poursuivi son voyage là où se trouvaient les peuplades barbares du Nord, le vieux sage égyptien aurait vu que les chamans avaient interrompu leurs danses traditionnelles pour observer la lune. Les ombres étranges qu'ils y apercevaient étaient les signes précurseurs d'un grand changement.

En Mésopotamie, le maître aurait sans doute remarqué l'agitation soudaine des astrologues, prédicateurs et prophètes du grand Assurbanipal, roi de Babylone. Pour une fois, tous étaient du même avis. Ils s'entendaient pour annoncer à leur souverain qu'un mouvement inhabituel des étoiles provoquerait de grands bouleversements dans le monde et qu'à coup sûr, les Mésopotamiens allaient être touchés par ces changements. S'il avait pu, il aurait surpris l'entretien du roi avec ses conseillers :

– Comment saurai-je qu'il est temps pour moi et pour mon peuple de participer à ces changements que vous m'annoncez aujourd'hui ? Vous parlez de grands bouleversements, mais vous semblez incapables de me dire si ces changements seront d'ordre politique ou climatique ! Comment vous accorder la moindre crédibilité ?

– Un homme viendra… Ce sera un prophète ! C'est lui qui vous donnera la clé des changements à venir. Il vous faudra l'écouter.

– Et ce prophète, de quoi aura-t-il l'air ?

– Il sera habile comme la salamandre. Il glissera facilement entre vos doigts. Vous devrez vous assurer de sa loyauté avant de lui accorder votre confiance.

– Une salamandre de feu ! dit un autre. Cet homme provoquera votre gloire ou causera votre perte ! Il sera le feu qui réchauffe ou le feu qui brûle.

Voilà de quoi aurait pu être témoin le maître de la secte de Thot s'il avait pu survoler le monde à ce moment. Et, comme un faucon, il aurait aussi pu porter ses yeux vers les immenses forêts où une nervosité se faisait sentir chez les loups, car des meutes entières demeuraient figées en fixant le ciel. L'agitation anormale des cervidés les faisait courir en tous sens comme s'ils étaient chassés par d'invisibles prédateurs. Dans les arbres, les oiseaux s'étaient tus et gardaient la tête dissimulée dans leur plumage. Mais bien qu'il ne vît rien de toute cette agitation, le sage homme la sentit tout de même résonner au plus profond de son âme.

– Nous devons partir, décida-t-il. Je veux aller là où le nouveau roi naîtra.

– Mais, maître, répondit l'enfant, vous m'avez dit que le pays des loups était très loin d'ici. Vous n'aurez ni la force ni la santé d'entreprendre un tel voyage. Il vous arrive même d'avoir du mal à monter l'escalier menant à votre laboratoire.

– Prépare nos bagages, nous partons demain, ajouta le vieil homme, indifférent aux mises en garde de son assistant.

– Mais… mais s'il vous arrivait quelque chose en chemin ?

– Tout est possible, vu mon âge et mon état de santé. Mais je prends le risque, et s'il m'arrive quoi que ce soit, tu poursuivras la route. Tu iras à la rencontre du nouveau roi annoncé et tu feras comme je te l'ai enseigné ; tu recueilleras son histoire pour les générations à venir…

– C'est comme vous voulez, maître. Je vous obéirai, mais je continue de croire que ce n'est pas une bonne idée.

– Tu es doté d'une prodigieuse intelligence, mon petit Sénosiris, et tous ces vieux rouleaux que tu as déjà maintes fois étudiés t'ont enseigné ce que tu dois savoir sur l'astrologie, les mathématiques et les sciences occultes. Cependant, pour parfaire ta formation, tu dois sortir du laboratoire et mettre en application tes connaissances. Je n'entreprends pas ce voyage que pour moi, mais aussi pour toi. Il ne suffit pas de connaître la théorie de la vie, il faut aussi l'expérimenter.

– Je comprends… mais je me fais du souci pour vous. Par contre, il est vrai que, malgré toutes mes études, je ne connais pratiquement rien de la réalité. À l'exception des plages du Nil, je n'ai rien vu du monde…

– Je te remercie pour ta sollicitude, mais il me plaît davantage que tu veuilles bien entreprendre ce voyage. Nous prendrons la charrette afin que tu puisses emporter les papyrus les plus importants de ma collection, ainsi que tout ce que tu désires dans le laboratoire, car je crois que je n'y reviendrai jamais moi-même. Prends-moi aussi des vêtements de rechange et une couverture blanche qui pourra servir de linceul s'il m'arrivait quelque chose.

– Bien, je prépare tout ce dont nous aurons besoin, y compris des vêtements chauds ! répondit le garçon qui avait retenu que Veliko Tarnovo se trouvait dans le Nord. Dois-je prendre des armes ?

– Non, pas d'armes… Les brigands ne s'en prennent pas aux vieillards sans défense ni aux enfants à moins qu'ils soient armés, signe qu'ils ont un bien précieux à protéger. Les voleurs savent que les voyageurs qui ne portent pas l'épée n'ont aucun bien de valeur.

– Mais nous aurons de l'or, non ?

– Oui, mais nous jouerons les mendiants.

– Et quand prévoyez-vous notre arrivée à Veliko Tarnovo ?

– Si tout va bien, dans douze mois environ… Oui, oui… dans un an.

VII

Varka n'était pas sorti de sa tente depuis trois jours. Installé sur de confortables coussins, il avait tout le temps sous la main un plateau de figues et de dattes, et on emplissait régulièrement son amphore d'eau fraîche provenant de l'oasis. Il attendait le jour de la course. Malgré la chaleur suffocante de certains après-midi, l'esclave ne demandait jamais à sortir. Habitué qu'il avait été à vivre dans une cage sale et nue, cette nouvelle demeure était pour lui un palais royal qu'il n'avait pas envie de quitter. Étendu sur le dos, il regardait avec délectation les reflets de la lumière à travers la pierre bleue qui avait appartenu au Mâj Gayak de Çatal Höyük.

Depuis qu'il s'était retiré dans la tente en prévision de la compétition, Varka gardait sa précieuse pierre bleue hors de son estomac, car, à son avis, il n'y avait rien de plus beau au monde. Il prenait plaisir à la faire miroiter entre ses doigts à longueur de journée. Selon le moment du jour et la position du soleil, la lumière s'y reflétait chaque fois différemment, de sorte que, à force de l'examiner, il lui arrivait parfois de voir des visages, des animaux ou même des paysages prendre forme en son centre. Le plus souvent, c'était une montagne au sommet de laquelle il y avait un petit lac bordé de hautes herbes. Ces images que lui renvoyait la pierre enflammaient son imagination et il se voyait, comme le loup de ses rêves, courir en toute liberté dans ces contrées fantasmagoriques.

Ainsi plongé dans un de ses voyages imaginaires, Varka ne vit pas Nosor Al Shaytan entrer dans sa tente. Intrigué, son maître le regarda un instant s'amuser avec une banale pierre, puis il se moqua de lui en éclatant de rire. En moins de temps qu'il n'en faut à un fauve pour sauter sur sa proie, Varka réagit instinctivement en bondissant sur son maître avant même que celui-ci n'ait pu saisir son djambiya. Il allait lui enfoncer ses doigts dans les yeux lorsque, heureusement, il recouvra ses esprits et lâcha sa prise juste à temps. En criant des injures, Nosor se laissa tomber à genoux et s'assura de ses deux mains que ses yeux se trouvaient toujours dans leurs orbites. Tout ce vacarme avait fait accourir les gardes qui immobilisèrent Varka sur-le-champ et le maintinrent plaqué au sol à la pointe de leurs poignards.

– Non, laissez-le ! C'est ma faute..., grommela Nosor, les yeux clos. Apportez-moi plutôt de l'eau, que je m'en asperge ! C'est qu'il a bien failli me crever les yeux, le salaud !

Les gardes obéirent et demeurèrent auprès de Nosor Al Shaytan qui ne réussit d'abord qu'à ouvrir un œil, puis finalement les deux. Malgré le mélange de larmes et de sang qui lui brouillait encore la vue, le maître chassa ses gardes pour rester seul avec son esclave. Tête basse et dos voûté, Varka s'était agenouillé, prêt à recevoir son châtiment. Pour une telle agression, le Mésopotamien lui aurait certainement donné une bonne vingtaine de coups de fouet, et il n'attendait pas de son nouveau maître une plus grande indulgence, vu la gravité de son geste. Mais il était habitué aux coups, et la souffrance ne lui faisait pas peur.

– Tu es rapide, sale fils de pute ! finit par dire le maître avec un demi-sourire. Mon cousin a eu raison de me signaler ton existence. En ce monde, ils sont plutôt rares, ceux qui arrivent à me prendre à l'improviste... Et on ne peut pas dire que je ne t'ai pas vu venir !

La tête toujours baissée, Varka laissa échapper un soupir en imaginant les coups qu'il allait recevoir. Il aurait voulu expliquer à son maître qu'il ne l'avait pas agressé délibérément, mais qu'il s'agissait plutôt de la conséquence d'un malheureux réflexe de survie. Cependant, la sagesse lui conseillant de ne pas sortir de son mutisme et de ne pas tenter de justifier l'injustifiable, il ne remua même pas les lèvres. Au cours de ses voyages avec le Mésopotamien, il avait maintes fois constaté que certains maîtres prenaient tant de plaisir à voir leurs esclaves se repentir que cela les excitait au point de leur donner plus d'ardeur lorsqu'ils maniaient le fouet.

– Ne t'en fais pas, le rassura Nosor Al Shaytan avec sincérité, je ne te ferai pas de mal. J'aurais dû m'annoncer avant d'entrer. Ce qui est arrivé est ma faute et je ne t'en ferai pas payer le prix.

L'esclave demeura quelque peu incrédule, mais il leva les yeux et regarda son maître avec reconnaissance.

– Dis-moi maintenant, quelle est donc cette pierre que tu contemplais lorsque je suis entré ? demanda Nosor, intrigué. J'aimerais que tu me la montres.

En guise de réponse, Varka se contenta de baisser la tête de nouveau. Devant l'entêtement de son esclave, le maître souleva quelques coussins en regardant ici et là, mais il eut tôt fait de comprendre que Varka avait fait disparaître le petit objet et qu'il ne lui révélerait jamais l'endroit où il l'avait caché.

Nosor Al Shaytan réfléchit quelques minutes, puis sortit de ses pensées avec un léger sourire. Il cria aux gardes postés à l'extérieur de la tente de lui apporter du thé à la menthe ainsi qu'un gousset rempli de pierres de lune.

– Je présume que tu aimes les pierres, dit-il ensuite à son esclave pour tâter le terrain.

Le regard de Varka s'illumina.

– Eh bien, le contraire m'aurait surpris ! Pour le savoir, il n'y avait qu'à te voir contempler celle que tu avais tout à l'heure !... Écoute-moi, Varka, j'aimerais te faire plaisir pour te motiver à remporter la course de demain...

La voix d'une vieille dame annonça alors le thé. Avant qu'on ne soulève la porte de la tente devant elle, un garde vint poser prestement sur son plateau un gousset en soie fermé par une lanière de cuir. La femme entra, déposa le plateau devant Nosor Al Shaytan et ressortit aussitôt.

Avec cérémonie, le maître prit un bâtonnet pour remuer les feuilles de menthe dans la théière, puis se versa du thé dans un gobelet de terre cuite qu'il porta à ses lèvres. Il en savoura le goût, reposa son gobelet et prit la petite bourse pour en vider le contenu sur le plateau. Des dizaines de pierres semblables à celle que possédait Varka se répandirent sur le support. L'esclave, ébahi, ouvrit grand les yeux pour regarder ces merveilles.

– Ce sont des pierres de lune, déclara le maître, content de l'effet produit. Et tu sais ce qu'on raconte à leur sujet ?

La bouche béante et les yeux écarquillés, l'esclave continua de fixer le plateau.

– Enfant, j'habitais un village qui se trouvait près d'Ur, et un vieillard m'a un jour raconté une très belle histoire sur les pierres de lune. Je me rappelle la fascination qu'avait eue sur moi ce récit et, aujourd'hui encore, quand je regarde la lune, j'y repense... Il y a de cela très, très longtemps, un homme épousa une fort jolie femme dont il était très amoureux. Tous deux vécurent heureux jusqu'à ce que le mari, sans qu'on sache pourquoi, se mette à s'enivrer tous les soirs et à fumer du tabac qui rend fou. Il devint violent et se mit à frapper sa femme régulièrement, à la violer lorsqu'elle repoussait ses avances ou à l'humilier publiquement en l'insultant. Un jour, sa femme décida de le quitter et s'enfuit vers l'horizon. Soudainement honteux d'avoir ainsi maltraité celle qu'il aimait et désireux de se faire pardonner, le mari se lança à sa poursuite dans l'espoir de la rattraper. Il courut de toutes ses forces et, au moment où il allait lui toucher l'épaule du bout des doigts, il fut saisi d'une immense fatigue qui le fit s'écrouler. La femme, elle, toujours apeurée, courut encore plus rapidement avec l'énergie du désespoir. Elle allait si vite qu'elle arriva à s'élever dans les airs et finit par disparaître dans le ciel. Là-haut, au contact des étoiles, son corps s'enflamma d'un coup, et elle devint le soleil. Quant à son mari, demeuré sur terre, il continua de la poursuivre sans relâche et finit par monter, lui aussi, au-dessus des nuages, et il devint la lune. Mais, contrairement à sa femme, toujours lumineuse dans sa course vers la liberté, lui s'épuisa facilement et c'est alors que son énergie, sa lumière, décrut. C'est dans ces moments d'obscurité et de désespoir qu'il regretta le plus sa femme et qu'il pleura pour qu'elle revienne. Ses larmes tombèrent alors sur la terre sous forme de petites pierres lumineuses dans lesquelles sont emprisonnés les souvenirs des jours heureux...

Varka tendit lentement sa main vers le plateau et ramassa délicatement une pierre opalescente aux reflets verts, qu'il plaça dans sa paume. Son souffle devint court et sa main se mit à trembler.

– Tu vois, Varka, poursuivit Nosor avec le sourire, ce que tu tiens là, c'est une larme de lune qui témoigne du malheur d'un homme qui sait qu'il ne rattrapera jamais sa femme, mais qui continue inlassablement sa quête dans l'espoir de retrouver l'amour. Ce sont les pierres les plus précieuses du monde, car elles symbolisent un amour impossible entre le soleil et la lune. Ce n'est pas une belle histoire, ça ?

L'esclave, émerveillé, sourit à son maître, puis, sans le quitter du regard, il referma sa main sur la pierre. Nosor devina que Varka désirait plus que tout la conserver et qu'il ne la lui rendrait que difficilement. Mais cela lui importait peu, puisque ces pierres semi-précieuses ne valaient presque rien et qu'on ne les utilisait pratiquement que pour orner les bijoux bon marché des prostituées ou... pour éblouir les fous. Nosor, lui, se savait lucide, et c'est avec délectation qu'il continua :

– Je suis un homme généreux, Varka. Je te fais cadeau de la pierre que tu tiens dans ta main. Je te donne également ce gousset en soie pour que tu puisses y ranger tes deux pierres... Sais-tu que certains temples des villes d'Ur et de Babylone sont entièrement recouverts de ces pierres ? Sais-tu aussi que l'on s'en sert pour préparer des élixirs qui inspirent l'amour aux femmes tout en stimulant leur sensualité ? Tu possèdes là un véritable trésor !

Varka rouvrit sa main et examina sa pierre, sa deuxième pierre de lune.

– L'autre jour, j'ai remarqué que les jeunes prostituées qui se trouvaient dans ma tente n'avaient pas l'air de t'intéresser outre mesure... Alors, sache que si tu gagnes la course de demain, je ne te récompenserai pas avec l'une de ces filles, mais avec une de ces pierres. Qu'en dis-tu ? Je te permettrai même de la choisir toi-même !

L'esclave ouvrit la bouche et en sortit la pierre bleue qu'il avait cachée sous sa langue, prêt à vite l'avaler en cas de problème. Varka la posa délicatement dans le creux de sa main, à côté de sa nouvelle pierre. Puis il les mit précautionneusement, l'une après l'autre, dans le petit sac de soie que son maître lui avait offert et il le referma doucement à l'aide du cordon de cuir. Il était au comble du bonheur.

– Chaque fois que tu accompliras correctement une tâche que je t'aurai confiée, je te donnerai une nouvelle pierre de lune, promit Nosor Al Shaytan, ravi de sa trouvaille. Ainsi, tu pourras bientôt toutes les posséder et tu seras l'homme le plus riche du pays. Mais n'oublie pas que, pour cela, tu dois m'obéir sans jamais rechigner.

Varka inclina la tête.

– Voilà qui est bien ! s'exclama Nosor. Maintenant, repose-toi pour la course de demain. Tu dois dormir, car je veux que tu sois rapide comme un fauve. Je te laisse le thé, brave Varka !

Le maître ramassa les pierres de lune qu'il glissa dans une des grandes poches de sa tunique et s'en alla, satisfait.

« Cet esclave n'aura plus besoin de chaîne à son cou, pensa-t-il en se félicitant. Tant que j'aurai des pierres de lune, il m'obéira... Je suis sûr qu'il irait même jusqu'à tuer si je le lui demandais ! Pauvre fou, va... »

Dès qu'il fut seul, Varka rouvrit le gousset et, le cœur en fête, il sortit sa nouvelle pierre pour l'observer. En tournant et en retournant la pierre entre ses doigts, il finit par voir apparaître, en son centre, le visage d'une jeune femme d'une extrême beauté qui l'émerveilla.

Il distinguait bien son petit nez et ses grands yeux noirs qui révélaient une âme candide. Un diadème en or était posé sur sa tête, contrastant avec ses cheveux d'ébène, très longs. Elle avait des boucles d'oreilles dorées en forme d'oiseaux, dont les grandes ailes déployées lui effleuraient les épaules. Au-dessus de sa bouche fine, un petit grain de beauté venait rehausser la splendeur de ce visage déjà sublime, mais qui paraissait angoissé. La jeune femme n'était pas heureuse. C'est alors que Varka vit autour de sa chevelure une fenêtre par laquelle elle semblait implorer le ciel. Il la plaignit et se demanda si elle n'était pas, malgré la richesse de ses parures, une esclave tout comme lui.

Subjugué par cette vision, l'esclave se dit que cette femme était encore plus rayonnante que le soleil, plus douce que la lumière de la lune et plus lumineuse que toutes les étoiles du firmament réunies. Dans cette larme de lune était enfermée l'image de la plus belle créature du monde, celle qui deviendrait son épouse. Fou d'amour et exalté par cette vision d'une femme parfaite, Varka embrassa délicatement la pierre et l'avala. Tout comme celle du Mâj Gayak auparavant, il voulait la garder en lui pour mieux la protéger. Cette vision habiterait son corps et peut-être même ses rêves.

Plein d'une paix qu'il n'avait jamais connue auparavant, Varka ferma les yeux et glissa dans le sommeil. Inspiré par l'image que lui avait révélée sa nouvelle pierre, il se vit en rêve dans la peau d'un loup qui courait dans une forêt de pins gigantesques. Le cœur dilaté et les pattes agiles, il fendait l'air à vive allure et franchissait les obstacles avec une étonnante aisance pour foncer vers celle qu'il aimait, vers sa louve chérie. La lune était pleine, l'odeur de la terre humide embaumait l'air et les bruissements de la nuit se mêlaient aux battements de son cœur. Sa course l'amena jusqu'à un lac au sein d'une petite clairière. Elle était là, de l'autre côté… une magnifique louve au pelage noir.

– Debout ! hurla soudain une vieille femme. Il est temps de te préparer pour la course !

VIII

Une grande piste de course entourait l'oasis où campaient tous les clans de la secte d'Iblis, façonnée par les milliers de coups de sabot des chevaux qu'on y avait fait défiler. Tous les membres de la secte s'étaient entassés aux abords du cercle en espérant ne rien manquer de la course. Avec leur turban noir et la moitié de leur visage peint, on aurait dit une assemblée de marionnettes fabriquées en série. Seuls les chefs de clans, avec leur figure bariolée de rouge et leurs dents dorées, se distinguaient du lot. Confortablement installés sur de grands tapis tressés où le motif de la salamandre dominait, ils fumaient et buvaient du thé en attendant l'arrivée des concurrents. Derrière, se tenaient trois hommes dont l'apparence tranchait nettement avec celle des membres de la secte d'Iblis. C'étaient des Grecs à la peau rosée, vêtus d'un chiton de lin dont les extrémités étaient retenues par une fibule posée sur l'épaule droite. La longueur de leur tunique, qui descendait jusqu'en bas des genoux, montrait qu'ils étaient d'un rang social élevé, et leurs cheveux blancs ajoutaient à l'élégance que leur conférait leur tenue de gens civilisés. Les trois hommes demeuraient debout sous la protection d'une trentaine de soldats munis d'armures de bronze et de longues épées byzantines. Tous semblaient tout à fait à l'aise parmi le groupe de nomades aux mœurs singulières.

Jugeant que le temps était venu de commencer la course, le plus âgé des trois se rendit au centre de la piste pour s'adresser à la foule. Un interprète de la secte d'Iblis accompagnait le Byzantin afin de traduire ses paroles dans le dialecte des nomades.

– On raconte qu'un jour, commença l'homme solennellement, Tantale, roi de Lydie, reçut les dieux à sa table et leur offrit à manger son propre fils, Pélops, afin de leur faire commettre le sacrilège de se nourrir de chair humaine. Nul ne tomba dans le piège de Tantale, sauf Déméter qui, avant de découvrir la supercherie, avait eu le temps de manger une épaule. Contrariés d'avoir été dupés de la sorte, les dieux punirent d'abord Tantale et redonnèrent ensuite vie à Pélops dont l'épaule manquante fut remplacée par une autre, entièrement faite d'ivoire. Plus tard, lorsqu'il devint roi du Péloponnèse, Pélops créa avec l'aide de Poséidon de grands jeux pour honorer les dieux ! Des épreuves dignes des résidants de l'Olympe. C'est pour honorer cette tradition que nous sommes réunis aujourd'hui…

Lorsque l'interprète eut terminé de répéter les paroles du Byzantin, l'assemblée éclata de rire bruyamment. Contrarié, le Grec poussa un soupir en regardant l'interprète qui haussa simplement les épaules pour dissimuler la mauvaise blague qu'il venait de faire : il avait volontairement changé des mots de la tirade ennuyeuse du vieil homme afin d'épicer l'histoire à sa façon.

Seul Nosor Al Shaytan n'avait pas souri. Son esprit était ailleurs, car il n'avait que Varka en tête. Il se fichait pas mal de ces cérémonies stupides et de ces contes qui ne le concernaient pas. Tout ce qu'il désirait, c'était gagner cette course afin d'emmener son champion à Byzance. Depuis que la secte d'Iblis avait fait la paix avec les Grecs, ses membres pouvaient participer aux Jeux et récolter d'immenses richesses. Si Varka parvenait à remporter la victoire à Byzance, le clan de Nosor se rendrait probablement à Olympie pour les grandes finales et ses hommes mettraient la ville à sac… À leur retour auprès de leurs semblables, Nosor ferait assassiner tous les autres chefs de la secte et deviendrait le chef incontesté des adorateurs d'Iblis. Mais, pour mettre ce plan à exécution, il lui fallait beaucoup d'argent, notamment pour s'acheter des appuis au sein des autres clans et mieux contrôler la dissension.

Le Grec reprit son laïus :

– Bien que les règles des épreuves soient strictes et qu'il y soit stipulé que les concurrents doivent être de race hellénique pure, les Byzantins se font un plaisir, afin de préserver la paix et l'amitié, d'y accueillir divers peuples alliés. C'est dans ces contrées d'Anatolie que nous commençons cette compétition. À l'issue de celle-ci, le meilleur d'entre vos coureurs se verra ouvrir les portes de Byzance afin d'y affronter les vainqueurs des éliminatoires de Périnthe, de Daskyleion, de Cyzique et de Phrygie…

Pendant que le Grec poursuivait son allocution, Varka patientait dans une grande tente avec ses adversaires. À l'instar des autres coureurs, on l'avait complètement dévêtu avant d'enduire son corps d'une huile aromatique censée l'aider à gagner. Il comprit qu'il allait courir dans son plus simple appareil.

Ils étaient treize à attendre qu'on leur enjoigne de s'avancer sur la ligne de départ. Parmi eux, Varka avait reconnu l'homme à la peau noire qui lui avait craché au visage sur la route. Celui-ci était facilement reconnaissable, avec ses larges épaules et ses muscles saillants. On aurait dit une panthère prête à bondir sur l'ennemi. La forte impression que lui faisait cet homme incita Varka à caresser son ventre. Tête baissée, il se concentra sur sa pierre qui, du fond de ses entrailles, lui donnerait la force nécessaire pour arriver premier.

C'est alors que Varka reçut un coup derrière la tête qui le fit trébucher et s'étaler dans la poussière du sol. Des rires moqueurs fusèrent de partout dans la tente, alors que le grand Noir s'acharnait sur lui en lui lançant une remarque désobligeante sur son incapacité à se tenir debout. Comme il allait lui assèner un coup de pied dans les côtes, des gardes entrèrent pour rétablir l'ordre. La tête entre les genoux, Varka demeura accroupi sous les ricanements des autres compétiteurs.

Autour de la piste, plus personne n'écoutait l'homme qui expliquait le règlement. Les spectateurs étaient impatients et la cérémonie, avec ces discours mi-religieux, mi-historiques, les ennuyait au plus haut point. Une fois qu'il eut enfin terminé, le Grec ordonna qu'on amène les coureurs.

C'est sous un tonnerre d'applaudissements et de cris qu'on ouvrit les portes de la tente qui abritait les concurrents représentant les différents clans de la secte d'Iblis. Varka sortit le dernier, et son apparition déchaîna l'hilarité générale. Son petit corps sec, ses muscles qui n'étaient pas assez gonflés et son dos légèrement voûté détonnaient avec la splendeur des autres participants. De plus, le pauvre Varka était en partie couvert de sable qui s'était, dans sa chute, mélangé à l'huile dont on l'avait enduit.

Nosor Al Shaytan devint immédiatement la cible des railleries des autres chefs. Il fallait qu'il se rende à l'évidence : son concurrent n'arriverait jamais à battre ses adversaires, il serait même étonnant qu'il parvienne à terminer un seul tour de piste.

– C'est cette chose que tu nous présentes cette année, Nosor ?

– C'est vrai que tu n'as jamais eu beaucoup de talent pour choisir tes champions !

– Hé, Nosor, tu aurais dû penser à le nourrir un peu ! Serais-tu trop radin ? !

Nosor ne répondit rien et se renfrogna.

– Ne te fâche pas, mon ami ! Mais pense donc à faire courir une femme l'année prochaine, tu auras plus de chances de gagner ! Ha ! ha ! ha !

Se sentant penaud comme jamais, Nosor se promit de faire payer à son cousin, le Mâj Gayak de Çatal Höyük, de lui avoir trouvé un candidat en si mauvais état, finalement. Non, Varka ne faisait pas du tout l'affaire ! En plus, il ne s'était jamais entraîné pour ce genre de compétition alors que, visiblement, tous ses adversaires étaient des athlètes accomplis. Comment Nosor avait-il pu croire que cet esclave arriverait à tenir tête aux plus grands coureurs de la secte d'Iblis ? Quand son cousin le lui avait proposé, même s'il n'avait encore trouvé personne et que le temps pressait, il aurait dû refuser et ne présenter aucun candidat, quitte à applaudir le succès du clan gagnant. De toute façon, il était trop tard ; Nosor Al Shaytan allait être ridiculisé pour le reste de ses jours.

Quand la foule se fut calmée, le Byzantin invita d'un geste les concurrents à se placer sur la ligne de départ. Seul Varka ne comprit pas ce signe et demeura figé sur place. Tandis que l'assistance riait de plus belle, le maître de cérémonie dut répéter cinq ou six fois son ordre avant que l'esclave ne comprenne qu'il devait aller se mettre en ligne avec les autres. Sous les applaudissements et les moqueries de la foule, Varka se choisit une place un peu en retrait des autres coureurs, c'est-à-dire la position la plus désavantageuse d'entre toutes. Encore une fois, l'hilarité secoua la foule entière.

– Dis-moi, Nosor, ne serait-ce pas ton fils? Lui non plus ne semble rien comprendre aux courses!

Cette fois, Nosor sortit de ses gonds et empoigna promptement son djambiya pour le plaquer sous la gorge du mauvais plaisantin.

– Je choisis peut-être mal mes candidats, siffla-t-il entre ses dents, mais je sais cependant me servir d'un couteau.

– Ce n'était qu'une blague, se défendit l'homme, intimidé par l'arme de Nosor. Allez, calme-toi. Tu ne veux quand même pas manquer la course?...

À l'aide d'un cor, le Byzantin sonna le départ, et tous les athlètes s'élancèrent sur la piste. C'est alors que l'inattendu se produisit et qu'une exclamation de surprise se fit entendre parmi les spectateurs. Varka était parti si vite qu'en deux ou trois enjambées seulement, il avait rejoint la tête du peloton. Le corps légèrement incliné, il accéléra de nouveau son allure de façon si spectaculaire qu'il ne tarda pas à devancer les premiers concurrents, toujours sous les cris de stupéfaction de l'assistance. Puis, avec une aisance presque animale, il atteignit la moitié du parcours et accentua encore son avance de quinze, vingt, trente, puis cinquante enjambées. C'était du jamais vu! Même les trois Byzantins qui organisaient les courses depuis bon nombre d'années se regardaient avec étonnement. Varka passa la ligne d'arrivée, puis alla s'arrêter devant Nosor Al Shaytan. Il lui sourit de toutes ses dents; il était fier de sa performance et se disait que son maître allait lui remettre une pierre pour le récompenser. Un autre murmure s'était répandu dans le public.

Nosor n'en croyait pas ses yeux! Il bondit de ses coussins en s'agitant comme un dément:

– MAIS COURS, PAUVRE CRÉTIN! IL RESTE ENCORE QUATRE TOURS À FAIRE! ET CESSE DE SOURIRE COMME UN CHAMEAU, IMBÉCILE! COURS, COUUUUURS!!!

Varka comprit donc que la course n'était pas terminée, mais il était maintenant bon dernier. Qu'à cela ne tienne, il avait un but et il comptait bien l'atteindre. En reprenant sa course, il ressentit le même bonheur que celui du loup de ses rêves quand il planait entre les étoiles. En moins d'un tour, il réussit à dépasser quelques coureurs, puis finit par rejoindre le peloton de tête. Au tour suivant, stimulé par les cris et les encouragements, il accéléra encore sa cadence, si bien qu'il avait pris une avance considérable sur la plupart de ses concurrents lorsqu'il arriva au quatrième tour. À son cinquième et dernier tour, il dépassa trois retardataires qui achevaient avec peine leur quatrième tour et, finalement, c'est devant une foule en délire que Varka, loin devant les autres, termina la course.

Excité par les applaudissements et les cris de joie de Nosor Al Shaytan qui pavoisait en exhibant son postérieur, Varka se mit à bondir et à faire des culbutes. Il ne s'arrêta que lorsqu'il se retrouva face à face avec le concurrent noir qui l'avait frappé et qui était arrivé deuxième. Sans faire ni une ni deux, le nouveau champion lui arracha le nez d'un coup de dents ! Le colosse, foudroyé par la douleur, poussa un cri atroce et tomba par terre, sans connaissance. Dans la cohue qu'avait provoquée cette agression inopinée, plusieurs gardes s'emparèrent facilement de Varka, mais durent lui donner des coups de bâton pour lui faire recracher le nez de sa victime. Le bas du visage maculé de sang, Varka fut enchaîné et emmené directement dans sa tente. Nosor Al Shaytan alla recevoir le prix à sa place.

En bon gagnant, il dédommagea le clan du coureur noir dont le cœur avait cessé de battre et qu'on alla aussitôt enterrer comme un chien à l'écart de l'oasis. Ce genre d'incident se produisait parfois au sein de la secte d'Iblis, et personne n'y voyait matière à querelle.

– Tu as été extraordinaire ! s'exclama Nosor en retrouvant son esclave dans la tente. Tout le monde ne parle que de toi ! Même les Byzantins, tu te rends compte ? Malgré leur superbe, ils sont arrivés à dire que tu as un talent inouï ! Ça alors !... Bien sûr, tu manques un peu de style, mais ce n'est pas bien grave. L'important, c'est que tu sois arrivé premier !

Varka avait hâte de recevoir sa pierre. Il se mit à genoux et tendit la main à son maître.

– Oh, mais tu es impatient, toi ! Comme promis, voilà les pierres ! Choisis celle qui te plaît ! Une, et pas davantage !

Elles étaient toutes plus magnifiques les unes que les autres ! Varka ne savait laquelle prendre. Quelques instants auparavant, il avait récupéré la pierre verte dans ses excréments, l'avait nettoyée, puis l'avait remise dans son sac avec la pierre bleue. Maintenant, il lui fallait en choisir une autre. Mais laquelle ?

La pierre provenant du Mâj Gayak lui avait porté chance en le libérant du Mésopotamien. La deuxième, la verte, lui avait fait voir la femme qu'il désirait épouser. Pour Varka, il était désormais clair que chacune des larmes de lune contenait un événement heureux et que le choix de cette troisième pierre influencerait son destin.

– Alors, tu te décides ? demanda Nosor, amusé par l'air grave qu'avait pris son esclave. Je ne veux pas influencer ton choix, mais j'en vois une très belle, ici ! Regarde, la noire ! Elle est complètement opaque ! Ou bien celle-ci ! Regarde sa forme de croissant, comme la lune certains soirs !

Varka passa ses doigts entre les pierres et finit par en choisir une de couleur rouge. Il la caressa délicatement du bout de l'index, puis l'éleva dans le mince rayon de soleil que laissait passer un trou dans la toile décousue du plafond. Comme dans ses autres pierres, des dessins abstraits commencèrent à se former, puis le visage d'un homme apparut brusquement. Satisfait, l'esclave referma sa main et glissa l'objet précieux dans le petit sac en soie.

– C'est un excellent choix ! s'exclama Nosor comme s'il s'adressait à un enfant. Je ne l'avais pas vue, celle-là ! Tu as vraiment un don pour dénicher les plus belles pierres, toi, je te félicite ! Maintenant, écoute-moi bien, Varka. Je suis très content de ce que tu as accompli aujourd'hui. Grâce à toi, nous irons à Byzance dans quelques mois pour une autre course semblable à celle d'aujourd'hui, mais où il y aura une foule beaucoup plus impressionnante. D'ici là, tu devras t'entraîner tous les jours pour maintenir ta forme et ta vitesse. Si tu m'obéis et que tu remportes la victoire à Byzance, ce n'est pas une, mais deux nouvelles pierres que tu ajouteras à ta collection ! Te rends-tu compte de ma générosité ?

Varka sourit. En effet, personne n'avait jamais été aussi généreux envers lui. C'était la première fois de sa vie qu'on le récompensait parce qu'il avait fait quelque chose de bien. Pour l'esclave qu'il était, il n'y avait pas de meilleur maître que Nosor Al Shaytan, l'homme au visage rouge.

– Bon, je te laisse à tes pierres. Demain, mes hommes auront besoin de ton aide pour démonter le camp... Nous serons beaucoup plus nombreux à prendre la route, car les familles de mes hommes se joindront à nous. Nous irons vers le nord et remonterons le campement sur les rives de la grande mer. Tu verras, c'est très beau, la mer...

Varka s'étendit sur le dos et replaça sa nouvelle pierre dans le trait de lumière. Aussitôt, l'image de l'homme se reforma. Un homme qui lui ressemblait comme un jumeau, mais avec une grosse barbe en supplément, et des sourcils plus fournis. Cependant, le front, le nez, bref, la physionomie était la même. Pour ce qui était de sa stature, il avait le dos droit, les épaules larges et les muscles saillants. Varka le voyait se déplacer dans ce qui paraissait être une forteresse, et il semblait donner des directives, puisque à son passage on se mettait à bouger avec empressement. L'homme était probablement craint de tous.

Varka rangea la pierre et songea qu'il serait peut-être un jour cet homme, et non plus l'animal qu'il était encore aujourd'hui.

IX

À la troisième année de la trentième olympiade, Byzas, fils de la nymphe Keroessa, elle-même fille du grand Poséidon et de la charnelle Io, fonda la ville de Byzance où il régna jusqu'à la fin de ses jours. Les terres fertiles entourant la cité produisaient de grandes quantités de grains et de fruits que les marchands vendaient, parfois au prix fort, dans les royaumes voisins. Le peuple grec tirait également des profits du cuir, de la cire et des salaisons, ainsi que d'un grand nombre d'esclaves provenant des peuplades ennemies de Thrace, mais aussi et surtout de la tribu des Astres, même si les membres de cette dernière étaient de véritables rebelles qui refusaient obstinément de se soumettre aux lois de la cité. Grâce à sa situation géographique favorable, tout juste à l'entrée du Bosphore, étroit passage menant à la mer Noire, Byzance était une étape incontournable pour le commerce du blé, et de gigantesques entrepôts accueillaient les récoltes de villes maritimes aussi éloignées qu'Istros, Theodosia, Panticapée ou Olbia. Ville fortifiée servant de porte d'entrée à la Grèce et de point de départ pour les colonisateurs de la mer Noire, Byzance était convoitée par plusieurs grandes puissances qui désiraient freiner l'expansion des Grecs et s'approprier ce joyau inestimable.

Sitôt débarqués au port à leur retour d'Anatolie, où avait eu lieu la grande course, les trois Byzantins se rendirent directement au grand palais des athlètes afin d'y rencontrer le responsable des Jeux. Il s'agissait d'un des frères cadets du roi de Byzance. Ses principales passions étaient le sport, le sexe et la bonne chère. Il avait beau pratiquer le pancrace quotidiennement, il n'arrivait jamais à perdre les kilos qui l'empêchaient de devenir un champion. Il venait de terminer son entraînement matinal lorsque les Byzantins se présentèrent dans les thermes du stade. À leur arrivée, Héraclès se trouvait en galante compagnie.

– Que me vaut donc un tel empressement à vouloir me rencontrer? demanda l'imposant gaillard, le corps à demi immergé dans le bain chaud qu'il partageait avec Phoebe, sa compagne non moins corpulente. Ne pouviez-vous pas attendre que j'aie terminé ma toilette? Il est déplaisant de se faire rappeler à ses fonctions lorsque le corps et l'esprit récupèrent.

Le plus âgé de ses trois visiteurs s'inclina respectueusement, toussota pour s'éclaircir la voix et prit la parole:

– Nous sommes désolés de vous importuner, mais nous avons pour vous une information de la plus haute importance. Nous avons trouvé la perle rare. Son nom est Varka, et il est de...

D'un geste, Héraclès interrompit son ambassadeur pour demander à sa dulcinée de bien vouloir les laisser seuls quelques instants. Phoebe obéit sans mot dire et sortit du bain sous le regard gourmand de son amant, qui suivit le voluptueux postérieur jusqu'à ce qu'il passe la porte.

– Vous disiez donc? reprit-il, une fois revenu sur terre.

– Nous avons trouvé la perle rare. Cependant, il fait partie des adorateurs de la secte d'Iblis. Il s'appelle Varka...

– Peste à ces chiens! s'écria le jeune frère du roi. Partez et trouvez-m'en un qui soit digne de nous! Ce reptile des déserts de l'Est ne m'intéresse pas!

– Nous respecterons votre volonté, répondit l'homme, embarrassé. Veuillez nous excuser pour cette intrusion... Nous croyions seulement que Byzance ne pouvait se passer d'un compétiteur de la trempe d'un Milon de Crotone. Encore une fois, nous sommes désolés... Maintenant, nous vous laissons...

– Milon de Crotone? Tu as bien dit: Milon de Crotone, le lutteur? s'exclama Héraclès, soudainement intéressé. Es-tu certain de ce que tu avances? Milon de Crotone a gagné sept fois les Jeux phytiques, neuf fois les Jeux néméens et dix fois les Jeux isthmiques! Et tu me parles de quelqu'un qui serait capable d'égaler le légendaire Milon de Crotone?!

– Mes confrères ici présents peuvent vous le confirmer!

– D'accord… Ce Varka est donc un excellent lutteur…

– Euh… permettez-moi… Pour l'instant, notre phénomène est un coureur. Il court le dolichos[4], mais il est assez rapide pour gagner le diaulos[5] ou même le stadion[6]. Croyez-moi, de toute ma vie, je n'ai jamais vu une telle fougue ni une telle puissance !

– Milon de Crotone était un champion de lutte, pas un coureur !

– Nous le savons, continua l'homme, mais nous l'avons vu arracher la figure d'un de ses adversaires, et il l'a fait avec une telle violence qu'au pancrace, à la boxe ou à la lutte, il coucherait même un Spartiate. Je vous assure, c'est une force de la nature ! Un être exceptionnel comme on n'en rencontre qu'une fois dans sa vie !

– Et votre homme… saurait-il lancer le javelot ou le disque ?

– Avec un entraînement approprié, il serait capable de tout ! J'imagine que vous pensez au pentathlon ?

– En effet…, répondit Héraclès, songeur. Il serait temps que Byzance se démarque… qu'il produise enfin un grand, un très grand champion.

– Un champion dont vous pourriez être l'entraîneur…

Ces paroles ne tombèrent pas dans l'oreille d'un sourd. Voici que se présentait à Héraclès la chance extraordinaire d'inscrire son nom dans la grande histoire du monde, et peut-être même de surpasser en popularité son frère aîné, le roi de Byzance. Contrairement aux souverains des grandes villes, dont la gloire dépendait des largesses qu'ils faisaient à leur peuple, les athlètes et leurs entraîneurs, eux, jouissaient d'un amour inconditionnel qui s'étendait bien au-delà des frontières d'un royaume. Des bustes de l'entraîneur de Milon de Crotone avaient été sculptés et placés dans de nombreux stades du pays et lorsqu'on évoquait les grandes années du légendaire athlète, c'était toujours avec une admiration sans bornes pour celui qui en avait fait un champion. Si ce Varka était aussi exceptionnel que l'affirmaient les trois délégués, Héraclès devait absolument se l'approprier.

---

4. Épreuve de course qui consiste à faire entre cinq et vingt-quatre tours de piste.
5. Le quatre cents mètres.
6. Le deux cents mètres.

– Je sors du bain immédiatement. Allez m'attendre dans les gradins! dit-il d'un ton décidé avant de s'extraire du grand bassin. Si cet homme appartient à la secte des adorateurs d'Iblis, il faudra recourir à la manière forte pour mettre la main dessus. Et je n'ai pas l'intention de négocier avec ces chiens d'Anatoliens! J'irai donc chercher l'appui de notre armée... Allez, je vous rejoins sous peu...

Une fois vêtu, le frère du roi se rendit au pavillon militaire et demanda à être reçu d'urgence par son cousin, le commandant en chef des armées byzantines. Celui-ci accepta immédiatement sa requête et l'accueillit chaleureusement en l'invitant à s'asseoir sur sa petite terrasse qui donnait sur le terrain d'entraînement de ses soldats. Il ordonna qu'on leur serve du vin qu'ils commencèrent à boire en échangeant quelques banalités sur leur santé respective, sur celle du roi et sur Byzance, après quoi le cadet de la famille royale entra dans le vif du sujet.

– J'aurais besoin que vous me confiiez le commandement d'un bataillon d'une centaine d'hommes, dit-il d'entrée de jeu à son cousin.

– Une centaine d'hommes?... répondit le commandant, quelque peu embarrassé. Et puis-je vous en demander la raison?

– Vous ne le pouvez pas, non! répondit sèchement Héraclès. En fait, j'aimerais ne pas avoir à vous expliquer mes plans.

– C'est que... à moins que le roi lui-même ne m'en fasse la demande, je ne peux pas... même pour vous. Il me faudrait une demande officielle de votre frère le roi qui...

– Cette affaire ne concerne pas mon frère. Mais nous pouvons certainement arriver à nous entendre, non?

– Je crains fort de ne pouvoir vous aider, mon cousin... Non, désolé... c'est tout à fait impossible.

– Eh bien, c'est dommage, car j'ai entendu à votre sujet de bien troublantes rumeurs... On dit même que vous complotez dans le but de renverser mon frère, puis de prendre sa place sur le trône...

– Mais... mais jamais, je... Mais c'est tout à fait faux! finit par dire le militaire, estomaqué. Ma dévotion pour votre frère est absolue ! Jamais je ne pourrais me comporter de manière aussi abjecte ! C'est de la pure divagation !

– De la divagation… ah bon, vous croyez ? Alors, il faudra tirer cela au clair. Il serait dommage que vous ayez à vous soumettre à la procédure d'ostracon, mais si c'est ce que vous désirez…

Cette procédure bien connue à Byzance condamnait automatiquement l'accusé d'un crime à dix ans d'exil afin de permettre aux enquêteurs d'avoir tout le temps nécessaire pour approfondir leur investigation. Ce pouvoir, exercé par les rois pour se débarrasser de comploteurs et de rivaux politiques, était un héritage de la politique de Byzas, le fondateur de la ville. Il va sans dire que lorsque le verdict était rendu, dix ans plus tard, les accusés étaient toujours condamnés parce que, pendant une période si longue, ils finissaient par perdre les connaissances ou les amis qui auraient pu défendre leur cause ou simplement témoigner en leur faveur.

– Voyez-vous, je me dois de défendre Byzance contre d'éventuels ennemis politiques, poursuivit le cadet du roi, de plus en plus retors, et, pour ce faire, je n'ai même pas besoin de mon frère, seulement de l'appui de l'Ecclésia[7].

– Et il est de notoriété publique que vous avez beaucoup d'amis parmi les membres de l'Assemblée du peuple, dit le commandant qui voyait le piège se refermer sur lui. Mais je ne suis pas certain que vous puissiez obtenir tous les votes indispensables à votre bien basse manœuvre.

– Mais je sais comment me faire de nouveaux alliés, répliqua Héraclès avec un sourire narquois. Lorsqu'on est responsable des Jeux, mon cousin, et que l'on a le pouvoir d'attribuer les meilleures places du stade, il est possible d'acheter beaucoup… mais beaucoup de votes. D'ailleurs, comme les Jeux de Byzance arrivent à grands pas, je pourrais certainement vous avoir de bien meilleures places que celles qui sont traditionnellement réservées aux gens de l'armée.

– Vous voulez m'acheter…

– Mais non, pas du tout ! Je veux simplement vous faire connaître le plaisir d'assister aux Jeux dans une loge royale !

7. Assemblée des citoyens ayant le droit de vote.

Allez, confiez-moi les hommes dont j'ai besoin ! Ainsi, vous montrerez votre loyauté envers un membre important de la famille royale tout en vous évitant l'ostracon. Alors, serez-vous un ennemi de l'État ou un ami des Jeux ? Il vous appartient de choisir votre camp !

Le militaire prit une grande gorgée de vin et regarda son cousin droit dans les yeux.

– Une centaine d'hommes, c'est finalement bien peu de chose pour aider un homme tel que vous, Héraclès. Vous m'avez bien dit que vous aviez besoin de ces soldats pour les Jeux, n'est-ce pas ?

– En quelque sorte, oui..., répondit Héraclès avec un soupir de soulagement.

– Mais il fallait me le dire avant ! Il ne faut pas tourner ainsi autour du pot ! Et, dites-moi, pour combien de temps souhaitez-vous disposer de ces hommes ?

– Le temps qu'il faudra... mais rassurez-vous, ça ne devrait pas être très long.

– Et... vous les voulez quand ?

– Dès que possible, conclut le cadet du roi en se levant.

– Vous les aurez à l'aube.

– Bien. Je ne vous oublierai pas, cousin...

– Moi non plus... moi non plus...

Satisfait de l'entretien qu'il avait eu avec le commandant en chef des armées, Héraclès s'en fut vite rejoindre ses trois délégués qui l'attendaient impatiemment au stade. Il leur demanda de s'approcher de lui afin qu'on ne les entende point discuter.

– Pouvez-vous retracer facilement ce Varka et me conduire à lui ? leur demanda-t-il à voix basse.

– Mais oui, absolument, fit le plus jeune des trois, également sur le ton de la confidence. Nous savons que la caravane de son maître, Nosor Al Shaytan, se dirige vers la mer Noire pour y faire du commerce. Ils doivent s'arrêter un certain temps près d'Héraclée où, selon nos renseignements, ils entreprendront l'entraînement de leur champion. Et comme il est hors de question que nos alliés barbares remportent une victoire à nos propres jeux, il faudrait dès maintenant mettre au point une stratégie qui nous ferait profiter de leur arrêt à Héraclée…

– Tu as raison, approuva Héraclès, un éclair dans les yeux. Nous nous arrangerons pour aller chercher ce Varka à Héraclée et pour l'amener ici afin qu'il se joigne à notre équipe d'athlètes. Voilà ! Il courra, mais pour nous ! Je ferai modifier le registre des naissances d'une famille de la cité qui a été décimée par la maladie… C'est ça… Je m'arrangerai pour que ce Varka devienne officiellement le fils unique et seul survivant d'une famille byzantine victime d'un mauvais sort. Ainsi, il sera Byzantin, et le peuple s'identifiera à lui… Par contre, nous devrons nous débrouiller pour qu'il apprenne rapidement notre langue…

– Ne vous en faites pas, il est muet de naissance, paraît-il.

– Nous avons de la chance, les dieux sont de notre côté !…

– Dites-moi, dit le plus vieux délégué, comment arriverons-nous à convaincre les adorateurs de la secte de nous céder leur champion ? Nous devrons l'acheter, et au prix fort… ce qui irait à l'encontre de la volonté du roi de maintenir les tribus alliées de Byzance dans une relative indigence…

– J'y ai pensé, répondit Héraclès avec un demi-sourire. Nous irons chercher ce Varka sans tambour ni trompette, et de plus nous l'aurons gratuitement. Écoutez-moi bien. Demain, nous affréterons un bateau de commerce qui partira pour Héraclée avec à son bord une centaine de nos meilleurs guerriers. Ensuite, nous trouverons ces damnés adorateurs d'Iblis et nous les éliminerons… L'avantage avec les nomades, c'est que leur disparition ne laisse pas de traces. Une fois que nous les aurons enterrés dans le désert, jamais plus nous n'en entendrons parler ; ils pourriront sans que personne ne sache quoi que ce soit. Et, messieurs, en guise de remerciement pour votre excellent travail, vous vous partagerez les biens de ces malheureux, à commencer par leurs armes que vous pourrez revendre au marché. Qu'en dites-vous ? Vous offrirez bijoux et autres présents à vos femmes, enfants et petits-enfants. Cela compensera également pour vos fréquents séjours à l'étranger… Mais attention, messieurs, si ce Varka n'a pas les mérites que vous lui attribuez, je jure que vous finirez au fond d'une trirème à ramer jusqu'à votre dernier jour, et que je me chargerai personnellement d'y envoyer aussi vos descendants !

– Nous ne sommes pas inquiets, répondit le délégué en chef. Cet homme ne vous décevra pas, car nous avons été témoins de ses performances, et elles sont bien réelles. Je connais mon métier et je sais reconnaître un grand champion. Non, vous ne serez pas déçu.

Après les remerciements et salutations d'usage, les délégués quittèrent le stade, entièrement satisfaits. Le plan que leur avait proposé Héraclès leur semblait parfait, et l'idée de mettre la main sur les biens des adorateurs d'Iblis leur plaisait beaucoup. Ces nomades avaient peu d'espèces sonnantes, mais ils possédaient des étoffes de grande qualité et quelques armes de valeur. Pas de quoi devenir riche, mais cette gratification n'en était pas moins appréciée.

Demeuré seul sur les gradins, le frère cadet du roi s'imagina la foule célébrant les victoires répétées de son compétiteur. En tant qu'entraîneur, une grande part des applaudissements lui serait destinée, et c'est avec bonheur, mais aussi avec une certaine retenue, qu'il se voyait salué par les acclamations d'un peuple en liesse. Il le pressentait, ce Varka lui apporterait enfin le succès qu'il n'avait jamais connu lui-même au pancrace et, grâce aux performances de son athlète, il recueillerait enfin la reconnaissance dont il avait toujours rêvé.

« Le temps est venu pour moi de prendre ma place dans l'histoire de cette ville, se dit-il en serrant les poings. À cause de mon nom, mes frères se sont toujours moqués de moi... Héraclès, pfft ! Un nom trop lourd pour un simple mortel comme moi... Mais les choses vont changer... Héraclès de Byzance sera connu non pas pour sa force, ni pour ses prouesses athlétiques, mais bien pour avoir donné au peuple un demi-dieu capable des plus grands exploits. Et qu'y a-t-il de plus noble que d'offrir un héros à sa nation quand on ne peut l'être soi-même ? La gloire de Byzance passera par ce Varka... Oui, une nouvelle ère est à notre porte... »

X

Après sa course exaltante dans les bois, le loup s'était arrêté pour admirer la magnifique louve noire qui se trouvait de l'autre côté du petit lac. Les oreilles bien droites, il s'assit dans les hautes herbes et contempla de loin la beauté de celle qu'il aimait. Sous la lumière éclatante de la pleine lune, il la regarda s'abreuver, puis entrer doucement dans l'eau pour faire sa toilette. Élégante dans chacun de ses mouvements, la louve noire prenait plaisir à étirer sa baignade. Dans la tiédeur de la nuit, les cigales chantaient en chœur un hymne à la volupté. Puis la louve sortit lentement du lac et s'installa sur le rivage pour lécher son pelage. Une odeur musquée parvint jusqu'aux narines du loup qui, de peur d'effrayer la belle, resta sur place, se contentant de humer ce parfum qui le stimula vivement. C'était une invitation à l'accouplement. Il ferma les yeux afin de mieux s'enivrer des effluves que dégageait la femelle en rut. Lasse d'espérer la rencontre d'un mâle qui se serait trouvé dans les environs, celle-ci se mit à pousser des petits hurlements saccadés afin qu'on l'entende de plus loin. Le loup, désireux d'assouvir son propre désir pour elle, décida de répondre à l'appel.

Il voulut se lever, mais en fut incapable. Les muscles de son corps s'étaient mystérieusement pétrifiés. Malgré ses efforts et sa volonté de rejoindre celle qu'il désirait plus que tout au monde, le loup demeura assis dans les hautes herbes telle une statue de pierre. Il tenta de hurler sa détresse à la belle pour qu'elle vienne le rejoindre, mais il n'y arriva pas. Ses cordes vocales, comme le reste de son corps, demeuraient figées, ce qui l'empêchait de signaler sa présence.

Tandis qu'il luttait pour retrouver la maîtrise de son corps, le loup vit un autre mâle s'approcher de sa belle. Le nouveau prétendant lui ressemblait beaucoup, mais il avait un gabarit un peu plus imposant et un pelage plus volumineux. Attiré par les hurlements de la femelle, il alla doucement jusqu'à elle et, sans autres préliminaires, il la monta. Accablé et littéralement paralysé, le loup tenta néanmoins de bouger encore une fois, mais ses efforts restèrent vains. Ce n'est que lorsque son semblable eut terminé sa besogne qu'il put enfin pousser un hurlement de rage et qu'il retrouva sa mobilité, s'élançant vers son rival avec la force d'un raz-de-marée.

C'est dans cet état de fureur que se trouvait Varka lorsqu'il ouvrit les yeux. À l'extérieur de sa tente, des combats faisaient rage. La féroce troupe d'Héraclès de Byzance, des hoplites, attaquait le camp de Nosor Al Shaytan. Les ordres avaient été clairs : exterminer tous les membres du clan, sauf Varka. Sous le commandement du frère cadet du roi, ils avaient donné l'assaut de nuit et dans la seule lumière vacillante des grandes torches. Ils assassinaient tout le monde, hommes, femmes et enfants. Comme des chacals en quête d'une proie, les Grecs s'étaient positionnés sans bruit autour du campement, établi sur les rives de la mer Noire depuis deux semaines, et ils avaient attendu patiemment que les veilleurs de nuit relâchent leur vigilance pour les cribler de flèches. Une fois la voie libre, ils avaient foncé vers les tentes pour les incendier, puis s'étaient jetés sur leurs occupants qui fuyaient. Le bruit strident des lames, mêlé aux hurlements désespérés des mères devant leurs rejetons égorgés, créait une cacophonie que seuls des actes d'horreur pouvaient engendrer.

Encore dans l'état d'esprit de son cauchemar, Varka bondit sur ses pieds et sortit de sa tente en hurlant comme un dément. Il était animé d'une colère à faire défaillir tous les dieux du ciel. Les yeux injectés de sang et les mâchoires prêtes à broyer, Varka sauta sur le dos d'un premier soldat byzantin et lui arracha brutalement son casque. De ses deux mains, il saisit le menton du militaire et, d'un puissant coup vers le bas, il lui arracha le maxillaire inférieur. La douleur extrême fit pousser au Grec un cri épouvantable, et la souffrance le plia en deux. Varka en profita pour lui ramener la tête vers l'arrière et lui défoncer le reste de la figure à coups de poing.

Nu comme le premier des hommes et tout à fait inconscient du danger, Varka s'empara de l'épée de sa victime et fonça dans la mêlée comme un possédé. Les adorateurs d'Iblis ne faisaient pas le poids contre le bataillon expérimenté et lourdement armé de Byzance. Transpercés par les pointes de lances des Byzantins ou labourés par leurs épées spécialement aiguisées pour l'occasion, les nomades tombaient les uns après les autres.

Témoin de cette extermination massive, le cadet du roi, bien installé à l'écart, jubilait. Accompagné de ses trois délégués, il contemplait la scène macabre en se tapotant la panse.

– Mes chers amis, ce sera bientôt fini. Vite fait, bien fait ! J'ai bien pris soin de demander au chef du bataillon de s'assurer qu'il ne reste aucun témoin de cette attaque, que tous, sans exception, soient exécutés. Comme on dit, quand on détruit un nid de vipères, il est impératif d'en éliminer aussi tous les œufs. Personne ne saura jamais ce qui s'est produit ici ce soir, personne…

– Mais comment pouvons-nous être certains qu'ils ne tueront pas Varka par inadvertance ? demanda un délégué, songeur. Il serait très embarrassant que nous assassinions notre champion !

– Vous avez dit que notre homme porte une marque en forme de salamandre derrière l'épaule gauche, n'est-ce pas ? fit Héraclès.

– Oui, en effet, mais tous les esclaves des adorateurs de la secte d'Iblis ont le même stigmate !

– Bien, mais j'ai aussi ordonné qu'on laisse la vie sauve à tous les hommes qui arborent une marque en forme de salamandre sur l'épaule. Si les informations que vous m'avez données sont justes, nous devrions avoir un champion à ramener bientôt à Byzance. Maintenant, amusez-vous. Admirez le spectacle, car, chers délégués, ceci est le début d'une nouvelle ère pour notre peuple !

Dans le feu de l'action, loin de se douter qu'on parlait de lui à quelques pas de là, Varka frappait tout ce qui bougeait à l'aide de son épée nouvellement acquise. La rage qui s'était emparée de lui dans son cauchemar s'était encore accrue; il cherchait à tuer le loup qui lui avait pris celle qu'il désirait plus que tout au monde. Il était devenu fou. Il haletait comme un animal sauvage. Incapable de s'arrêter de frapper n'importe où, y compris dans le vide, il tua indistinctement deux soldats ennemis, mais, dans son impétuosité, il en vint à se retourner contre son propre camp. À la stupéfaction de ceux qui croyaient avoir Varka de leur côté, voilà qu'en plus, ils avaient à se défendre contre lui. Nosor Al Shaytan se planta devant son esclave et cria:

– ARRÊTE!!! TU NE DOIS PAS TE BATTRE CONTRE NOUS! TU ES MON ESCLAVE ET TU DOIS M'OBÉIR, RETOURRR...

Trop tard... Varka venait de transpercer, d'un seul coup de lame, le corps de son maître. Nosor Al Shaytan tomba à genoux, un filet de sang s'écoulant de sa bouche.

– Sale traître... je te jure que tu... tu me le paieras... Qu'Iblis m'en soit témoin... je te tuerai... sale bête... sale chien du désert.

Tandis qu'il regardait son maître gémir à ses pieds, Varka reprit ses esprits et il pensa aussitôt à ses pierres de lune. Il les avait enfouies dans le sable, sous le tapis de sa tente. Il lui fallait les récupérer sans tarder! Abandonnant son arme, il s'élança vers sa cachette, mais il se heurta à deux hoplites qui s'apprêtaient à l'assaillir. De façon inattendue, Varka bondit comme une bête sur l'un d'eux et lui envoya un prodigieux coup de tête dans le ventre, ce qui le renversa. Cependant, le bouclier du second Byzantin s'abattit sur sa nuque comme un coup de tonnerre et le laissa inconscient. Avant de perdre la carte, l'esclave ne s'était même pas rendu compte qu'il était, de toute façon, trop tard pour récupérer ses pierres dans sa tente qui brûlait comme une torche.

– Laisse-le-moi! Je vais le décapiter, ce vautour! grommela le soldat qui venait de se faire frapper par Varka. Je ne m'attendais pas à ce...

– Arrête! Tu ne peux pas le toucher! Regarde, la salamandre, là, sur l'épaule! Nous devons l'amener à Héraclès...

Profitant du fait que les deux soldats étaient affairés à ligoter Varka, Nosor Al Shaytan, le ventre en sang, se glissa discrètement et péniblement hors de la lumière des tentes embrasées. Il parvint à se remettre sur ses jambes, puis, utilisant sa cape noire pour se camoufler, il se dirigea en clopinant vers la mer. La bataille semblait maintenant terminée ; son clan avait été complètement anéanti. Ses meilleurs combattants gisaient un peu partout sur le sol. Pas très loin, il distinguait des Byzantins qui, visiblement, creusaient une fosse… sans doute destinée aux siens.

– C'est une victoire complète ! dit tout haut Héraclès, devant l'escorte qui l'accompagnait sur le terrain pour faire le bilan de la bataille. Félicitations, capitaine ! Vous avez accompli un travail digne des plus grands hommes de guerre ! En mon nom et en celui de ma famille, je vous remercie d'avoir mis tout votre talent dans l'exécution de ce travail.

– Vous servir a été un plaisir, répondit le chef des hoplites après avoir retiré son casque. On vous a fait savoir qu'on tient votre homme, mais vous a-t-on dit qu'après avoir tué trois des nôtres, il a retourné son arme contre les siens ?… Enfin, drôle de spécimen…

– Un phénomène, effectivement ! Hé ! hé ! Allez, où est-il donc, ce champion ? Je suis impatient de voir à quoi ressemble notre future vedette !

On amena à Héraclès un homme inconscient, le corps nu et glabre, ficelé comme un saucisson. Son apparence physique était loin de ressembler à celle d'un athlète ; il était beaucoup trop maigre. Contenant sa colère, Héraclès se tourna vers les trois délégués.

– J'espère que ce n'est pas l'homme que vous m'avez recommandé, dit-il en détachant chacune de ses syllabes. À moins qu'il ne s'agisse d'une erreur sur la personne, ou d'une mauvaise plaisanterie…

– Non, répondit l'un des délégués, il n'y a aucune erreur, et ce n'est pas une plaisanterie non plus. Varka, c'est lui ! C'est bien l'homme que nous avons vu courir de façon prodigieuse. Vous verrez, c'est un athlète remarquable ! Même si ce n'est pas vraiment l'impression qu'il donne, j'en conviens…

– Vous me dites que ce singe décharné est le prochain Milon de Crotone ?! que ce misérable insecte fera hurler les foules ?!

que ce vermisseau sera adulé dans tout le pays ?! Non, c'est impossible, non !

– Nous vous prions de nous croire ! Nous sommes convaincus de son talent ! Mais oui, vous verrez ! assura le plus vieux des trois délégués qui affichaient toujours le même enthousiasme.

– Si les dieux n'ont pas faussé notre jugement, il est celui qui soulèvera d'abord Byzance et ensuite Olympie. Il est de la trempe des plus grands ! ajouta un autre.

– Je suis désolé, fit Héraclès, mais je n'arrive toujours pas à le croire ! Comment cet être, cette… chose frêle pourrait avoir autant de force que vous le dites ? N'importe qui pourrait le briser d'un simple coup de poing…

– Je serais enclin à penser comme vous…, intervint le capitaine en finissant le compte de ses archers venus le rejoindre, mais il est bel et bien responsable de la mort de trois de mes hommes. À l'un, il a arraché la mâchoire de ses mains nues, et les deux autres sont morts d'un seul coup d'épée qui est parvenu à traverser leur armure comme s'il s'était agi d'une pièce d'étoffe. Aucun de mes soldats, aussi solides soient-ils, n'en aurait fait autant. Croyez-moi, Héraclès, cet énergumène possède une force hors du commun !

– Bon, fit Héraclès, étonné, j'ai toujours du mal à le croire, mais si les dieux lui ont accordé un don, pourquoi ne me plierais-je pas à votre jugement ? Il serait dommage d'avoir massacré autant d'hommes pour rien… Enfin, si on peut qualifier ces chiens d'humains ! Hé ! hé !

– N'ayez aucun remords pour des adorateurs d'Iblis, intervint un délégué. Leur vie ne vaut pas grand-chose, alors pourquoi s'en soucierait-on ?! L'important, n'est-ce pas d'avoir récupéré Varka ?

Les yeux d'Héraclès de Byzance se mirent à pétiller, puis il s'esclaffa. Le délégué n'avait pas tort : éliminer ces nomades équivalait à se débarrasser de vermine. Et on n'aurait certainement pas pleuré la mort de rats ! Le cadet du roi reprit son sérieux, puis il permit à ses délégués d'aller fouiller parmi les objets que le feu avait épargnés afin d'y trouver leur profit. Comme des vautours avides de charogne, les trois hommes se dirigèrent vers les coffres encore intacts des nomades, qui se trouvaient à quelques pas de là.

– Regardez-moi ça, capitaine, murmura Héraclès sur un ton méprisant, voilà le genre d'hommes que je côtoie tous les jours et qui rendent ma vie si lourde. Ils ne ratent jamais une occasion de grappiller tout ce qu'ils peuvent. De vrais parasites qui n'hésiteraient pas à me trahir si cela pouvait leur rapporter quelque chose... Contrairement à vos soldats, ils n'ont pas de code d'honneur... Ils feraient de leurs femmes des putains si des étrangers fortunés voulaient se les offrir !

En guise de réponse, le capitaine lança un bref regard en direction de ses archers.

– Mes hommes sont prêts. Ils attendent votre ordre...

– Hé ! hé ! je les avais pourtant prévenus, mes chers délégués. Je leur avais dit que seraient éliminés tous les témoins de cette invasion, fit Héraclès avec une affreuse grimace. Mais ils n'écoutent pas quand on leur parle... Ils ne pensent qu'à leur profit, pauvres crétins !...

Le capitaine leva le bras, prêt à donner l'ordre que ses hommes attendaient.

– Maintenant que ma politique d'ouverture envers les autres peuples a atteint ses objectifs, les Jeux n'ont plus besoin de délégués. Désormais, ces trois-là nous sont inutiles... Ici-bas, les hommes n'ont que faire de ces minables, mais peut-être que les dieux, eux, sauront les employer de meilleure façon ? Allez-y maintenant.

Sur l'ordre d'Héraclès, le capitaine baissa le bras.

Aussitôt, une douzaine de flèches fendirent l'air pour aller se loger dans les corps des trois délégués. Les pauvres hommes eurent à peine le temps de comprendre qu'on les attaquait que, déjà, leurs jambes ployaient sous le coup de la souffrance, et tous les trois finirent par s'effondrer sur le sol. Alors qu'ils croyaient revenir les bras chargés de cadeaux pour leur famille, voilà que leur vie s'arrêtait bêtement dans un désert aride d'Anatolie.

– Une autre affaire de réglée ! se réjouit Héraclès. Et maintenant que le soleil est levé, qu'on fouille partout pour s'assurer que personne ne s'est caché, et tenez-moi au courant !

– Que fait-on du prisonnier? demanda le capitaine.

– Envoyez-le au port d'Héraclée et embarquez-le sur le navire. Arrangez-vous aussi pour qu'il demeure inconscient. S'il est aussi fort que vous le prétendez, mieux vaut qu'il revienne à lui dans un des cachots du stade plutôt qu'en pleine mer, qu'en dites-vous? En cas de problème, il sera plus facile à maîtriser sur terre que dans la cale d'un navire marchand. Quelqu'un peut-il m'indiquer où était sa tente?

– Des soldats l'ont vu sortir de cet endroit, juste là! répondit le capitaine en montrant du doigt un amas de toile et d'autres objets calcinés.

Héraclès de Byzance se dirigea lentement, seul, vers la tente de Varka. Comme son champion était encore une énigme pour lui, il pensa pouvoir y trouver un ou deux indices qui lui permettraient de le connaître un peu plus. Cependant, Héraclès comprit vite qu'il ne pourrait rien tirer de ces restes entièrement carbonisés. Alors qu'il s'apprêtait à aller rejoindre le capitaine, son regard fut attiré par un petit morceau d'étoffe intact qui dépassait du tapis noirci. Intrigué, il se pencha et ramassa le bout de tissu qui s'avéra être un gousset en soie. Il l'ouvrit et, à sa grande surprise, il y découvrit trois pierres de lune de couleurs différentes: une bleue, une rouge et une verte.

« Voilà peut-être quelque chose d'intéressant, songea-t-il en remettant les pierres dans le petit sac. Mais pourquoi donc les avoir cachées de la sorte? »

– Pardonnez-moi de vous déranger, dit le capitaine en arrivant près d'Héraclès, mais des soldats viennent de trouver quelque chose qui pourrait vous intéresser!

– Allons-y, je vous suis, capitaine, répondit le cadet du roi en glissant sa trouvaille dans la bourse de cuir qu'il portait à la ceinture.

Guidés par des soldats, Héraclès et le capitaine se rendirent à la plage, où une longue série d'empreintes de pas allait se perdre dans l'eau. La piste en zigzag et les grosses taches de sang qui la jalonnaient montraient que l'homme qui était passé par là était gravement blessé. C'était sans doute un nomade qui était allé se jeter à la mer.

– Qu'en pensez-vous, capitaine ? demanda Héraclès en fronçant les sourcils. S'agirait-il d'un fugitif que l'on pourrait craindre ?

– Non, je ne crois pas, répondit le soldat en examinant le sol. Tout ce sang et ces traces irrégulières prouvent que l'individu est très mal en point, peut-être même confus... Il a perdu énormément de sang... Regardez, là !

Le capitaine montra l'empreinte d'une main ensanglantée.

– Avant de trébucher, continua-t-il, il tenait sa main sur sa blessure. À en juger par la façon dont s'est répandu ce sang, c'est-à-dire au centre de la piste, en grosses gouttes et, surtout, en filets, il a sans doute été blessé ailleurs qu'aux jambes... probablement au ventre.

– Hum... peut-on survivre à une telle blessure ? demanda Héraclès, un peu plus détendu.

– Quelqu'un qui perd autant de sang s'en sort rarement, expliqua le capitaine. Même confiés à un bon médecin, peu de mes hommes ont survécu à une blessure de cette gravité.

– Aurait-il pu marcher dans la mer jusqu'à la cité d'Héraclée, et ainsi faire disparaître ses traces ?

– Sauf votre respect, continua le capitaine, même s'il en avait eu la force, vous savez très bien que nos colonies de la mer Noire ne viennent jamais en aide aux barbares et aux nomades dans le besoin, puisque votre frère le roi le défend.

– En effet... oui, bien sûr, répondit Héraclès, tout à fait rassuré. Donc, il s'agit d'un fuyard et il n'a pratiquement aucune chance de s'en sortir ?

– Il est déjà mort, affirma le capitaine. Les poissons le dévorent en ce moment même.

– Très bien ! Dans ce cas, rentrons à Byzance !

Comme tous les nomades du désert, Nosor Al Shaytan savait qu'il ne fallait jamais mettre tous ses œufs dans le même panier. Tandis que sur la plage on décrétait sa mort, il était parvenu à atteindre, non loin de là, une cache aménagée dans l'excavation d'un gros rocher qui émergeait de l'eau, et où on pouvait trouver de quoi soigner des blessures, ainsi que des vivres et du matériel de voyage. Il avait bandé sa plaie après y avoir appliqué un mélange fermenté de plantes médicinales. Heureusement, ses organes internes n'avaient pas été atteints.

De son rocher, Nosor Al Shaytan, le seul rescapé de l'attaque sauvage des troupes de Byzance, regardait en serrant les dents les soldats enterrer ses frères avec désinvolture. Les corps des membres de son clan étaient empilés les uns sur les autres dans une fosse peu profonde. Manifestement, les Byzantins s'efforçaient d'effacer rapidement les traces de leur passage.

« Je jure que je me vengerai de vous, ordures ! Je me vengerai sur votre cité maudite, j'anéantirai votre peuple, se promit Nosor, les poings tremblants. Qu'Iblis me donne seulement la force de guérir cette blessure et je m'engage à vous faire payer cent fois la vie de chacun de mes hommes. Et toi, Varka, je ne t'oublierai pas non plus… Tu me la paieras, cette blessure… J'aurai bientôt ton sang sur les mains. »

XI

On raconte, dans les anciens récits, que le roi des Thraces eut un jour un fils avec la muse Calliope. Nommé Orphée, ce dernier devint l'un des plus grands poètes et reçut des mains d'Apollon une lyre à sept cordes, à laquelle il en ajouta deux autres afin de rendre hommage aux neuf muses. Lorsqu'il jouait de cet instrument, pour ne pas le déranger, les fleuves s'arrêtaient de couler, les arbres cessaient de bruire et les bêtes féroces venaient se coucher à ses pieds. Sa seule voix pouvait calmer une mer agitée, surpasser le chant des sirènes et endormir le furieux dragon de Colchide. Revenu des enfers où il était allé chercher sa femme afin de la ramener sur terre, il devint roi de Thrace et donna à son peuple ses enseignements. L'orphisme naquit donc sur les rives ouest de la mer Noire et gagna le cœur de nombreux fidèles parmi lesquels figuraient énormément de membres de familles de sang royal.

Selon les adeptes de l'orphisme, l'âme était enfermée dans le corps humain comme s'il s'agissait d'un tombeau. Au moment de la mort, elle était libérée, puis condamnée à se réincarner indéfiniment dans d'autres corps, tant d'humains que d'animaux, à moins que sa pureté ne soit si grande qu'elle s'envole vers les dieux. Pour briser le cycle infini des réincarnations et assurer la purification de l'âme, il fallait vivre dans l'abstinence en s'astreignant à un régime végétarien strict et en s'imposant la chasteté. Les rapports sexuels n'étaient permis qu'à des fins de reproduction et ne devaient procurer aucun plaisir. Les disciples de cet ordre, dont faisait partie le puissant souverain de Veliko Tarnovo, considéraient que leur civilisation était de loin la plus avancée et que se conformer aux doctrines de l'orphisme était la seule façon de vivre dignement. Les peuples et les tribus refusant de se soumettre au culte d'Orphée étaient menacés de mort afin que leur esprit puisse renaître dans un autre corps le plus rapidement possible. Cette façon soi-disant unique de sauver l'âme des égarés permit aux Thraces d'étendre leur empire et de justifier l'extermination de nombreux clans et villes.

L'une des plus importantes cités des royaumes des Thraces était Veliko Tarnovo. Construite en haut du mont Trapezitsa, elle était aussi imprenable que grandiose. De larges enceintes de pierre à flanc de montagne protégeaient cette ville aux multiples visages. Tout d'abord commerçante, la cité regorgeait d'orfèvres, tous plus habiles les uns que les autres, qui travaillaient l'or et les pierres précieuses de magnifique façon. Reconnue pour être le coffre-fort des royaumes thraces, Veliko Tarnovo recevait des montagnes d'or que ses artisans transformaient en objets précieux. Bijoux, pièces de vaisselle, armes ou harnais pour les chevaux, tout ce qui avait de la valeur dans l'empire avait été fabriqué à Veliko Tarnovo. L'habileté de ses maîtres était incontestable. La finesse des ceintures, des bracelets et des parures en or impressionnait même les plus profanes. Les plus belles pièces, c'est-à-dire des coupes à boire en forme de cornes qu'on appelait des rhytons, étaient d'une splendeur à couper le souffle. De plus, on y fabriquait, pour les grands guerriers, des casques en bronze et des jambières décorés de représentations de déités immortelles dont la richesse des détails, des ornements et des gravures donnait à penser qu'ils étaient d'inspiration divine.

À Veliko Tarnovo, véritable joyau fortifié, on trouvait, travaillant nuit et jour, les meilleurs sculpteurs sur bois et les plus grands forgerons. Dans d'autres échoppes s'entassaient les plus fins tissus que manipulaient les couturiers les plus habiles. À peu près rien n'était produit dans cette ville, mais tout y était transformé. Les terres environnantes ne permettant pas la culture soutenue du blé ou de l'orge, les denrées de base arrivaient de contrées voisines par chariots, et on se procurait toute la nourriture dans un grand marché central. Cette ville, où la consommation de viande était mal vue par les autorités religieuses, était dirigée d'une main de fer par l'un des souverains les plus stricts des pays thraces, Hitovo le Chien.

Vivant seul dans son palais avec ses onze chiens qu'il appelait ses frères, Hitovo était devenu roi en ravissant le pouvoir à son père que, de toute façon, les autres souverains de Thrace trouvaient trop mou pour protéger convenablement la ville. Exilé dès son plus jeune âge, Hitovo le Chien était revenu et il était entré au palais afin de s'emparer du trône. Depuis, il régnait en maître sur Veliko Tarnovo et profitait de la bénédiction des autres souverains qui voyaient en lui un protecteur de choix pour défendre toutes les richesses que contenait cette exceptionnelle cité.

Complètement dévoué au culte d'Orphée, Hitovo nourrissait ses chiens de poulet et de poisson, certes, mais jamais de viande rouge. Il ne mangeait pour sa part que des légumes, des haricots, du fromage et des céréales. Il buvait du lait normalement, du vin en quantité et parlait plus souvent à ses bêtes qu'aux humains qui l'entouraient. Il s'entraînait plusieurs heures par jour à l'épée et, réputé pour être un guerrier d'une force et d'une rapidité redoutables, il ne manquait jamais d'accompagner ses troupes lorsqu'elles partaient mater les tribus rebelles des environs. Son armure était d'une incroyable beauté. Elle avait été moulée, puis sculptée par les meilleurs artisans de Veliko Tarnovo. On pouvait y voir une tête de chien, gueule ouverte et crocs sortis, prêts à mordre. Le pommeau de son épée, décoré de cuir fin et orné d'or et de pierres précieuses, représentait le visage d'Orphée à son retour des enfers. Étonnamment, chaque fois qu'il abattait un adversaire, Hitovo se mettait à hurler, un peu comme l'aurait fait un chien, trop content qu'il était d'avoir permis à une âme de s'incarner de nouveau.

Dans la même journée, il pouvait sauver une brebis malade en la portant chez son guérisseur et décapiter froidement celui qui avait le malheur de brusquer un de ses chiens. Il était craint de tous, car on le considérait comme un être instable et même dérangé. Autrement, personne n'avait à se plaindre de lui, car, depuis son arrivée au pouvoir, les voleurs avaient déserté la cité, et les barbares n'attaquaient que très rarement les convois.

Près du détroit du Bosphore, il y avait Byzance l'agricole, grenier et porte d'entrée du commerce en Grèce, alors qu'à quelques semaines de cheval se trouvait, trônant sur sa montagne, la richissime Veliko Tarnovo, coffre-fort et centre d'art de Thrace. Deux villes qui aspiraient à prendre de l'expansion et à s'étendre sur tout le continent, mais qui auraient eu besoin, pour ce faire, d'appartenir au même peuple et à la même culture. Malheureusement, les croyances religieuses respectives de leurs habitants empêchaient toute forme de rapprochement, et un affrontement semblait être l'unique solution pour que puisse se développer l'une ou l'autre des deux cités.

Hitovo allait méditer quotidiennement sur le rocher des condamnés, un lieu terrible d'où on jetait, encore vivant, tout ennemi de Veliko Tarnovo pour ensuite laisser pourrir ses os au pied de la muraille de la cité. Le roi s'y rendait tous les soirs au coucher du soleil, car il considérait que c'était le meilleur moment pour contempler sa magnifique forteresse et faire le bilan de la journée. Il en profitait également pour y recevoir le mystagogue, héritier du culte d'Orphée et gardien du dogme, un homme austère d'à peine trente ans et devant qui le peuple se prosternait, car il était considéré comme une des réincarnations d'Orphée. Il ne portait que des vêtements noirs sur lesquels scintillaient de mille feux les nombreux bijoux en or qui le couvraient pratiquement de la tête aux pieds : un masque à l'effigie de son dieu, des bracelets en forme de serpents, de grosses ceintures d'une valeur inestimable, neuf bagues symbolisant les cordes de la lyre d'Orphée, des boucles d'oreilles représentant des animaux et d'autres ornements encore, aux avant-bras, aux chevilles et jusqu'aux orteils. L'éblouissant personnage ne sortait jamais de la cité, et personne n'était autorisé à lui adresser la parole à moins qu'il n'engage lui-même la conversation. Hitovo respectait aussi cette consigne.

– Ce fut un magnifique coucher de soleil, dit le mystagogue en arrivant sur le rocher des condamnés.

– C'est le meilleur moment de la journée, répondit Hitovo, les yeux fixés sur l'horizon. Une autre journée qui meurt afin de mieux renaître demain !

– Je me permets de venir te voir, Hitovo, pour que nous continuions la conversation que nous avons entamée il y a quelques jours au sujet de ton…

– Non, mystagogue, n'insiste pas ! déclara fermement le souverain. Je te le répète : je ne prendrai pas de femme. Tu le sais, ma vie est entièrement dédiée à Orphée, et je veux que mon âme et mon corps demeurent purs et sans tache.

– Mais je comprends, tu n'as pas à m'expliquer ceci encore une fois… Après tout, ne suis-je pas le représentant d'Orphée dans ce monde ? Toutefois, il faudra trouver une solution parce que le problème est grave. C'est l'intégrité même du royaume qui est menacée… Hitovo, tu dois avoir un descendant !

– Je refuse, répliqua Hitovo sur un ton sans équivoque.

Les deux hommes se turent et regardèrent les dernières lueurs du soleil disparaître complètement derrière les montagnes. Le jeune prêtre quitta alors Hitovo pour revenir quelques instants plus tard avec une torche qu'il planta en haut de l'escalier en pierre menant au rocher. Il enleva son masque et plusieurs de ses autres parures en or, releva son chiton et s'assit sur une marche.

– C'est ce soir que nous résolvons le problème, Hitovo, trancha le mystagogue. Quitte à ce que nous y passions la nuit, nous trouverons une solution !

– Alors, prépare-toi à dormir à la belle étoile, lança en souriant le souverain, qui se tenait toujours droit, le nez relevé, dans sa position de méditation. Je suis disposé à demeurer ainsi trois nuits et trois jours si tu y tiens. Mais réfléchis bien, puisque tu connais déjà ma réponse et que je ne reviens jamais sur mes décisions.

– Hitovo, tu sembles oublier que je suis la représentation de ton dieu à qui tu dois obéir ! Ce que je te demande, c'est Orphée lui-même qui te l'ordonne.

– Je reconnais la partie divine en toi, mais tu possèdes également une autre part, bien humaine celle-là, mystagogue. Alors, pardonne-moi de ne pas me plier au désir de l'homme qui veut me contraindre à nier la philosophie d'Orphée qui, lui, sait que je fais le bon choix en refusant de prendre épouse. Ici, à Veliko Tarnovo, j'ai imposé certaines règles en accord avec notre culte. Entre autres, nous ne pratiquons pas le phonoi[8] comme ailleurs dans les pays du Sud, nous proscrivons la viande durant les jours de fête et nous encourageons l'art afin d'élever nos esprits. Toutes mes décisions sont guidées par ma foi, par notre foi. Ma chasteté est garante de la qualité de mon âme et de la pureté de mes décisions. Je ne peux à la fois suivre les commandements d'Orphée, c'est-à-dire être fidèle à ma foi, et forniquer.

– Mais je ne te parle pas de luxure ! Je ne te dis pas d'organiser des orgies dans ton palais, Hitovo ! s'indigna le prêtre. Je te demande de faire ton devoir pendant qu'il en est encore temps, afin que Veliko Tarnovo ait un souverain lorsque viendra le moment pour toi de rejoindre les dieux. Il est important que le royaume ait une continuité, tu comprends ? Un héritier qui marche sur les traces de son père.

– Trouve-moi un orphelin et je l'élèverai comme mon fils ! grogna le guerrier, de plus en plus irrité. Tu voulais une solution ? Eh bien, en voilà une ! Maintenant, va-t'en, je suis las…

– Pour avoir droit au trône, cet enfant doit être le tien ! Sans quoi, nous ouvrons la porte à une guerre civile… Chacun se dira de sang royal.

– Nous n'aurons qu'à prétendre qu'il est de moi ! Nous garderons tous les deux le secret.

– C'est hors de question !

– Alors, la discussion est close, mystagogue !

– Ne peux-tu pas faire un effort ? Tu satisferas tes alliés et le peuple thrace…

– Faudra-t-il que je te jette en bas du rocher pour que tu arrêtes de m'inciter à désobéir aux lois divines ? pesta le souverain en bondissant sur ses pieds. Ne devrais-tu pas être fier de ton souverain et vénérer sa piété et sa dévotion ?! JE NE COMPRENDS PAS TON OBSTINATION À ESSAYER DE ME FAIRE DÉVIER DE MA VOIE !

Le prêtre ramassa son masque d'or et ses autres parures.

– Tu veux la bagarre, Hitovo ? Eh bien, tu l'auras ! Demain, j'ordonnerai que les animaux soient interdits à proximité des

---

8. Sacrifice d'animaux aux divinités dans la Grèce antique.

mausolées, des temples et de tous les autres édifices sacrés de la cité, y compris le palais. Tu devras te débarrasser de tes chiens, Hitovo. C'est ce que tu voulais ?

– Sale porc... je te tuerai ! hurla le souverain en sortant son épée.

– Je ne te crains pas..., dit le mystagogue en avançant vers lui. Vas-y, Hitovo, tranche-moi la gorge ! Qu'attends-tu ? Tu ne veux pas assassiner le représentant d'Orphée, c'est ça ?! Tu penses aussi à ce que mon père a fait pour toi ? Pense à lui qui a su t'épargner lorsque tu étais encore un poupon. Sans sa miséricorde, tu ne serais jamais devenu roi de cette ville...

Hitovo pointa son épée sur la gorge du prêtre. Soutenant le regard de son souverain dont les yeux étincelaient dans la lumière de la torche, le mystagogue demeura immobile jusqu'à ce qu'Hitovo recouvre ses esprits et range, en maugréant, son épée. La tension entre les deux hommes baissa d'un cran.

– Si je te demande de prendre une femme, expliqua doucement le jeune prêtre, je te répète que ce n'est pas pour te voir renier ta foi, mais pour assurer la pérennité de Veliko Tarnovo. Lorsque tu ensemenceras ton épouse afin qu'elle nous donne un héritier, tu seras content de savoir que ton fils deviendra peut-être un jour le nouveau souverain de... de Byzance !

Hitovo sursauta. Le mystagogue avait bien dit « Byzance », et non pas « Veliko Tarnovo ».

– De quoi parles-tu ? Deviens-tu fou ? Pourquoi mon fils serait-il le roi d'une ville dont les habitants haïssent les Thraces ?

– L'actuel souverain de Byzance n'a pas eu d'enfant mâle, mais il a une fille en âge de se marier et de procréer, révéla le prêtre. Depuis notre dernière discussion, j'ai concocté un plan d'alliance pour que tu puisses l'épouser et ainsi unir les deux cités dans la chair de cet héritier. Tu vois ? Je ne te demande pas de renier ta foi, mais d'agir en bon souverain et d'envisager la mainmise des Thraces sur Byzance.

– Tu ne te reposes donc jamais, mystagogue ! soupira le roi. D'accord, supposons que je désire me marier... Supposons, ai-je bien dit ! Mais comment arriveras-tu à convaincre le roi de me laisser sa fille? Tu connais notre réputation! Les autres peuples nous prennent pour des barbares sans morale, sans jugement, sans raffinement... et c'est très bien ainsi! Du fait qu'ils nous craignent, ils laissent nos terres en paix... Mais jamais au grand jamais les Byzantins ne nous laisseront une de leurs princesses! Ces gens nous fuient, ils n'auraient pas l'idée de se rapprocher de nous!

– Ah, mais chaque chose a un prix, Hitovo! Tu te demandes comment avoir la princesse? Eh bien, c'est simple: en l'achetant! déclara le mystagogue sur le ton de la confidence. Nous avons ici, à Veliko Tarnovo, des richesses incommensurables. En même temps, je sais de source sûre que Byzance est une ville corrompue et que, en plus, son roi manque désespérément de fonds. Les coffres de la cité sont vides et tout le royaume menace de s'effondrer. Même les armées manquent d'effectifs... car le roi est incapable de payer. Par ailleurs, les Jeux arrivent à grands pas, et il faudra encore beaucoup d'argent pour mener à bien cette grande célébration. Hitovo, profitons de la situation, tournons-la à notre avantage...

– Mais... mais comment sais-tu tout cela, toi?

– Tu l'as dit, je ne me repose jamais... Nous avons des espions dans tous les royaumes qui nous entourent, cher souverain, aussi bien chez nos amis que chez nos ennemis. Ce sont des convertis au culte d'Orphée à qui j'ai promis un traitement de faveur lorsque viendra le temps pour eux de rejoindre notre dieu.

Le souverain s'accorda quelques instants de réflexion. En effet, la proposition était plus qu'intéressante. Une fois l'enfant dans les bras de sa mère, il n'aurait qu'à faire assassiner le grand-père, roi de Byzance, et à réclamer le trône pour son propre fils. Position qu'il occuperait lui-même par intérim en attendant que son héritier ait l'âge de le faire. Ainsi, il offrirait, sans guerre ni conflit, la ville de Byzance aux Thraces et étendrait le culte d'Orphée jusqu'au détroit du Bosphore.

– Je vois mieux pourquoi tu te faisais aussi insistant..., dit Hitovo, de plus en plus séduit par l'idée.

– Tu comprends enfin l'importance d'avoir une descendance? fit le prêtre en souriant, heureux de voir son souverain réévaluer sa décision.

– Es-tu certain que tu arriveras à acheter cette fille ? Est-elle jolie au moins ? Je ne voudrais pas que mon fils ressemble à un crapaud…

– On raconte qu'elle est aussi belle que le jour et mystérieuse comme la nuit, fit le mystagogue dans un élan poétique. Ne t'en fais pas, Hitovo, le roi de Byzance n'y verra que du feu. Nous allons d'abord le couvrir d'or et lui promettre, en ton nom, une alliance de paix. De plus, je lui ferai miroiter la possibilité d'établir une route commerciale entre nos deux royaumes et, s'il le faut, je l'inviterai à venir se servir lui-même dans nos coffres afin de financer ses Jeux.

– Il se doutera de quelque chose, ajouta Hitovo. Les Thraces n'ont pas l'habitude de négocier ; pas ainsi en tout cas. Il sentira le piège…

– Pas du tout, car nous achèterons aussi ses conseillers, ce qui devrait se faire aisément, puisqu'on les dit avares et prêts à tout pour remplir leur bourse.

– Combien tout cela pourrait-il nous coûter ?

– Une fortune. Une véritable fortune, mais rien qui puisse mettre en danger la santé de Veliko Tarnovo. Nos coffres débordent et le commerce est en plein essor, tu le sais comme moi. Je crois bien que le jeu en vaut la chandelle ! En plus, ce petit écart dans la pratique de ton ascétisme te permettra d'étendre l'orphisme jusqu'au sud de la mer Noire et, qui sait, peut-être dans toute la Mésopotamie…

– Ton insistance était justifiée…, fit le roi d'un air malicieux. Je vois mieux les enjeux maintenant.

– Très bien, soupira le mystagogue, soulagé. Par l'intermédiaire de notre plénipotentiaire[9], je ferai parvenir une proposition au souverain de Byzance et nous verrons ensuite comment il réagira. Mais j'ai l'intuition qu'il flairera la bonne affaire et qu'il ne voudra pas laisser passer la chance de garnir ses coffres… Allez, je te laisse réfléchir là-dessus… Bonne nuit, Hitovo.

– Tu es un homme visionnaire et pragmatique… Je t'apprécie beaucoup, même si parfois nos discussions sont

9. Agent diplomatique doté de tous les pouvoirs nécessaires pour l'accomplissement d'une mission.

orageuses, fit le souverain en saisissant la torche. Bonne nuit, mystagogue.

– Pour moi, conclut le jeune prêtre en se retirant, il n'y a pas plus grand disciple d'Orphée que toi, et aucun des rois de ce monde ne t'arrive à la cheville. Et je t'avoue que je n'aurais jamais mis à exécution ma menace d'interdire les animaux près des lieux sacrés. Jamais je ne t'obligerai à te départir de tes chiens… Je te respecte trop pour te faire du mal.

– Moi, je te trancherai quand même la gorge un jour ! rétorqua Hitovo en s'esclaffant. Mais ce ne sera pas de sitôt, car mon fils aura besoin d'un bon maître pour devenir un grand souverain !

Demeuré seul sur le rocher des condamnés, Hitovo contempla les étoiles. La voûte céleste, résidence des dieux, scintillait. Le roi chercha du regard la constellation d'Orphée, représentant sa lyre, et, une fois qu'il l'eut trouvée, il pria avec ferveur jusqu'à ce que la fatigue l'oblige à rentrer dans ses quartiers. Il lança la torche dans le vide et emprunta dans l'obscurité le sentier conduisant au palais. À son grand plaisir, ses onze chiens vinrent à sa rencontre et, fous de joie de revoir leur maître, bondirent sur lui.

Le souverain gagna rapidement sa chambre et se glissa sous les couvertures. Comme à leur habitude, les chiens s'installèrent un peu partout dans la pièce et sur le balcon donnant sur la cité. Fatigué et réconforté par la présence de ses bêtes, Hitovo s'endormit vite, le nez enfoui dans l'épaissé fourrure d'un bâtard qui était venu le rejoindre sur le lit.

Cette nuit-là, Hitovo fit un rêve étrange dans lequel il était un loup. Il marchait d'un pas lent et assuré pour mieux humer le parfum de l'épaisse forêt de conifères quand, soudainement, son flair lui révéla la présence toute proche d'une femelle en chaleur. Excité par l'odeur, il suivit la piste olfactive et déboucha dans une petite clairière. La louve était là, au bord d'un petit lac entouré d'herbes, et attendait qu'on la cueille comme un fruit mûr. Alors qu'il avançait vers elle pour la saillir, Hitovo remarqua un autre loup qui l'observait depuis les hautes herbes, mais qui ne semblait pas vouloir quitter sa position. Nullement intimidé par le regard de cet importun, il monta la louve sans grand plaisir et se laissa retomber sur ses quatre pattes. Satisfait d'avoir ensemencé la belle, il reprit son chemin dans les bois et disparut entre les arbres. C'est alors qu'il entendit le hurlement déchirant que poussait le loup des hautes herbes. C'était une lamentation qui n'avait rien d'animal. C'était le cri d'un homme désespéré.

XII

Varka se réveilla au fond d'un cachot où flottait une odeur âcre d'urine, et dont les murs de pierre étaient couverts de pourriture et de champignons. La lumière du jour y pénétrait par un petit soupirail qui donnait sur une rue très passante. On pouvait entendre le bruit des charrettes et des sabots de chevaux. Parfois, quelques bribes de conversation inintelligibles réussissaient à se rendre jusqu'à lui. Se rendant compte que les passants s'exprimaient dans une langue qu'il ne connaissait pas, l'esclave se demanda où avait bien pu le conduire son maître.

Encore sous l'effet des drogues qu'on lui avait administrées pour le voyage d'Héraclée à Byzance, Varka ne parvenait pas encore à se lever. Ce n'est qu'après d'autres longues heures de sommeil et de somnolence qu'il réussit enfin à recouvrer tout à fait ses esprits et la maîtrise de son corps. De la nourriture et de l'eau avaient été déposées près de la porte. Affamé, l'esclave dévora d'un trait son repas, puis, machinalement, il se mit à chercher ses pierres. Il arpenta la pièce de long en large, mais ne vit pas son petit sac de soie. Peu à peu lui revinrent à l'esprit les scènes de combat dans le désert, et il se rappela sa cachette sous le tapis de sa tente. Ensuite, il revit les deux soldats byzantins, et se souvint finalement être tombé sur le sable après avoir reçu un puissant coup derrière la tête. Ses pierres étaient restées dans le désert. Elles étaient maintenant perdues à jamais.

Désespéré d'avoir perdu tout ce qu'il possédait, Varka se laissa glisser contre la paroi rugueuse de sa cellule, se recroquevilla dans un coin et pleura. Malgré toutes les misères qu'il avait connues, y compris les milliers de coups de fouet, il ressentait pour la première fois de sa vie la véritable douleur de l'impuissance. Jamais il n'avait eu aussi mal dans tout son corps ! Sa peine lui déchirait le ventre. Ces pierres représentaient tout pour lui ; c'était son trésor à lui.

Comment récupérer son bien, alors qu'il était prisonnier d'une ville qu'il ne connaissait pas, et où les gens s'exprimaient dans une langue qu'il ne comprenait pas ? Comment pourrait-il s'échapper de sa cellule ? Et, s'il y parvenait, comment regagnerait-il le désert, alors qu'il n'avait pas la moindre idée du lieu où Nosor Al Shaytan l'avait amené ? De toute évidence, il n'avait aucune réponse à ses questions, mais surtout aucune façon de retrouver ses pierres.

Varka demeura replié sur lui-même pendant des heures en pensant à son fabuleux petit trésor qu'il avait égaré pour toujours. Il ne pourrait plus contempler le visage de sa bien-aimée dans la pierre verte. Il n'aurait plus la chance de s'émerveiller en voyant la lumière danser dans la pierre bleue du Mâj Gayak. Il venait aussi de perdre l'image de son avenir, de l'homme qu'il allait devenir une fois affranchi de l'esclavage. Plus de pierre de lune, plus d'avenir, plus d'amour, plus d'éblouissement, donc plus aucune raison de s'accrocher à la vie. Encore une fois, l'horizon se refermait devant ses yeux.

Plongé dans son désespoir, Varka n'avait pas remarqué que la porte de sa cellule venait de s'ouvrir et que deux gardes munis de longs bâtons lui faisaient signe de se lever. Il fallut que l'un d'eux le pousse du bout de sa crosse pour qu'il retrouve un peu ses esprits et qu'il réagisse. Ces hommes avaient apporté encore de la nourriture, ainsi que des vêtements et une bassine d'eau. En faisant de grands gestes, ils ordonnèrent à Varka de se laver, puis de s'habiller, mais celui-ci demeura immobile. L'esclave ne pensait qu'à ses pierres. Les gardes comprirent rapidement qu'ils n'obtiendraient rien du nouvel arrivant et entreprirent de le laver eux-mêmes.

Sans enthousiasme, Varka se laissa débarbouiller, puis habiller. Ensuite, il se résigna à suivre les deux hommes, mais en traînant les pieds. Après une marche interminable dans un labyrinthe de couloirs, ils débouchèrent dans une arène baignée de soleil. À leur arrivée, des dizaines d'hommes qui s'entraînaient à la lutte, à la boxe et au pancrace s'immobilisèrent pour regarder

Varka. Ces athlètes étaient d'une stature impressionnante qui les faisait ressembler davantage à des sculptures de dieux qu'à des mortels. Tous se placèrent de façon à former deux rangées. Les hommes qui accompagnaient l'esclave l'invitèrent à traverser cette haie d'honneur improvisée pour se diriger vers le centre de l'arène. Mais des rires méprisants et des quolibets se mirent à fuser. Varka comprit qu'on le raillait, mais il ne fit rien.

On amena l'esclave devant le responsable des Jeux. Héraclès de Byzance était tout en sueur à cause de la chaleur du soleil et, impatient, il demanda brutalement le calme dans l'arène. L'hilarité était devenue telle qu'il dut s'y reprendre à trois fois avant d'obtenir le silence.

– Alors, dis-moi, Varka, comprends-tu ma langue ? lança Héraclès en prenant soin de prononcer lentement chacun de ses mots.

L'esclave baissa la tête en signe de soumission. Il n'avait rien compris de ce que venait de lui dire cet homme, mais c'était ce que le Mésopotamien, son premier maître, lui avait appris à faire lorsqu'un individu de rang supérieur s'adressait à lui.

– Bon..., murmura le cadet du roi, ce sera plus difficile que je ne le pensais... Il ne comprend rien du tout...

– Est-ce que cet homme joindra nos rangs ? demanda soudainement le capitaine de l'équipe de lutte. Faites en sorte que non, puisqu'il n'a pas le gabarit voulu, et certainement pas la force non plus, pour faire partie de l'équipe. Regardez-le, il est si misérable que même ma femme pourrait l'envoyer à terre !

– Pas étonnant ! Ta femme est plus grosse que deux hommes réunis ! lança une voix parmi le groupe d'athlètes.

– Qui a dit ça ? Qui vient de parler ?! Tu auras affaire à moi !

L'hilarité s'empara de nouveau de l'arène, et Héraclès dut redemander le silence plusieurs fois avant que les hommes ne retrouvent leur sérieux.

– Cet homme qui se nomme Varka est apparemment très doué ! déclara-t-il, sans en être vraiment convaincu. Bien qu'il soit muet, j'ai quand même accepté de le prendre ! Toute sa famille est morte tragiquement et, depuis, il est... il est un peu, disons... fermé. Comme je connaissais très bien son père, j'ai voulu prendre ce jeune homme sous mon aile et lui faire faire un peu de sport. J'espère que cela l'aidera au moins à retrouver la parole... Alors, votre curiosité est-elle satisfaite?

Les athlètes furent soulagés de savoir que le rachitique compétiteur ne ferait pas partie de l'équipe olympique, et ils regagnèrent calmement leur place pour reprendre l'entraînement.

Content que son mensonge ait eu l'effet escompté, Héraclès demanda ensuite à son meilleur pancratiaste de venir le rejoindre pour mettre Varka à l'épreuve.

– Provoque-le! lui demanda-t-il. Je veux voir ce qu'il a dans le ventre... Fais tout de même attention, on le dit prompt!

Le pancratiaste donna quelques bons coups sur l'épaule de l'esclave qui resta immobile. Varka n'avait pas envie de se battre; il n'avait même plus envie d'exister. Sans ses pierres, sa vie ne valait rien, car il était certain qu'elles contenaient tout son avenir.

– Plus fort! ordonna Héraclès qui se demandait si Varka n'était pas encore sous l'effet de la drogue. Réveille-le!

Le champion asséna cette fois à Varka un coup qui l'envoya au sol comme une marionnette. La figure dans la poussière et le corps inerte, l'esclave n'espérait qu'une seule chose: qu'on lui brise le cou. De toute façon, ses forces s'en étaient allées. Mourir le plus vite possible, c'était vraiment tout ce que souhaitait Varka.

– Debout! cria le cadet du roi, de plus en plus nerveux. Bats-toi! Allez, du nerf! On m'a dit que tu étais rapide et vif! Fais-nous voir ce que tu as dans les tripes. Allez, sur tes pieds, vite!

Varka demeura étendu par terre, le visage dans le sable. Il pensait à l'histoire sur la création de la lune et du soleil, que lui avait déjà racontée Nosor Al Shaytan. Il était maintenant en mesure de comprendre toute la douleur que pouvait ressentir la lune après avoir perdu sa femme, le soleil. Comme l'astre de la nuit qui court pour essayer de rattraper celui du jour, il imaginait aussi la quête impossible de ses pierres. Son unique raison de vivre était enfouie quelque part dans le sable du désert, mais quelle importance de toute façon, puisque ce serait bientôt son tour de disparaître de la surface de la terre? Curieusement, cette pensée le réconforta. Une fois mort et enterré, il ne souffrirait plus.

Les athlètes, plus loin dans l'arène, faisaient semblant de s'entraîner, car ils ne voulaient rien manquer de la scène qu'ils regardaient du coin de l'œil. Varka faisait pitié à voir, et Héraclès de Byzance était en train de perdre la face. Le frère du roi ne savait pas s'il devait donner à l'esclave quelques bons coups de pied pour le réveiller ou le faire ramener immédiatement à sa cellule afin qu'il se repose. Tournaillant comme une girouette dans le vent, il finit par se dire qu'il valait mieux lui passer une épée à travers le corps. De cette façon, il mettrait tout de suite un terme à l'embarras dans lequel le plaçait cette grave erreur de jugement. Ses doutes se révélaient fondés: ce Varka ne valait rien, et surtout pas les soins qu'on lui avait déjà prodigués. Cet homme ne possédait aucune force de caractère ni aucune habileté physique. Les délégués avaient voulu lui tendre un piège pour le discréditer aux yeux de tous, et lui, Héraclès de Byzance, s'était laissé prendre comme un gamin.

C'est alors que Varka releva la tête et que son regard tomba par hasard sur la ceinture d'Héraclès. Il y vit, attachée par son cordon de cuir, la bourse de soie que lui avait offerte Nosor Al Shaytan. N'en croyant pas ses yeux, l'esclave se redressa subitement comme s'il faisait face à un miracle, puis montra le gousset du doigt. Surpris de voir l'esclave enfin s'animer, Héraclès recula d'abord d'un pas, puis il comprit que Varka venait de voir ce qu'il portait à la ceinture.

– Tu veux ce sac? lui demanda-t-il en détachant la bourse de soie. Ah, il est bien à toi, ce petit sac, n'est-ce pas?

Varka tremblait maintenant de tout son corps. Il tendit la main vers Héraclès en baissant la tête. L'esclave qui n'avait jamais cru ni à la chance ni aux miracles devenait le témoin privilégié de la volonté des dieux. Le Mésopotamien lui avait souvent parlé de ces êtres qui vivaient dans les nuages et qui contrôlaient la destinée des humains. Il lui avait raconté qu'ils étaient souvent impitoyables avec les mortels, qu'ils s'amusaient souvent à semer la zizanie entre eux, mais qu'il arrivait parfois que l'un d'eux ait pitié d'un homme et le couvre de grâce. Varka songea que, cette fois, c'était lui qui avait été choisi. Après avoir cru qu'il avait tout perdu et que la vie ne valait plus la peine d'être vécue, voilà qu'il retrouvait ses forces et ses espoirs. Ainsi, l'œil du loup dans les étoiles le protégeait toujours.

– Si tu veux ravoir ton petit sac avec les pierres qu'il contient, il te faudra le gagner ! dit Héraclès, qui retrouvait un peu de sa bonne humeur. Regarde cet homme ! Tu dois d'abord te battre avec lui ! Te battre, m'entends-tu ? Si tu gagnes, tu récupères ta bourse, sinon, eh bien, je la garde pour moi ! C'est entendu ?

Le cadet du roi remit la bourse en tissu au champion de pancrace. Amusé par le petit jeu, l'athlète la glissa dans son pagne et se mit en position d'attaque. Varka ne comprenait pas pourquoi le gros bonhomme en sueur lui parlait comme s'il s'adressait à un enfant ni pourquoi il avait donné ses pierres à un autre que lui. Comme il tendait la main à l'homme musclé pour réclamer son bien, celui-ci lui envoya dans la figure un coup de poing qui le fit tomber par terre. Le pancratiaste lui donna alors deux coups de pied dans les côtes et un dernier dans la tête. Varka ne put se relever immédiatement.

Tous les athlètes de l'arène interrompirent leur entraînement pour encercler les combattants. Des applaudissements destinés au champion de pancrace commencèrent à se faire entendre. À première vue, cette bataille était bien inégale pour quiconque s'y connaissait en sports de combat. Il était évident que Varka se ferait briser tous les os du corps.

– Allez, Varka ! cria Héraclès, seul à l'encourager. Tu es capable de te défendre un peu, non ? Allez ! Du nerf ! Debout ! Montre-nous de quoi tu es capable ! Vas-y !

L'esclave comprit enfin ce qui était en train de se jouer dans cette arène. Pour retrouver ses pierres, il devait battre l'homme qui les possédait. Le Mésopotamien avait bien raison de dire que les dieux se moquaient souvent des humains et qu'ils aimaient les mettre dans de périlleuses situations.

– Un peu de nerf, Varka ! Lève-toi ! s'époumona de nouveau Héraclès, exaspéré de voir l'esclave encore allongé sur le sol.

Comme son adversaire allait lui donner un autre coup de pied, Varka bondit sur les siens et lui asséna un violent coup de tête qui lui brisa le nez, lequel se mit à saigner abondamment.

Excité par la vue du sang et fermement décidé à récupérer ses pierres, l'esclave n'attendit pas et flanqua au champion un coup de talon sur la rotule. Un terrible craquement se fit entendre. Tétanisé par la douleur et les yeux pleins d'eau, le pancratiaste arriva à saisir le petit sac de soie et le lança le plus loin possible en espérant que Varka le laisse tranquille. Mais juste avant que le gousset ne touche le sol, l'entraîneur de lutte l'attrapa et le glissa à son tour dans son vêtement.

– Viens le chercher ici, vermine. Viens m'affronter, que je te donne une leçon ! Je vais te montrer comment se bat un homme, un vrai !

Sans une seconde d'hésitation, Varka se jeta sur lui, mais l'entraîneur, rapide et expérimenté, le coinça aussitôt dans une clé de tête. La prise d'étranglement calma un instant les ardeurs de l'esclave qui, malgré sa force hors du commun, était incapable de se dégager.

– Que cela serve de leçon aux prétentieux du pancrace qui croient que leur discipline est la meilleure ! lança fièrement l'entraîneur de lutte dans un élan d'autocongratulation. Vous voyez bien que c'est mon art qui permet le mieux de maîtriser un homme ! Plus il lutte contre cette prise, plus il perd ses forces. Il sera bientôt épuisé et il tombera comme une chiffe molle.

Varka avait la tête prise dans un étau qui se resserrait et qui menaçait de la lui faire exploser. Il posa sa main sur l'abdomen de son adversaire, repéra son nombril, puis, d'un seul coup de doigt, le lui troua. L'entraîneur poussa un cri de dément et relâcha sa prise. L'esclave en profita pour sauter sur son dos et passer ses longs bras autour de son cou, puis entreprit de l'étrangler.

Il fallut l'intervention rapide de cinq hommes pour réussir à retirer Varka du dos de l'entraîneur afin de lui sauver la vie *in extremis*.

Alors qu'au sol le grand lutteur humilié pissait le sang par le ventre en vomissant ses tripes, Héraclès ordonna qu'on transporte les blessés à l'infirmerie du stade et fit signe à Varka de se calmer. Habitué à obéir, l'esclave tomba à genoux, la tête basse et la main tendue pour y recevoir ses pierres. Avant que la dernière civière ne quitte l'arène, le cadet du roi glissa la main dans les vêtements ensanglantés de l'entraîneur et en ressortit le petit sac de soie.

– Quelqu'un d'autre veut affronter le grand Varka de Byzance, la plus prometteuse recrue que cette ville ait jamais vu naître ? hurla-t-il fièrement en brandissant la bourse sous les yeux des athlètes. Vous tous qui gloussiez tout à l'heure, qu'avez-vous donc à reculer maintenant que je vous offre un tour de piste avec lui ? S'il y a un courageux qui est prêt à attraper ce petit sac en soie et à se battre avec Varka pour en gagner la possession, je m'engage à lui remettre, des coffres du stade, son poids en or ! Y a-t-il des volontaires ? Allez, un peu de courage ! Non ? Comme c'est dommage !...

Personne dans l'arène ne bougea. Tous se rendaient compte qu'ils avaient sous-estimé ce nouveau venu dont la force et la vitesse n'avaient plus à être prouvées. Aucun des athlètes présents ne souhaitait prendre le risque de se faire casser une jambe ou de se faire trouer le ventre, même pour une récompense aussi grandiose.

Varka n'avait rien compris de ce que venait de dire Héraclès. Il attendait patiemment que ce dernier lui rende ses pierres. L'esclave ne pensait qu'à son trésor et il jubilait en songeant qu'il allait bientôt tenir ses pierres entre ses doigts et les faire danser dans la lumière. Il avait hâte de contempler de nouveau le doux visage de son amour sur la pierre verte. Il remercierait aussi l'œil du loup, au centre de la pierre bleue, de lui avoir permis de le retrouver.

– Chers compagnons d'arène, reprit le cadet du roi, depuis des années, je m'entraîne avec vous et mes succès n'ont pas été à la hauteur de mes attentes. Je vous annonce donc que je me retire de la compétition, mais comme athlète seulement ! À ma fonction de responsable du stade, des Jeux et de toutes les activités sportives de Byzance, j'ajoute celle d'entraîneur particulier de Varka ! J'apprécierais donc que vous le considériez, dès aujourd'hui, comme l'un des vôtres. Je lui apprendrai à se battre dans les règles de l'art afin d'éviter de malheureuses blessures comme celles dont nous venons d'être témoins. Varka a énormément de talent, et je souhaite que vous participiez à son développement !

Tous, lutteurs, boxeurs et pancratiastes, n'esquissèrent qu'un hochement de tête et reprirent leur entraînement sans enthousiasme. À leur avis, Varka n'était pas un candidat talentueux, mais un fou furieux, et il valait mieux ne pas s'en approcher. Tant pis pour Héraclès s'il avait envie de s'occuper de lui, mais qu'il ne compte pas sur eux. Dans quelques mois auraient lieu les Jeux, et ils n'avaient pas de temps à perdre avec les caprices du gros Héraclès de Byzance.

– Viens, Varka, suis-moi, on va de l'autre côté de l'arène ! dit Héraclès en lui jetant son sac de pierres. Je vais te montrer ta nouvelle demeure. Ce n'est pas le grand luxe, mais ce sera beaucoup mieux qu'une tente dans le désert ou un cachot comme celui où tu t'es réveillé ce matin ! Tu verras, tu seras heureux avec nous, je te promets que tu ne manqueras de rien !

Sa petite bourse entre les mains, Varka retenait des larmes de joie. Il avait récupéré ses pierres de lune. À travers le tissu, il pouvait les sentir toutes les trois tandis qu'il les faisait danser entre ses doigts ! Il ne se séparerait jamais plus de son trésor. En plus, quelle chance il avait eue de retrouver ses pierres intactes. Comment avait-il pu être négligent au point de s'en séparer ? À partir de ce jour, il allait les protéger et les chérir comme une extension de son propre corps, comme une partie de son âme.

– Tu ne comprends vraiment rien à ce que je dis ? demanda le cadet du roi en lui secouant l'avant-bras. Il faudra vite remédier à cette situation. Je veillerai à ce que tu apprennes notre langue. Tu travailleras tous les jours avec un maître qui t'enseignera les rudiments du grec… Allez, avance ! Mais bouge donc ! Tu auras tout ton temps ensuite pour jouer avec tes pierres… Marche !…

Les yeux sans cesse rivés sur le gousset qui contenait son trésor, Varka se laissa conduire jusqu'à deux hommes armés de bâtons en forme de crosses, qui prirent la relève d'Héraclès pour l'emmener dans l'une des parties surélevées du stade. Ils empruntèrent un large couloir blanc, très propre, où s'alignaient une série de portes closes. Ils marchèrent jusqu'à la dernière que l'un d'eux ouvrit pour laisser passer Varka, puis qu'il referma derrière lui.

L'esclave se trouvait au dernier étage du stade, dans une pièce dont la minuscule fenêtre donnait sur un marché public.

Un lit de pierre avec un matelas de paille et des couvertures, ainsi qu'une chaise paillée et un pot de chambre constituaient le seul mobilier de sa modeste chambre.

Sans prêter attention à ce qui l'entourait ni comprendre que cet endroit deviendrait sa nouvelle cage, Varka sortit du sac sa pierre verte et s'étendit sur le lit pour la regarder dans la lumière du jour. Revint enfin le visage lumineux de la femme qu'il aimait. L'esclave avait même l'impression qu'elle lui souriait. Elle était si belle, si radieuse ! Et ses yeux, d'un éclat à faire pâlir les plus belles étoiles, le regardaient, lui, si tendrement. Varka avait l'impression qu'elle était contente aussi de le retrouver... Elle lui faisait de joyeuses petites mimiques. Par contre, elle semblait également préoccupée. L'esclave la regarda plus attentivement et constata que c'était bel et bien de l'inquiétude que reflétait son visage. Peut-être était-ce parce qu'elle avait été si longtemps séparée de lui.

Varka serra la pierre contre son cœur, puis il la caressa doucement et longuement du bout du doigt avant de la serrer dans sa paume. Épuisé, il ferma les yeux en espérant que la jeune fille de la pierre verte viendrait le voir dans ses rêves. Heureux comme un prince ayant retrouvé son royaume, il s'endormit le cœur rempli d'allégresse.

Au lieu de la belle, cependant, ce fut un terrible cauchemar qui se présenta à son esprit. Il rêva de nouveau à la louve en chaleur et, cette fois encore, ce fut la catastrophe lorsque vint le moment de répondre à son appel. Varka le loup était toujours prisonnier des hautes herbes du petit lac, car il était incapable de se mouvoir. De l'autre côté, la femelle était pourtant prête à le recevoir. Malgré des efforts inouïs pour se libérer, Varka demeurait toujours immobile sur la rive opposée. C'est alors qu'il aperçut un autre loup, différent de celui qu'il avait vu dans son cauchemar précédent. Celui-ci ressemblait davantage à un chien. L'intrus s'approcha de la femelle et grimpa dessus pour la saillir. Voir la créature qu'il aimait s'accoupler avec un autre lui était intolérable. Varka se réveilla en sueur avec la certitude que son rêve était prémonitoire. La femme qu'il aimait, celle de la pierre verte, était convoitée par un autre homme. Il lui fallait absolument renverser la situation afin qu'elle lui revienne, à lui, et à lui seul. Cette louve sur les rives du lac lui était destinée ; c'était sa femme, sa moitié, son amour. Mais comment renverser une prémonition ? Après tout, peut-être que rien de tout cela n'était réel et que cette image dans la pierre verte n'était que le produit de ses fantasmes ? Dans cette histoire, il n'y avait rien de réel ni de tangible. Varka savait bien qu'il n'avait jamais vu cette femme, mais il avait malgré tout la certitude qu'elle existait vraiment.

Enragé et profondément bouleversé par son cauchemar, l'esclave se rendit à sa fenêtre pour respirer l'air de la nuit et admirer les étoiles. Il espéra y voir se matérialiser, comme dans sa pierre, l'œil gigantesque du loup bleu, et il poussa un hurlement si déchirant qu'il glaça d'effroi les citoyens qui ne dormaient pas encore. Même Électra, dans le palais du roi, entendit cet émouvant appel à la lune. La princesse avait appris, dans la journée, que son père avait accordé sa main au souverain des Thraces de Veliko Tarnovo. Comme Varka, elle venait de faire un cauchemar et priait maintenant Artémis de lui venir en aide.

La lune était pleine, et la belle Électra interpréta ce cri dans la nuit comme un signe d'espoir…

XIII

Étendu sur son lit, Varka regardait encore inlassablement ses pierres. Presque une saison s'était écoulée depuis son arrivée à Byzance, et de grands changements étaient survenus dans sa vie. En peu de temps, il était devenu le plus grand espoir olympique de la cité. Son nom était sur toutes les lèvres. Dans les écoles, dans les tavernes, dans les bureaux de la fonction publique et au marché, le grand Varka était le sujet de conversation de l'heure. Surnommé « la Salamandre » à cause de sa marque sur l'épaule, Varka suscitait l'admiration générale. Tout le monde avait entendu parler du drame qui lui avait fait perdre l'usage de la parole, mais heureusement pas son talent pour le sport. En effet, Héraclès avait inventé à Varka une histoire déchirante et fait de lui un véritable martyr que ses parents, morts dans d'horribles circonstances, avaient abandonné dans l'indigence. C'était grâce au travail et à la persévérance de l'entraîneur que le jeune homme rempli de potentiel était devenu l'athlète accompli qui triomphait aujourd'hui dans le stade. Ce tissu de mensonges avait été si bien ficelé que certains citoyens de Byzance juraient avoir connu ses parents, alors que d'autres se rappelaient même avoir partagé ses jeux lorsqu'il était gamin. Devant un tel engouement populaire, Héraclès ne pouvait qu'applaudir les exploits de son champion tout en se glorifiant d'en avoir fait un mythe aussi rapidement.

Mais il était vrai que Varka possédait un talent hors du commun pour toutes les épreuves sportives. Aussi doué pour la lutte que pour la boxe ou le pancrace, il excellait aussi au pentathlon. À peine quelques semaines après son arrivée au stade, il lançait déjà le disque comme un maître, et ses javelots se rendaient plus loin que ceux des plus grands champions. Ses sauts en longueur étaient phénoménaux et ses prouesses à la course à pied, stupéfiantes. Le bruit de ses exploits s'était rapidement propagé chez les amateurs de sport, et le stade débordait de spectateurs à chacun de ses entraînements. Héraclès, au comble du bonheur, faisait même payer un prix d'entrée à tous ceux qui souhaitaient venir admirer son champion à l'entraînement, et personne ne rechignait à ouvrir sa bourse. Les coffres du stade étaient bien remplis, mais ce n'était rien en comparaison des sommes faramineuses que l'entraîneur y puisait pour ses dépenses personnelles. Varka était une mine d'or qui ne coûtait presque rien et qui rapportait énormément.

Des rumeurs commençaient même à circuler dans Byzance, disant qu'un être humain normalement constitué ne pouvait accomplir de tels exploits. Varka devait donc être le fils d'un dieu, mais lequel ?

À cause de son allure bestiale et de la férocité dont il faisait preuve durant les combats, des prêtres avancèrent que Varka devait être le fils de Pan, un satyre qui avait des cornes et des pieds de bouc. Le petit dieu, protecteur des bergers et habile joueur de flûte, poursuivait depuis des années la nymphe Syrinx afin d'en faire sa femme. Varka devait être le fruit de leurs ébats amoureux et la preuve que Pan avait réussi à charmer la belle du Bosphore. Ensuite confié à des humains, Varka aurait grandi à Byzance pour devenir un athlète phénoménal.

Mais, dans la rue, la théorie des prêtres n'avait pas la cote. On parlait plutôt de la magicienne Circé, une ensorceleuse d'une extrême beauté, qui aurait eu un enfant avec Ulysse... Habile dans tous les domaines, Varka ne pouvait être que le fils d'Ulysse, roi d'Ithaque. C'était son enfant illégitime, voilà pour certains le secret qui expliquait son unique talent !

Malgré les explications claires et précises d'Héraclès de Byzance sur les origines de son protégé, les gens en demandaient plus. Le peuple désirait davantage de mystère et d'inconnu. Des femmes romanesques prétendaient que Varka était l'incarnation d'Apollon revenu sur terre pour les prendre comme épouses. Certains hommes, pour leur part, voyaient en lui le noble descendant d'un grand héros comme

Achille, Ajax ou Thésée. Bref, toute la ville ne parlait que de ce prodige qu'était Varka et qui remporterait, pour la gloire de Byzance, toutes les couronnes olympiques, et ce, dans toutes les disciplines. Bien qu'un tel souhait fût illusoire et que Varka ne fût inscrit que pour le pentathlon, le rêve de voir consacrer leur champion par la couronne de laurier, le kotinos, excitait l'imagination populaire. Déjà, on planifiait les cérémonies officielles pour célébrer la victoire du héros, et des poètes écrivaient des hymnes à la gloire de Varka. Le vin avait été commandé afin que la ville célèbre la victoire, et trois sculpteurs de grand talent façonnaient déjà la statue qui allait être érigée en son honneur au cœur de la ville, tout près du stade. Une autre statue était également en chantier, un buste d'Héraclès de Byzance, hommage au plus grand entraîneur de l'histoire des Jeux.

Varka n'avait encore rien gagné, mais il recevait déjà de prestigieux cadeaux. Tous les jours, des marchands lui faisaient parvenir leurs plus beaux fruits, leurs plus belles pièces de viande et leurs meilleurs légumes. Des femmes lui envoyaient de gigantesques bouquets de fleurs, souvent accompagnés d'invitations explicites à l'amour. Vêtements et tissus de grande qualité arrivaient aussi par charrettes entières. Mais Varka, confiné à sa chambre et au terrain d'entraînement, n'en voyait jamais la couleur, et Héraclès ne jugeait pas nécessaire de le distraire avec toutes ces futilités. Au lieu de partager toutes les richesses avec son protégé, l'entraîneur se faisait faire de beaux vêtements avec les tissus, mangeait bien et allait rendre visite aux plus ferventes admiratrices de Varka en leur promettant de leur envoyer le champion en personne si elles se montraient très aimables avec lui. Il racontait aux plus innocentes d'entre elles qu'il se devait d'offrir à son athlète les meilleurs divertissements possibles et que, par conséquent, il avait le devoir de coucher d'abord avec elles afin de déterminer celles qui étaient suffisamment habiles pour mériter de le recevoir. Chaque jour, Héraclès accomplissait cette tâche avec dévotion sans jamais pour autant en parler à son champion.

De toute façon, ces femmes rêveuses en mal de romance n'auraient pas séduit Varka. L'esclave n'avait d'amour que pour celle qui vivait dans sa pierre de lune et qui lui souriait affectueusement chaque fois qu'un rayon de soleil l'atteignait. Rien au monde n'avait plus d'importance que cette pierre entre ses doigts ou serrée contre son cœur.

Au fil des lunes croissantes et décroissantes, Varka se familiarisa avec la langue de Byzance. Aidé par un professeur de renom qui venait lui faire la conversation tous les soirs, il avait appris plusieurs subtilités de la langue. Par contre, il n'y avait toujours pas un seul mot qui était sorti de sa bouche. Cette situation, parfaite pour l'entraîneur qui n'aurait pas voulu que son champion parle le grec avec l'accent mésopotamien, amplifiait l'aura de mystère qui entourait Varka. On ne savait de lui que les histoires inventées par Héraclès qui n'hésitait pas à ajouter, chaque semaine, de nouvelles péripéties au récit de l'enfance de son athlète. Tenu loin des regards du peuple, le champion ne sortait de sa chambre que pour fouler le sable de l'arène où il exécutait ses remarquables performances à l'entraînement. Varka n'avait aucun ami, encore moins de vie sociale, et ne connaissait même pas les rues de la ville qui l'avait prétendument vu grandir. Il n'avait jamais flâné sur les quais du port ni respiré l'odeur du marché aux poissons ni même senti les exquis arômes des calmars qu'on y faisait griller. Il ne connaissait pas non plus l'agréable parc où une gigantesque fontaine rendant hommage à Poséidon rafraîchissait les journées trop chaudes d'été. Il n'avait jamais assisté à un de ces spectacles ambulants où, juchés sur des cothurnes, des tragédiens racontaient l'histoire d'Œdipe ni à l'une de ces soirées de dithyrambes qui duraient parfois toute la nuit. Il y avait à Byzance un certain art de vivre que les habitants appréciaient grandement, mais que Varka n'avait pas la chance de découvrir.

Il y eut un autre changement dans la vie de l'esclave : Héraclès le fit installer dans une chambre plus luxueuse. Varka vivait toujours au stade, mais dans une pièce beaucoup plus spacieuse dont on avait recouvert les murs d'immenses tapisseries brodées qui représentaient les grands champions d'Olympie.

– Regarde, Varka, dit Héraclès en lui montrant les personnages qui ornaient les murs. Celui-ci, c'est Théagène de Thasos. Il a été un grand champion de boxe qui avait déjà connu la gloire à l'âge de neuf ans, lorsqu'il avait retiré de son socle une statue de bronze très lourde et qu'il l'avait rapportée chez lui. Dès l'enfance, il était doté d'une force extraordinaire, et il a été l'orgueil des habitants de l'île de Thasos jusqu'à sa mort. Une statue de bronze a été érigée en son honneur. Le plus cocasse, c'est que cette sculpture a par la suite été détruite par un de ses adversaires qui n'était jamais parvenu à le battre. Toutes les nuits, l'homme se rendait au centre de la ville pour la rouer de coups, si bien qu'un jour elle s'est effondrée sur lui. Même mort, Théagène avait encore réussi à le battre !

Malgré l'indifférence qu'affichait son champion, Héraclès de Byzance poursuivit sa description, une flamme dans les yeux :

– Celui-là t'intéressera davantage, car il s'agit de Léonidas de Rhodes, le plus grand coureur de tous les temps ! Personne n'est jamais arrivé à le battre au stadion, au diaulos et à la course en armure ! On chante encore ses exploits sous le colosse qui trône sur la ville. Il a été champion à quatre olympiades successives ! Tu te rends compte ?

Varka haussa les épaules. Il se demandait pourquoi cet homme accordait autant d'importance aux individus qui se battaient ou qui couraient à toute vitesse.

– Regarde ! continua Héraclès avec la même passion. Lui, je t'en ai déjà parlé. C'est Milon de Crotone ! Cinq victoires aux olympiades en pancrace ! Un homme imbattable qui, malgré son incroyable force physique, a connu une mort tragique. Un jour, il était allé se promener dans la forêt et a vu, abandonné sur le sol, un tronc d'arbre qu'on avait tenté d'ouvrir sur sa longueur à l'aide de cales. Milon de Crotone aimait les défis et, trop certain de sa force, il a tenté d'agrandir l'ouverture avec ses propres mains… Malheureusement, les cales ont sauté et le tronc s'est refermé sur ses doigts. Il est demeuré prisonnier et, là, incapable de se défendre, il a été dévoré par des bêtes sauvages. Une bien triste fin pour un si grand champion ! Et puis, celui-là, c'est Diagoras ! Vois toute la fierté que reflète sa posture ! C'était un autre grand athlète de Rhodes ! Diagoras était un formidable boxeur qui soulevait les foules, car jamais il n'évitait les coups de ses adversaires. Il encaissait tout, sans broncher, sans reculer, sans même plier les genoux ! Son fils et son petit-fils sont aussi devenus de grands champions ! On raconte que Diagoras est mort dans le stade alors que la foule acclamait ses descendants qui venaient de remporter la victoire au pancrace et à la lutte. En signe de reconnaissance, son fils et son petit-fils lui ont déposé leurs couronnes de laurier sur la tête. C'est à ce moment que, sachant qu'il ne vivrait plus jamais un aussi grand bonheur, Diagoras a fermé les yeux et est mort devant ses admirateurs qui l'ont ensuite porté en triomphe.

Héraclès, profondément ému par les histoires de ses héros, fit signe à Varka de s'asseoir sur le lit, puis il lui parla à l'oreille :

– Voilà ce que tu deviendras, Varka de Byzance. Tu seras aussi une légende immortelle et, dans dix, cent et même mille ans, tous se souviendront de toi. Des odes seront créées en hommage à ta force et à ton courage, des hymnes seront écrits à ta gloire. On te vénérera toute ta vie ! Tu auras les plus beaux vêtements et les plus belles femmes. Les rois t'inviteront à leur table ! Tu auras droit à la meilleure nourriture du monde. Tu es d'une race à part, Varka, d'une espèce bénie par les dieux et, de ce fait, capable d'incroyables prodiges ! J'espère que tu te rends compte de la chance que tu as et de ce que j'aurais donné pour être à ta place.

Las de cette avalanche de mots empreints d'un enthousiasme qu'il trouvait plutôt agaçant, l'esclave déjà devenu l'idole d'un peuple se demanda comment il avait bien pu se retrouver aux côtés de ce gros bonhomme qui, tous les jours, ne lui parlait que de gloire et d'immortalité. Il se rappelait bien la bataille du désert au cours de laquelle il avait malencontreusement planté son épée dans le ventre de son maître, mais plusieurs questions demeuraient sans réponse. Nosor Al Shaytan et les autres nomades étaient-ils tous morts ? Personne, depuis cette fameuse nuit, ne lui avait expliqué quoi que ce soit. Comment s'était-il retrouvé ici, dans le stade ? Son voyage entre le désert et la ville demeurait un mystère complet. Varka repensait souvent à ces nomades du désert qui l'avaient traité avec respect. D'accord, ils l'avaient battu et marqué au fer rouge, mais ils lui avaient tout de même donné un nom.

Sur les rivages de la mer Noire, terré dans sa cache comme un animal traqué par des loups, Nosor Al Shaytan avait élaboré un plan pour se venger de Varka et des Byzantins. Sa blessure au ventre avait guéri, l'épée de Varka n'ayant touché que les entrailles, et il avait subsisté grâce aux provisions emmagasinées dans la réserve, mais lorsque celles-ci avaient été épuisées, il avait dû se résoudre à chasser le serpent et à avaler des gruks, espèces de cafards géants qui ne sortent du sable que la nuit. Durant ces longues semaines, Nosor était demeuré dans le silence du désert, et il en avait profité pour réfléchir aux représailles dont il allait user contre les Byzantins et à la façon dont il allait tuer Varka, son propre esclave qui l'avait si lâchement trahi. Ce n'est qu'une fois son projet bien pensé et sa guérison achevée qu'il avait quitté sa cache, en pleine nuit, pour se rendre près de la ville d'Héraclée. Habile voleur, il avait réussi à s'emparer d'un cheval qui l'avait conduit à vive allure vers le sud de l'Anatolie.

Après plusieurs journées de chevauchée harassantes, Nosor Al Shaytan s'était arrêté à Çatal Höyük pour se reposer et donner un peu de répit à son cheval avant de reprendre la route de Babylone. Il avait demandé l'hospitalité à son cousin, le Mâj Gayak, qui l'avait hébergé avec déférence et empressement. Après lui avoir donné à manger et à boire, il avait exhorté sa femme à prendre soin de son cousin comme s'il s'était agi de lui-même, ce qu'elle avait fait avec docilité. Caresser le corps d'une femme après tout ce temps passé dans le désert avait vite ragaillardi Nosor et, dès le lendemain, il était prêt à entreprendre la seconde partie de son trajet. Chargé de provisions et encore imprégné du parfum de la femme de son cousin, il était reparti de Çatal Höyük de fort bonne humeur pour aller emprunter la route qui longeait l'Euphrate en direction de la grande cité mésopotamienne.

Nosor Al Shaytan savait que les hommes pouvant prédire l'avenir et les grands événements du monde avaient l'oreille d'Assurbanipal, le souverain de Babylone. Même si le roi était un grand amateur d'art et de culture, qu'il savait lire et écrire, et que, en matière de politique, ses jugements avaient toujours été clairs et précis, il accordait énormément de crédit aux sorciers et aux astrologues.

Ces discoureurs, des charlatans pour la plupart, commençaient toujours leur carrière au marché de Babylone. Au fil des ans, les plus talentueux devenaient populaires et leur nom finissait par arriver aux oreilles du souverain, qui les invitait alors à sa cour et les payait grassement pour répondre à ses questions. Assurbanipal, croyant que sa destinée était tracée dans l'ivoire du succès, ne supportait pas longtemps qu'on lui prédise des jours sombres. Aussi, rares étaient ceux qui restaient auprès du roi plus d'une saison. Devins, astrologues et autres augures se succédaient continuellement, laissant toujours après leur passage un siège libre.

Pour avoir fait plusieurs fois le tour de l'Anatolie et de la Mésopotamie, et pour avoir rencontré un nombre impressionnant de gens au cours de ses voyages, Nosor Al Shaytan connaissait la faiblesse d'Assurbanipal pour les devins et comptait l'utiliser à son profit. Ainsi, c'est avec la ferme intention de se voir accorder une audience auprès du grand souverain de Babylone que Nosor entra dans la ville. Il vendit d'abord son cheval et, avec une partie de la somme obtenue, il alla s'acheter un petit tapis aux motifs colorés. Le plan qu'il avait ruminé pendant des semaines dans le désert allait bientôt prendre forme.

Trop occupé à penser à ce qu'il devait faire, le nomade ne remarqua pas la magnifique architecture des bâtiments ni la luxuriante végétation qui s'étendait dans toute la ville. Il ne vit ni les Jardins suspendus ni les gigantesques temples dédiés aux divinités du grand empire. Son regard ne se posa pas sur les luxueuses boutiques d'encens, pas plus qu'il n'embrassa l'immense quartier des potiers et l'Esagil, le grand temple du dieu Marduk, qui était situé dans le quartier sacré de la cité et qui venait d'être restauré. Nosor ne vit aucune de ces merveilles, car il savait sa stratégie risquée. Pour essayer d'atteindre le souverain Assurbanipal sans passer par les voies traditionnelles des prophètes, il lui fallait jouer le tout pour le tout.

L'ancien chef de clan se départit de tous ses biens, puis il étendit son petit tapis devant les grandes portes du palais, en plein milieu de la rue, et s'y agenouilla pour se prosterner. Rapidement, des gardes vinrent le sommer de quitter les lieux, mais Nosor n'en fit rien. Lorsque les soldats le rouèrent de coups, il resta immobile et encaissa. Alors, ils le tirèrent de force pour l'amener ailleurs, mais le nomade revint se mettre à genoux sur son petit tapis, toujours devant le palais. Finalement, croyant qu'il allait se lasser de ce manège et partir de lui-même, les gardes décidèrent de l'ignorer. Nosor demeura ainsi trois jours et trois nuits, sans manger ni boire, puis, au matin de la quatrième journée, la fatigue l'emportant, il s'effondra à moitié mort sur son tapis.

Dans le palais, une rumeur se répandit selon laquelle un illuminé d'Anatolie qui désirait s'enlever la vie attendait patiemment qu'un chameau le piétine à l'entrée du palais. Assurbanipal, intrigué par l'attitude étrange de cet homme, demanda à un de ses serviteurs d'éclaircir le mystère.

– Que fais-tu ici et pourquoi te prosternes-tu devant le palais d'Assurbanipal ? demanda avec douceur le serviteur du roi en versant de l'eau sur les lèvres sèches du nomade. Sois franc et aucun mal ne te sera fait…

Nosor ouvrit les yeux et vit un jeune homme d'une grande beauté lui adresser la parole. Alors que l'eau lui caressait doucement la bouche, le nomade prit quelques instants pour boire, puis déclara en économisant ses paroles :

– Je suis Nosor Al Shaytan, le prophète… Ton roi sera bientôt le maître du monde… Je veux être le premier à mourir pour… pour sa gloire.

Nosor fut admis au palais.

XIV

Ce matin-là, personne ne vint chercher Varka pour l'entraînement. On se contenta de lui apporter à boire et à manger. Pour l'une des rares fois depuis son arrivée dans le stade, Héraclès ne se présenta pas pour venir le soûler de ses monologues sur les prouesses des athlètes d'autrefois. Varka en fut un peu contrarié, non pas de devoir se passer des histoires de son entraîneur, au contraire, mais de ne pas pouvoir sortir de sa chambre pour courir sur la piste. Il aimait bien ces entraînements intensifs durant lesquels on lui demandait de courir toujours plus vite afin de battre ses propres records… L'esclave demeura donc couché sur son lit et en profita pour admirer la pierre bleue du Mâj Gayak. L'œil bienveillant du loup était toujours là.

Il s'écoula plusieurs heures avant que Varka ne fût tiré de ses rêveries par une clameur venant de l'extérieur. En haut du mur de sa chambre s'ouvrait une petite fenêtre qui permettait à la lumière du soleil d'entrer dans la pièce, mais qui était trop étroite pour laisser passer un humain. Depuis là, le jeune esclave put jeter un coup d'œil vers le bas et constater qu'un grand nombre de Byzantins s'étaient agglutinés de chaque côté de l'artère principale. Il sentit émaner d'eux un sentiment confus d'inquiétude et de joie. Il y avait dans l'air de la fébrilité en même temps que du chagrin et de la peur. Certaines personnes pleuraient, d'autres discutaient, tandis que des groupes d'enfants couraient dans tous les sens en brandissant de petits drapeaux blancs.

Le nez collé à sa minuscule fenêtre, Varka vit un premier cavalier tourner le coin de la rue. Habillé d'une armure de cérémonie à plumes, il criait aux badauds de se pousser de chaque côté de la rue pour céder la place aux troupes de la cavalerie de Byzance. Trois cents hommes à cheval, richement parés de leurs plus beaux plastrons et portant chacun une longue lance à la pointe lustrée, débouchèrent dans la rue en rangs serrés. Le peuple se mit aussitôt à acclamer ses troupes avec fierté.

L'esclave se demanda si tous ces gens n'allaient pas envahir le stade comme ils l'avaient déjà fait quelques semaines plus tôt. En cette autre étrange journée où Varka ne s'était pas entraîné non plus, Héraclès avait présidé les célébrations du Bouphonia, c'est-à-dire la consécration du stade en l'honneur de Zeus et la bénédiction de la piste par le sang d'un bœuf. La foule avait vu le cadet du roi amener l'animal près d'un autel installé au centre de l'arène, puis le sacrificateur immoler la bête d'un coup de hache. Sous les prières d'un groupe de prêtres en extase, une longue procession s'était alors mise en marche jusqu'à la mer. Une fois sur la plage, Héraclès avait saisi la hache ensanglantée du sacrificateur et l'avait lancée à bout de bras dans les flots. Enfin, c'était ce que le professeur de grec de Varka lui avait raconté avant de lui expliquer que cette cérémonie avait pour but de débarrasser les compétitions de la souillure, afin qu'elles soient propres, sans tricherie. Pour amuser son élève, il lui avait aussi parlé des Thargélies, les fêtes purificatrices dédiées à Apollon, au cours desquelles un homme portant un collier de figues noires et un collier de figues blanches courait dans la ville en se faisant injurier par la population. En le frappant avec des rameaux d'olivier, on le poussait vers les grandes portes de la ville; ainsi, symboliquement, on le bannissait de la cité. Le récit du cérémonial n'avait fait sourire que le professeur; Varka l'avait écouté, imperturbable, sans manifester le moindre intérêt. L'homme avait donc jugé préférable de ne plus rien dire sur le sujet et avait continué son cours.

Mais, aujourd'hui, les choses avaient l'air différentes, et cette parade dans la ville ne semblait pas annoncer une cérémonie bizarre ou un sacrifice rituel.

Derrière les cavaliers, qui n'avançaient pas plus vite que s'ils avaient été à pied, un millier d'hoplites au regard froid entouraient une chaise à porteurs où se trouvait, sous un voile de soie, une femme assise sur des coussins moelleux. Dès qu'il posa les yeux sur elle, Varka reconnut le visage de sa bien-aimée, qui lui apparaissait tous les jours au centre de sa pierre verte. Mêmes traits, même bouche et même attitude, c'était elle ! Il ferma les yeux et réussit à isoler son parfum parmi toutes les odeurs de la rue. Sa peau sentait le lait de chèvre auquel avaient été ajoutées des huiles de marjolaine et de lavande. Jamais Varka n'avait respiré si doux parfum. Les yeux de nouveau fixés sur la femme de sa vie, il était enivré par cette incarnation de la beauté parfaite. Son corps d'albâtre et ses longs cheveux noirs tombant sur ses épaules lui donnaient l'allure d'une reine de Mésopotamie, contrée où les femmes étaient reconnues pour leur mystérieuse beauté et pour leurs charmes secrets. Varka connaissait cette nymphe par cœur ! Il l'avait vue si souvent et admirée si longuement dans sa pierre qu'elle n'avait plus de secrets pour lui. Au fil des semaines, il l'avait observée du front jusqu'aux pieds et connaissait les plus intimes parties de son corps. Incapable de passer à travers la fenêtre vu son étroitesse, l'esclave dut se contenter de sortir un bras pour tenter d'attirer l'attention de la belle. Lorsque le cortège passa devant le stade, il la vit lever les yeux vers sa fenêtre et lui sourire.

Ce que Varka ne savait pas, c'était que cette beauté prénommée Électra paradait une dernière fois dans la ville pour dire adieu à son peuple. Fille du roi de Byzance, elle avait été offerte par son père au souverain de Veliko Tarnovo afin d'unir dans le sang les deux cités et, ainsi, de faciliter les échanges commerciaux entre les peuples. Aux yeux du roi grec, cet arrangement, qui lui avait été proposé par les émissaires d'Hitovo le Chien, était une excellente façon d'assurer la paix avec les Thraces et de profiter de leur immense richesse. Dans cette entente politique, Byzance avait tout à gagner, et cette alliance en ferait le port principal des peuples du Nord vers les grandes cités du Sud. Bien qu'il lui déplût d'envoyer sa fille partager la couche d'un être aussi répugnant qu'Hitovo, le sacrifice en valait la peine. Les deux grandes cités pourraient peut-être unir leurs forces afin de mater les insurgés et de mettre ainsi fin aux troubles qui sévissaient dans certaines parties du royaume. Les Thraces n'étaient-ils pas réputés pour leur puissance et leur absence totale de compassion envers leurs ennemis ? Deux excellentes raisons pour calmer l'ardeur des groupes de dissidents et ramener rapidement l'ordre.

Lorsque le cortège disparut au bout de la rue en emportant avec lui les effluves de la fille du roi, Varka se précipita sur sa pierre de lune afin de contempler encore le doux visage de la femme qu'il aimait. Quelle ne fut pas sa surprise lorsqu'il constata que le portrait de sa belle s'était évanoui ! Il n'y avait plus aucune image au centre de la pierre ! Les reflets vacillants de lumière ne montraient plus que des formes aux contours flous. L'esclave, stupéfait, préféra en déduire que sa bien-aimée s'était matérialisée pour venir le rejoindre. Il ne servait donc à rien de s'obstiner à regarder cette pierre, car son amour devait s'être incarné dans le monde ! Il se devait d'aller immédiatement la rejoindre afin de la faire sienne.

Transporté par l'excitation, Varka tenta d'ouvrir la porte de sa chambre. Malheureusement, elle était fermée de l'extérieur par une pièce de bois que même un bélier aurait eu du mal à briser. L'esclave essaya de l'enfoncer plusieurs fois, mais sans succès. Les bras et les épaules meurtris, il tourna ses efforts vers la fenêtre, mais celle-ci, beaucoup trop étroite et taillée à même la pierre du mur, lui permettait à peine de passer la tête. Furieux de ne pas pouvoir sortir de sa prison, Varka saisit une chaise et la lança contre le mur. Puis, comme un dément, il commença à tout démolir autour de lui.

Une fois les tapisseries arrachées et tous les meubles en mille morceaux, Varka s'installa à sa fenêtre et se mit à hurler comme un loup. À cet instant, il ressentit la même rage qu'il avait éprouvée dans son cauchemar, alors qu'il tentait, sous la forme d'un loup, d'aller rejoindre la femelle qui l'appelait. Paralysé comme dans son songe, il imaginait sa belle s'éloigner de lui pour être prise ensuite par un rival. Cette insupportable image le rendit fou ! Allait-il perdre dans la réalité la louve qu'il avait tant désirée en rêve ?

Déployant des efforts surhumains, Varka tenta de nouveau d'enfoncer la porte, mais toujours sans succès ; il faillit même se casser un bras.

Épuisé et contrarié, il tomba à genoux et pleura. C'était la troisième fois de sa vie qu'il pleurait, et la douleur qui lui déchirait l'âme lui rappela le désespoir qu'il avait déjà ressenti. Peut-être était-il temps pour lui de quitter sa servitude d'esclave pour devenir un homme libre. Dès son plus jeune âge, Varka avait été conditionné à vivre sous le joug d'un maître et forcé de travailler pour rien. Les grands champions olympiques qui tapissaient les murs de sa chambre étaient tous des hommes libres, capables de prendre leurs propres décisions et d'aller et venir sans rendre de comptes à personne.

Comme il réfléchissait à sa déplorable situation, le jeune homme entendit soudainement la barre transversale se soulever. Quelqu'un était en train d'ouvrir la porte. Il n'y avait pas une seconde à perdre. Varka saisit son petit sac de pierres et, avec l'énergie du désespoir, fonça aveuglément, de toutes ses forces, vers la sortie enfin dégagée, renversant Héraclès qui se trouvait dans l'embrasure de la porte. Le cadet du roi fut projeté contre le mur de pierre et s'y fracassa la tête. Choqué, il essaya tout de même de poursuivre son champion, mais il finit par s'affaisser comme un sac de farine.

Enfin libre, Varka traversa le couloir à la vitesse de l'éclair. Peut-être avait-il encore le temps de rejoindre sa bien-aimée. Débouchant dans l'arène, il passa à travers de petits groupes d'athlètes qui s'entraînaient, puis se servit du dos d'un lutteur comme d'un tremplin pour bondir sur les gradins. Toujours à plein régime, il monta l'escalier vers le sommet du stade, prit appui sur le haut du mur et sauta vers les branches d'un arbre gigantesque. Après un vol de plusieurs longues secondes dans les airs, il atterrit péniblement, tête première, sur le tronc. Encore solide malgré le choc, Varka réussit à se retenir afin d'éviter la chute, puis descendit de branche en branche vers le sol.

Une fois qu'il fut sur le plancher des vaches, un petit groupe de Byzantins se dirigèrent vers lui afin de saluer le champion qu'ils avaient maintes fois vu s'entraîner. Varka ne leur donna pas la chance de s'approcher ; il déguerpit comme un fauve traqué. Se fiant à son odorat, il retraça rapidement le parfum de sa belle et passa comme une flèche les portes fortifiées de Byzance. Quelques instants plus tard, il était dans les bois, libre.

Il était libre! Libre comme dans ses rêves où, sous l'apparence d'un loup, il courait à perdre haleine. Libre de sentir l'herbe fraîche sous ses pieds et de se baigner dans les ruisseaux. Libre enfin de suivre la route qu'il désirait, sans la menace d'un maître et loin du fouet. Libre de s'épuiser ou de se reposer, libre de hurler ou de se taire, libre de vivre ou de mourir, libre enfin!

Comme un animal qui traque une proie, Varka renifla le sol et perçut l'odeur persistante du crottin de cheval. De toute évidence, le cortège qui accompagnait sa belle était passé non loin de l'endroit où il se trouvait. Les narines bien ouvertes, l'ancien esclave suivit les exhalaisons des chevaux, les effluves de la sueur des cavaliers, ainsi que le doux parfum de lavande et de lait de chèvre de sa bien-aimée, et il déboucha sur une route qui montait vers le nord, vers le pays des Thraces. Si l'histoire de Nosor racontait le désespoir de la lune qui essayait de rattraper le soleil, lui, Varka, réussirait à rejoindre celle qu'il aimait. Il y mettrait tout son cœur et toute sa force. Jamais il n'abandonnerait…

Varka suivit la piste des Byzantins et ne fut pas très long à les rattraper. Quelques heures de course folle suffirent à effacer la distance qui les séparait. Contrairement au cortège qui avançait très lentement à cause des hoplites, Varka ne portait que sa culotte de toile et son petit sac de pierres. Il aperçut les soldats en train de monter leur camp dans les collines entourant un petit lac. La nuit allait bientôt tomber, et on s'affairait à planter les tentes et à allumer des feux pour faire cuire le repas du soir. Innocent comme un enfant qui vient de trouver des amis, Varka s'élança vers eux en hurlant sa joie. Bondissant et dansant, il frappait dans ses mains en riant, trop content d'être libre et d'avoir retrouvé celle qu'il aimait. Cependant, les choses ne se passèrent pas comme l'ancien esclave l'avait espéré.

Une dizaine d'archers tirèrent une salve d'avertissement. Les flèches atterrirent tout autour de Varka qui s'immobilisa, perplexe. Pourquoi ces soldats voulaient-ils l'empêcher de les rejoindre? Après tout, n'était-il pas leur grand champion, celui qui allait gagner toutes les épreuves durant les prochaines olympiades?

Varka leva les mains et salua les archers de loin. Évidemment, ces derniers ne reconnurent pas l'athlète dont parlait tout Byzance et encochèrent une seconde flèche à la corde de leur arc. Les ordres avaient été clairs: personne ne devait s'approcher du camp et, par le fait même, de la promise d'Hitovo le Chien. Aussi, les hoplites se placèrent-ils en position de tir.

Sans malice, Varka se remit à courir malgré tout en direction du camp. Une nouvelle volée de flèches fendirent l'air, et trois d'entre elles lui transpercèrent l'épaule, la cuisse et le bras. Torturé par la douleur, l'ancien esclave tourna les talons et s'enfonça dans la forêt. Avant qu'il ne disparût dans les bois, une autre flèche lui effleura le mollet.

Le nez dans les fougères, haletant et saignant, Varka réussit à retirer avec peine les trois flèches, puis tenta de panser ses plaies avec de la mousse. Si ces hommes voulaient la guerre, ils l'auraient. Personne ne l'empêcherait d'aller retrouver la femme qu'il aimait. L'image qui était auparavant prisonnière de la pierre de lune s'était matérialisée pour lui, et pour lui seul.

Varka se releva péniblement avec l'intention de retourner au camp et d'éliminer un à un les hoplites, lorsqu'il entendit un bruit derrière lui. Il se retourna et vit une meute d'une vingtaine de loups qui, les crocs sortis, le cernaient lentement. Les bêtes étaient d'une beauté saisissante. Les yeux fixés sur lui, elles avançaient avec grâce et finesse. On aurait dit que leurs pattes ne touchaient pas la terre, car chacun de leurs pas paraissait empreint de magie. À cet instant précis, Varka pensa que sa dernière heure était venue. Ironie du sort, il aurait vécu toute sa vie en cage pour terminer ses jours en homme libre, dévoré par les loups.

L'ancien esclave baissa la tête et tomba à genoux, prêt à mourir. C'est alors qu'une vieille louve se détacha du groupe et s'avança en claudiquant vers lui. Elle renifla l'entrecuisse de Varka, puis, du bout de la langue, goûta sa sueur et son sang. Se retournant ensuite vers le chef de la meute, elle cligna des yeux plusieurs fois, puis s'approcha encore davantage de Varka qu'elle entoura de sa longue queue défraîchie. Le chef grogna et tous les loups abandonnèrent leur attitude agressive.

La vieille louve venait d'indiquer au chef que l'homme blessé qui se tenait devant eux était son fils.

Varka vit alors quelques loups de la meute l'encercler et commencer à lécher ses plaies. Trop épuisé pour tenter de comprendre l'étrange comportement de ces bêtes sauvages, il ferma les yeux et se laissa mollement tomber sur le sol.

XV

Au bord de la route, Sénosiris d'Égypte pleurait la mort de son maître.

– On aurait d'abord lavé son corps dans l'eau du Nil, puis on l'aurait purifié afin d'accroître ses chances de renaître. Ensuite, comme tous les gens de son statut, on l'aurait présenté à sa famille, aux dignitaires et peut-être au pharaon lui-même avant de l'envoyer chez l'embaumeur. Là, avec un soin infini, on aurait prélevé ses viscères et on l'aurait ensuite asséché au natron. Et puis, on aurait entouré son corps de bandelettes et, une fois qu'il aurait été ainsi momifié, un grand prêtre aurait pratiqué sur lui le rite de l'ouverture de la bouche. Un cortège funéraire l'aurait par la suite conduit à son dernier repos, dans le temple de Thot.

En larmes, le jeune garçon parlait seul devant le corps de son maître :

– Mais rien de cela ne se produira jamais. Cet homme n'aura pas droit aux honneurs qu'il mérite ni même à une célébration funéraire digne de lui. Rien de cela ne se produira… Si nous étions restés dans notre pays, près du Nil, vous auriez eu droit à de grandes funérailles…

En effet, aucune des étapes de ce rituel ancestral propre au pays des pharaons ne pourrait avoir lieu. À des semaines de voyage des vallées verdoyantes du Nil, Sénosiris ne pouvait se permettre de rebrousser chemin, surtout avec un cadavre. Il lui fallait poursuivre sa route vers Veliko Tarnovo, et il allait devoir se résigner à abandonner la dépouille de son maître.

– Je vous ai enveloppé dans la couverture blanche, maître, comme vous me l'aviez demandé…, dit le garçon, dévasté.

Mais je ne puis me résoudre à laisser votre corps aux chacals et aux vautours. Vous méritez tellement mieux... Vous méritez la résurrection d'Osiris... la cérémonie du vol d'Horus... ou au moins quelques pierres d'Isis pour votre voyage sur les territoires des ombres... Mais vous n'aurez rien de cela et vous partez, seul comme je le suis, pour l'autre monde...

Dans la culture du jeune Sénosiris, recevoir une sépulture à sa mort était tout aussi important que posséder une maison de son vivant. Le tombeau représentait le point de rencontre, la jonction entre le monde des morts et celui des vivants. Tout en les séparant, ce lieu servait en même temps à les unir afin que la rencontre entre les forces visibles et les forces invisibles puisse se faire. Un homme sans tombeau n'avait pratiquement aucune chance d'atteindre les dieux et d'accomplir ainsi sa résurrection. Sans la protection de sa sépulture, son âme était livrée aux énergies chaotiques et risquait de s'égarer avant de se perdre définitivement et de se disperser dans le cosmos.

– Toute forme d'inertie ou de monotonie est la seule véritable mort, avait dit le maître à son élève avant de mourir. Nous faisons partie du cycle de la vie qui toujours est mouvement, voilà pourquoi les hommes ne doivent jamais demeurer inactifs. J'ai quitté le confort de ma demeure afin de rendre un dernier hommage à la vie, et c'est cette force, celle de mon mouvement, que possédera mon âme lorsque je fermerai les yeux à jamais. Ainsi, je serai plus fort pour accomplir le grand voyage vers Thot ! Tu comprends, jeune Sénosiris ?

– Pas vraiment, maître...

– Qu'importe, mon élève, tu comprendras un jour...

– Vous agonisez, maître... j'ai peur.

– Mais c'est moi qui devrais avoir peur, jeune homme... Pourtant, je ne crains pas la mort... Je ne peux pas craindre une chose que je ne connais pas et qui, une fois survenue, ne me concernera plus. Lorsque je fermerai les yeux pour de bon, tu iras lire le papyrus qui porte ton nom. C'est mon héritage... Toutes mes observations de la vie s'y trouvent... Tout ce qu'il y a d'important à savoir sur notre monde y est clairement écrit.

Devant le corps inanimé de son maître, Sénosiris ne comprenait pas plus la raison pour laquelle un homme si sage avait choisi de prendre la route.

« Je suis seul au monde maintenant, pensa le garçon, en larmes. Un âne, une charrette et des rouleaux de papyrus, voilà toute ma richesse. Je n'arriverai jamais à destination… Je ne sais même pas où je me trouve ni quel chemin prendre. »

Dévasté, Sénosiris abandonna un instant le corps de son maître et alla fouiller parmi les papyrus où il trouva sans peine celui portant son nom.

« Au moins, j'ai ici, dans cette charrette, conservé tout le savoir de mon maître… un précieux héritage qui me servira sûrement pour la suite de mon voyage. »

Précautionneusement, le garçon déroula la feuille de papyrus et ne vit que quelques phrases écrites en hiéroglyphes :

Il n'y a que le changement qui soit permanent dans la vie. Ceux qui s'y adaptent survivent, les autres meurent. Bonne route, Sénosiris.

Deuxième partie

L’union sacrée

I

Électra dormait profondément lorsque sa quiétude fut soudainement dérangée par des hurlements de loups. À demi consciente, la princesse de Byzance entendit le cri des bêtes se rapprocher, puis sentit ces dernières se refermer sur elle graduellement. Elle essaya de bouger, mais ses couvertures l'en empêchèrent. De plus en plus agitée, la jeune femme voulut appeler à l'aide, mais sa gorge ne laissa passer qu'une longue plainte, pareille à celles des loups qui la cernaient. Elle s'assit et remarqua avec stupeur que tout son corps avait pris l'apparence de celui d'une grande louve au pelage noir comme du jais.

« Je ne suis pas un animal, se dit-elle, en proie à la panique. Ce n'est pas moi… Je ne suis pas une louve… Rendez-moi mon corps… Je ne suis pas avec vous… »

Électra poussa un cri strident et sauta de son lit pour constater avec soulagement que son corps était bien le sien, qu'il ne s'était pas transformé. Toujours tremblante de frayeur, elle appela sa garde personnelle. Aussitôt, deux hoplites munis de torches entrèrent dans la tente, un glaive à la main.

– Ils sont ici ! hurla Électra. Il y en a partout autour de mon lit ! Je vois leurs yeux qui me fixent ! Tuez-les ! Tuez-les ! Je vous en prie… Ils sont là ! Il y a des loups partout ! PARTOUT, JE VOUS DIS !

Les soldats avaient beau fouiller, la spacieuse tente de leur princesse ne recelait rien de curieux ni de menaçant. Aucune empreinte insolite sur le sol, et pas d'indice d'effraction non plus sur la toile. Les deux hommes tentèrent donc de calmer la jeune femme en lui expliquant doucement qu'il s'agissait peut-être d'un cauchemar, qu'elle n'avait rien à craindre des loups.

– De toute façon, chère princesse, ces bêtes que l'on entend hurler au loin dans la forêt ne s'approchent jamais des campements humains, puisqu'elles ont peur du feu…

– Et des gardes patrouillent toute la nuit. Je vous assure qu'il n'y a rien à craindre. Les loups ne représentent pas une menace pour votre sécurité, princesse.

Phoebe, la gouvernante ronde à la peau rose comme un jambon, entra alors dans la tente et chassa les hoplites d'un geste de la main. Bien contents de ne plus avoir à jouer les nounous, ces derniers quittèrent les lieux avec empressement.

– Venez contre moi, ma belle enfant ! Ce n'était qu'un mauvais rêve…

Électra tomba dans les bras de sa gouvernante et se mit à sangloter.

– Encore un cauchemar… Ce n'est rien… C'est l'angoisse du voyage qui les provoque… C'est peut-être aussi l'appréhension de votre mariage…

– C'était horrible, Phoebe, se plaignit la jeune fille. Il y avait des loups partout autour de moi… que des loups et… et j'étais aussi une louve, toute noire… Je ne voulais pas, mais… mais j'étais une des leurs… J'ai eu si peur… Ils hurlaient…

– Bon, bon, bon, c'est terminé maintenant ! fit Phoebe d'un ton rassurant. Les cauchemars n'ont jamais tué personne, et vous n'avez rien à craindre… Ici, nous sommes bien en sécurité.

– Oui… tu as raison, répondit Électra en essuyant son visage. Ce n'était qu'un mauvais rêve, rien d'autre. C'est vrai que je suis un peu angoissée depuis notre départ de Byzance…

– Racontez-moi un peu.

– Je pense constamment à l'homme que je dois épouser, cet Hitovo le Chien. Rien que son nom me glace d'effroi ! Je ne veux pas me marier avec cet individu, Phoebe ! Souvent, la nuit, je rêve qu'il se transforme en chien et qu'il me dévore… et puis, je les vois tous : une meute de molosses qui viennent lentement vers moi… de gros chiens aux yeux rouges, menaçants… J'ai tellement prié Artémis pour qu'elle m'aide à sortir de Byzance, mais maintenant je le regrette…

– Calmez-vous, belle Électra, calmez-vous, fit tendrement la gouvernante en caressant les cheveux de sa protégée. Je suis avec vous et je resterai avec vous. Personne ne nous séparera, pas même cet homme que vous devez épouser… ni ses chiens, d'ailleurs !

– Tu entends les loups, Phoebe ? Dis-moi que je ne suis pas folle et que tu entends bien ces hurlements !

– Oui, mon enfant, tout comme vous, je les entends… Mais si les loups hurlent, cela ne veut pas dire qu'ils veulent nous attaquer. D'ailleurs, je ne crois pas qu'ils feraient long feu contre nos soldats ! Nous sommes entourées des meilleurs hoplites de Byzance, et leurs épées les mettraient vite en pièces.

Électra posa sa tête sur l'épaule de sa grosse gouvernante qui la serra contre elle. Elle demeura ainsi quelques minutes, en sécurité dans les bras de sa vieille amie, le temps de retrouver un peu de courage. La princesse de Byzance se devait d'être forte afin d'accomplir son devoir et d'assurer à son peuple, par le sacrifice de son mariage, la paix avec les Thraces. Heureusement, Phoebe était là pour lui donner de la force et calmer ses angoisses. Cette grosse femme au visage sympathique s'occupait d'elle depuis sa plus tendre enfance. Elle avait partagé toutes ses peines et toutes ses joies. Et encore aujourd'hui, Phoebe était à ses côtés, acceptant de s'exiler avec elle vers un royaume inconnu où vivaient d'étranges hommes que les légendes dépeignaient comme des sauvages assoiffés de sang.

– Alors, vous allez mieux, belle Électra ? lui demanda tout doucement la gouvernante. Il faut avoir confiance en vos prières à Artémis… La déesse ne laissera certainement pas tomber sa plus fervente admiratrice ! Écoutez-moi, je pense que ces fichus loups au loin ont dérangé votre sommeil ! Ils se sont glissés dans vos rêves, rien de plus. Dites-vous que c'est le chant des loups. Vous devez dormir maintenant, princesse. Veliko Tarnovo est encore loin, et vous aurez besoin de toutes vos forces pour le voyage.

– Dis-moi, Phoebe, est-ce exact, ce que l'on raconte au sujet d'Hitovo le Chien ? Est-il vrai qu'il aime davantage ses animaux que ses semblables ?

– Je l'ignore, mais, si tel était le cas, eh bien, tant mieux pour vous ! Il évitera de vous souiller avec ses sales pattes !

– J'ai entendu tant de choses laides sur lui que… que j'ai peur qu'il… qu'il soit un horrible monstre.

– Tous les hommes sont plus ou moins des monstres, ma belle enfant, fit Phoebe pour la rassurer. Pour ma part, je n'ai pour ainsi dire connu que des cochons ou des lapins... Les uns étaient malpropres et sans éducation, les autres avaient toujours la bannière relevée, prêts à copuler !

Électra fit entendre un rire cristallin, puis alla se glisser dans ses couvertures, le visage détendu. Phoebe trouvait toujours les bons mots pour la faire rire, même dans les pires moments.

– Comme ça, il n'y a donc rien de formidable à attendre des hommes ? l'interrogea la princesse en souriant. Des cochons ou des lapins, hein ?

– Vous le verrez par vous-même, répondit la gouvernante en bordant sa protégée. Mais ne vous en faites surtout pas, princesse. Hitovo le Chien, grand roi de Veliko Tarnovo, mangera bien vite dans votre main. Dans quelques semaines seulement, il sera à vos pieds et satisfera vos moindres caprices. Vous savez, les hommes qui semblent les plus dangereux ne sont en réalité que des enfants apeurés... Il faut simplement savoir comment les prendre, et ils deviennent aussi vulnérables que des mouches dans la toile d'une araignée.

– Merci, Phoebe, je me sens beaucoup mieux, dit Électra en fermant les yeux.

– Je suis là pour vous, belle princesse. Je serai toujours là...

Tel que l'aurait fait une mère pour son enfant, la grosse gouvernante embrassa Électra sur le front et sortit discrètement de la tente. Malgré son air détaché et ses paroles rassurantes, elle était elle-même rongée par l'inquiétude.

Dès qu'elle regagna son abri, Phoebe se laissa choir sur sa couche et se mit à pleurer à son tour. Elle n'avait pas tout dit à Électra. Dans le but de la protéger, elle lui avait caché la vérité. La gouvernante connaissait les terribles rumeurs qui circulaient à propos du souverain de Veliko Tarnovo. Une ancienne servante du palais de Byzance lui avait même raconté des horreurs au sujet de Stamos le Libidineux, le père d'Hitovo le Chien. Elle lui avait dit à quel point cet homme était infâme, ajoutant qu'il s'amusait avec les bergères des alentours et les contraignait aux plus abjectes dépravations. Rien ne semblait combler l'appétit dévorant du roi qui faisait trancher les têtes de ses maîtresses dès qu'il se lassait de leur présence.

– Protège-nous, Héra, des abominations de cette ville étrangère et veille sur ma belle Électra, supplia Phoebe, les bras vers le ciel. Fais en sorte qu'Hitovo le Chien ne soit pas à l'image de son père et qu'il donne à ma belle princesse toute la tendresse qu'elle mérite. Je ne pourrais pas supporter de la voir maltraitée…

Ce que la gouvernante ne savait pas et qui aurait calmé ses angoisses, c'est qu'Hitovo le Chien était tout le contraire de son père et qu'il menait une vie d'ascète au sein de la grande cité des Thraces. Électra n'avait donc rien d'autre à craindre que de mourir d'ennui en vivant à ses côtés. Entre ses séances de méditation, ses promenades avec ses chiens, l'administration de la cité et ses entretiens avec le mystagogue, Hitovo menait une vie sans surprises, d'une exaspérante monotonie. L'homme n'avait aucune spontanéité et, bien qu'il ait un jour été d'une vivacité à toute épreuve, il avait perdu la faculté de s'étonner et de s'émouvoir. Ne pensant pratiquement à rien d'autre qu'au respect des règles de l'orphisme, il méditait quotidiennement durant de longues heures et n'espérait rien de mieux de la vie que de trouver la véritable paix intérieure.

Heureusement, grâce à la droiture d'Hitovo, la cité de Veliko Tarnovo avait un nouveau visage qui lui conférait une excellente réputation dans tous les royaumes thraces. Il n'y avait ni prostitution ni jeux de hasard. Le crime y était presque inexistant et la morale, dictée par le jeune mystagogue, obéissait aux principes stricts de l'orphisme. Le dernier criminel à avoir été puni dans la cité, un jeune voleur grisé par les somptueuses richesses du marché des artisans, s'était vu condamné à se faire arracher le cœur sur la place publique. Avec un long couteau, le bourreau officiel de la cité l'avait éventré lentement, puis il avait empoigné son cœur avant de l'extraire brusquement de son thorax. La vue de cette horrible mise à mort avait glacé d'effroi toute la population qui, depuis, ne songeait qu'à vivre le plus honnêtement possible. Une paix salutaire régnait donc entre les murs fortifiés de cette ville imprenable et faisait l'envie des visiteurs des autres royaumes thraces, qui rêvaient d'harmonie et d'une bonne qualité de vie.

Toutefois, il n'était pas faux de dire qu'à l'époque du règne de Stamos le Libidineux, la cité de Veliko Tarnovo était un véritable lieu de débauche. Malgré la nouvelle morale imposée par Hitovo le Chien, ainsi que les nombreuses purifications effectuées par le mystagogue, les murs de la cité se rappelaient encore les rythmes endiablés des tambours et les cris rauques d'un groupe d'ivrognes, tous conseillers de son père, l'ancien souverain, qui se dévoyaient nuit et jour. Plus dépravés les uns que les autres, ces parasites de l'État thrace vivaient exclusivement pour se repaître de tous les plaisirs, allant de beuverie en banquet indécent et s'empiffrant jusqu'à vomir. Stamos le Libidineux s'était entouré de cette bande de chacals qui glorifiaient chacune de ses décisions et l'applaudissaient comme s'il avait été le plus grand des souverains. En son honneur, tous rivalisaient d'inventivité pour concevoir des fêtes somptueuses où cruauté et mauvais goût n'avaient d'égale que l'insatiabilité dont ils faisaient continuellement preuve. On organisait régulièrement des séances de viol collectif, des séances de torture ou des concours de tir à l'arc durant lesquels d'innocents villageois faisaient office de cibles. Toutefois, l'activité que préférait Stamos était le grand jeu de l'ours, qui consistait à lancer un ours affamé contre des prisonniers byzantins sans défense. Même à dix contre la bête, ces derniers n'avaient jamais réussi à tenir bien longtemps. Le souverain adorait voir les griffes de l'animal ouvrir le ventre des condamnés afin de se régaler de leurs viscères. À mains nues, les sacrifiés essayaient tant bien que mal de se défendre, mais chaque fois c'était peine perdue. L'ours parvenait toujours à terrasser violemment chacun d'entre eux sous les rires et les applaudissements sadiques de Stamos le Libidineux.

Au cours d'une fête particulièrement bien arrosée, les conseillers de Stamos avaient décrété que leur souverain se devait de fonder une famille. Après tout, le royaume aurait un jour besoin d'un héritier, et il était temps de régler cette question une fois pour toutes. Même si Stamos avait répandu sa semence dans tout le pays et qu'il avait, à coup sûr, plusieurs descendants ici et là, il fallait asseoir sur le trône un héritier officiel. Ainsi, lorsque leur libertin de père trépasserait, tous les bâtards du royaume demeureraient chez eux et renonceraient à tenter de revendiquer sa place.

Bien décidés à mener à bien ce projet, les conseillers et le roi s'étaient rendus, titubants, aux écuries pour atteler leurs chevaux et partir à la recherche d'une femme digne de partager la couronne. Accompagnée d'un bataillon de soldats, également imbibés d'alcool, qui avaient chargé sur leurs montures quelques barils de vin, la fine équipe s'était finalement arrêtée dans un petit village au cœur de la forêt. L'endroit, en cette belle nuit chaude et douce, semblait parfait pour trouver la perle rare.

Toujours aussi ivres, ils avaient réveillé tous les habitants et leur avaient ordonné de sortir de leurs maisons. En hurlant, le souverain avait ensuite demandé aux villageois de se mettre en rang et de se dévêtir afin qu'il puisse les examiner à tour de rôle. Comme un général devant ses troupes, il les avait tous passés en revue. Sous les rires de ses soldats et de ses conseillers, le souverain de Veliko Tarnovo avait vite renvoyé à leurs chaumières, à grands coups de pied aux fesses, tous les vieillards présents. Amusé et fier, il avait divisé les hommes et les femmes en deux groupes, puis avait commandé à ses hommes de sortir leur arc pour s'entraîner à tirer sur les mâles. Le massacre avait été de courte durée et, sous les cris et les pleurs des femmes et des jeunes filles, Stamos avait enfin expliqué ce qui l'avait amené dans leur village.

– TAISEZ-VOUS, TRAÎNÉES ! avait-il d'abord lancé pour obtenir le silence. L'une d'entre vous sera la femme la plus privilégiée du monde, car bientôt elle sera ma femme ! Comme vous êtes maintenant toutes veuves, rien ne peut vous empêcher de m'épouser ! Alors, mes chers conseillers, laquelle d'entre elles deviendra reine de Veliko Tarnovo ? Cette grosse truie, là ? ou cette gamine qui pleure comme un veau ?

Les conseillers pointèrent alors du doigt une belle jeune fille rousse, morceau de choix pour ces vautours dépravés.

– Très bien, bon choix ! s'était exclamé Stamos en s'approchant de la belle. Voici donc votre nouvelle reine ! J'aime déjà cette petite... Hum, sa peau est bien douce... Oui, elle est digne d'un roi. Soldats, comme vous avez bien travaillé ce soir, je vous permets de vous amuser encore un peu ! Quant à moi, je pars pour le palais avec ma fiancée et mes conseillers. Ne tardez pas trop !

En guise de récompense, le roi avait livré les villageoises aux sales instincts de ses soldats qui, pour s'assurer qu'il ne reste aucune trace de leur passage, avaient incendié le village. Prisonniers de leurs maisons, les vieillards étaient morts asphyxiés ou brûlés. Quant aux femmes, après avoir subi les assauts des soldats de Veliko Tarnovo, elles avaient été décapitées, puis lancées dans le brasier. La cause réelle de l'extermination soudaine de ce village tranquille n'avait jamais été révélée ; on s'était contenté d'imputer la tragédie aux tribus barbares de l'Est.

Une fois rentré chez lui, le souverain avait bruyamment réveillé serviteurs et cuisiniers afin de leur demander de préparer une salle et un banquet pour son mariage. Malmenée durant le voyage, paralysée de peur et de froid, la jeune fille faisait pitié à voir. Elle avait l'air grotesque dans la robe beaucoup trop grande et tachée de vin dont l'avait affublée son futur mari. Lorsque les soldats étaient rentrés au château, tout était fin prêt pour un mariage d'importance. Terrorisé par les menaces de son roi, le mystagogue avait célébré une cérémonie si chaotique que même des singes n'auraient pas réussi à faire mieux. Une fois les solennités terminées, le souverain, sous les encouragements nourris de ses conseillers, avait possédé sa reine devant tous afin de lui faire immédiatement un héritier.

Une fois ses besoins assouvis, Stamos le Libidineux avait ordonné qu'on installe la chambre de sa nouvelle femme dans un des cachots de la tour sud. La pauvre fille humiliée avait été jetée, avec quelques couvertures et deux coussins, dans une cellule normalement réservée aux coupe-jarrets et autres crapules. Personne ne se souviendrait jamais de son nom, mais la jeune femme avait vécu de longs mois dans l'humidité de la geôle. Enfermée à double tour et mal nourrie, elle repassait chaque jour les mêmes événements dans son esprit : l'extermination de son village et son mariage forcé. Elle revoyait aussi les images, plus douces, de son ancienne vie avec ses parents. Toujours la bague au doigt, elle avait maudit Stamos le Libidineux des nuits entières et s'était juré, en prenant la lune et les étoiles comme témoins, de se venger de lui. Et pendant tout ce temps, son ventre grossissait de jour en jour. C'était par cet enfant que viendrait sa vengeance. Oui, Stamos allait payer l'infamie de ses actes…

Ce fut dans son cachot de la tour sud du palais de Veliko Tarnovo, dans l'humidité et le froid, que la reine enfanta les héritiers de Stamos. Dans la solitude, la douleur et l'obscurité, elle donna naissance à des jumeaux. Deux garçons identiques qu'elle nomma Hitovo, en l'honneur de son propre père, et Avatah, en souvenir de son frère. La nouvelle mère inscrivit le nom de ses enfants sur deux bouts de bois qu'elle transforma en jolis petits pendentifs. Elle tressa ensuite deux solides cordons avec le fil d'une de ses couvertures, puis y attacha les pendentifs qu'elle passa autour du cou de ses deux poupons. Soulagée de ne plus être seule dans son affreuse geôle, elle les serra avec force contre son corps amaigri et supplia les dieux de lui venir en aide.

Lorsqu'il apprit que sa descendance avait vu le jour, Stamos se précipita dans la prison de sa femme pour admirer sa progéniture. Le roi demeura interdit en voyant sa reine allaiter les jumeaux. Comme il était trop tôt le matin pour qu'il ait eu le temps de s'enivrer, il se sentit soudainement honteux d'avoir humilié cette fille magnifique à la peau de lait et aux longs cheveux roux.

« Je vais me reprendre, pensa-t-il. Je vais offrir à cette femme et à mes enfants une meilleure vie… Terminé, les beuveries… Aujourd'hui commence pour moi une nouvelle vie. J'ai été répugnant, je dois me reprendre… »

Pour rendre hommage à cette image d'une sublime beauté, et plein des meilleures intentions possible, Stamos se pencha sur sa reine et s'avança pour l'embrasser tendrement. C'est à ce moment que la jeune mère glissa discrètement la main sous l'un de ses coussins pour agripper un petit pieu. Cette arme, qu'elle avait fabriquée patiemment avec un des barreaux de son lit, allait enfin servir à assouvir sa vengeance. Dès qu'elle sentit contre sa joue le souffle chaud du décadent souverain, la jeune femme se laissa guider par son instinct et le poignarda entre les jambes. Le pieu traversa les organes génitaux de Stamos et alla se planter dans le muscle de sa cuisse.

Hurlant comme un verrat qu'on étrangle, le roi de Veliko Tarnovo trouva malgré tout la force de passer ses mains autour du cou de la rouquine et de lui briser la nuque. Pris d'une folie furieuse, il lui frappa ensuite plusieurs fois la tête contre le mur en la couvrant d'invectives. Il ne s'arrêta que lorsque sa reine fut complètement défigurée, puis il ordonna à un soldat de tuer les jumeaux. Appuyé sur deux gardes, Stamos quitta le cachot en gémissant, une cascade de sang jaillissant du bas de son ventre.

Demeuré seul avec les nouveau-nés et le cadavre tout chaud de leur mère, le soldat dégaina son épée et la brandit. Mais le sourire des deux jumeaux, qui ne comprenaient rien au drame qui venait de se produire, le fit hésiter. Ils étaient là, devant lui, tout souriants et si faibles. Tout de même décidé à s'acquitter de la tâche que lui avait confiée le roi, l'homme pensa tout à coup à son propre fils qui venait de naître... Il ne put se résoudre à tuer les bébés.

« Je ne suis pas un tueur d'enfants, pensa-t-il en baissant son bras. Jamais je ne pourrai exécuter cet ordre... »

Sans réfléchir aux conséquences de sa désobéissance, l'homme enveloppa les nouveau-nés dans une couverture et quitta la tour sud sans se faire remarquer. Arrivé chez lui, il les installa confortablement dans un grand panier d'osier, dans lequel il déposa aussi quelques fruits et légumes, des feuilles et des épices, ainsi qu'un quignon de pain afin de dissimuler le mieux possible les bébés parmi la nourriture. Il grimpa ensuite sur son cheval, cala le panier devant lui et se dirigea vers les portes de la ville.

– Où vas-tu ainsi, soldat ? lui demanda le garde de la grande porte de Veliko Tarnovo. As-tu l'autorisation de ton supérieur pour quitter la ville ?

– Je fais partie de la garde du roi, et je n'ai nul besoin de permission pour sortir de la cité ou pour y entrer. De toute façon, je vais seulement porter quelques vivres à ma mère alitée, mentit-il. Elle demeure non loin d'ici !

– Désolé, fit nerveusement le gardien. Je n'avais pas remarqué votre armure. Passez, et je vous souhaite bonne route !

L'un des jumeaux se mit à rechigner au fond du panier. Le soldat toussota pour couvrir le bruit que faisait l'enfant, puis il se racla la gorge avant de demander qu'on lui ouvre vite la porte. Le gardien le laissa passer avec suspicion. Il y avait sans doute dans le panier quelque chose d'assez précieux pour qu'on y accorde de l'importance, et il allait s'en charger.

– Tu fais bien ton boulot, gardien, dit le protecteur des nouveau-nés, qui cherchait à l'amadouer. Je te recommanderai auprès du roi pour de plus hautes fonctions !

– Oui, oui, je vous remercie…

N'ayant aucun plan en tête, le soldat fit galoper son cheval jusqu'à la rivière en se demandant où il pourrait trouver quelqu'un qui fût susceptible d'accueillir les jumeaux. Il y avait encore certainement dans le pays des Thraces des âmes généreuses qui accepteraient de les prendre sous leur aile. Pour assurer un avenir à ces enfants, le soldat du roi était même prêt à payer de sa poche une solde mensuelle à la famille qui voudrait bien les nourrir. Mais, avant tout, il devait trouver des gens responsables et dignes de confiance.

Après des heures de recherches infructueuses dans plusieurs villages, le cavalier décida de descendre vers le sud. En s'engageant dans un chemin qui traversait la grande forêt, il se rendit compte qu'une bande de brigands venait de surgir de la forêt.

Le frère aîné du gardien de la grande porte de Veliko Tarnovo était le chef d'un groupe de pillards qui sévissaient dans les forêts environnantes. Après que son cadet l'eut informé de la présence dans les parages d'un cavalier de la garde personnelle du roi qui transportait un panier spécial, il s'était lancé à sa recherche avec la ferme intention de découvrir ledit trésor. Sa bande de vauriens et lui avaient rapidement retrouvé la piste du bon Samaritain et chevauchaient maintenant à vive allure derrière lui.

« Je dois me débarrasser d'eux, se dit le soldat de Stamos en s'assurant de la stabilité du panier des jumeaux. Mais, avec ceci, il est impossible d'aller plus vite ! »

Il ralentit donc la cadence et déposa hâtivement le panier derrière un arbre.

– Soyez sages. Je m'occupe de ces brigands et je reviens vous chercher ! dit-il aux deux petits avant de reprendre sa course.

Quelques instants après, le tonnerre du galop d'une dizaine de chevaux se fit entendre, puis la forêt retrouva son calme. Les brigands étaient passés sans remarquer le panier d'osier abandonné à son sort. Les pleurs et les cris que les bébés poussèrent bientôt attirèrent cependant l'attention d'une meute de loups établie non loin de là.

Curieuses, les bêtes s'approchèrent du panier et l'entourèrent avec circonspection. Du bout de leur museau, elles finirent par déplacer les fruits et les légumes pour découvrir les deux petits braillards qui serraient les poings en hurlant de faim. C'est alors qu'une jeune louve, que les humains des alentours appelaient Maïcha, saisit l'anse du panier dans sa gueule afin de ramener les nouveau-nés à sa tanière. Alors qu'ils avaient à peine connu le monde des humains, les jumeaux avaient été adoptés par le règne animal.

II

À demi conscient, Varka était étendu sur le dos et revoyait des images de son enfance dans lesquelles il était entouré d'animaux au pelage gris et noir. Il buvait le lait chaud et réconfortant de sa mère louve, mangeait la viande rouge que rapportait son père, le chef de la meute, ou jouait nu dans les bois; il jouait avec son frère humain. Oui, il s'en souvenait maintenant, de ce frère qui n'était pas resté très longtemps au sein de la meute. C'était bien son image qu'il avait vue dans la pierre de lune rouge que lui avait donnée Nosor. Oui, c'était une image claire et précise de son jumeau devenu adulte.

Ensuite lui revinrent en mémoire des moments passés dans la tanière, particulièrement la chaleur que lui procurait le pelage de ses frères dans les périodes de froidure. Il y avait cette odeur de musc, si enveloppante et rassurante, puis le parfum de la terre, des arbres et des feuilles mortes. C'étaient les jours heureux des premières années de sa vie. Varka se mit à rire en se rappelant certains comportements des adultes de la meute. Sans qu'il en fût conscient, les anciens lui enseignaient par le jeu à se battre et à s'endurcir. Morsures et coups de griffes faisaient partie de son entraînement, et il devait rendre coup pour coup. Malgré sa vulnérabilité, il devait toujours dominer sa peur. Il savait qu'il pouvait être fier de lui lorsque les loups, bouche ouverte, langue pendante et oreilles bien dressées, le regardaient d'un air enjoué. Par ailleurs, il savait aussi reconnaître leur mauvaise humeur quand, la gueule fermée et les babines relevées, ils le fixaient avec insistance en grognant. Dans cette famille de canidés, la hiérarchie était fondamentale et Varka avait rapidement appris à baisser la tête en signe de soumission.

C'était par le plus grand des hasards que Varka était revenu parmi ses semblables. De sa condition d'esclave à Çatal Höyük à celle d'athlète dans la capitale de Thrace, il avait suivi à son insu le chemin qui le menait à la liberté. Son départ impromptu de Byzance pour se lancer à la poursuite de la femme qu'il aimait lui avait aussi permis, en retrouvant sa belle sur la terre des loups, de remonter jusqu'aux racines de son enfance. Et tout ce parcours, pensa-t-il, n'aurait jamais été possible sans l'œil bienveillant du loup qui l'observait depuis les étoiles et qu'il pouvait lui-même voir grâce aux manifestations de la pierre bleue qu'il avait prise au Mâj Gayak de Çatal Höyük. Sans la protection du loup céleste, Varka n'aurait sans doute jamais quitté sa cage d'esclave.

Même s'il était affaibli par les blessures que lui avaient causées les flèches des hoplites, les images de son enfance continuaient de défiler dans son esprit. Son ancien maître, le Mésopotamien, avait eu raison de l'appeler « La Bête », car son attitude naturelle s'apparentait davantage à celle de l'animal qu'à celle de l'homme. Varka marchait en utilisant ses pieds et ses mains, et le langage qu'il employait, des sons plus ou moins gutturaux, n'avait rien d'une forme de communication humaine. En fait, il s'exprimait comme un loup, mais, cela, personne ne pouvait le comprendre. Le temps et les châtiments corporels l'avaient assagi, voire domestiqué, mais la fougue et la vivacité qui l'habitaient normalement n'avaient été endormies que de façon provisoire. Émergeant lentement de sa rêverie, Varka se laissa un instant griser par les hurlements des loups, puis il trouva la force de se mettre debout afin de mieux apprécier la meute qui l'encerclait.

Certes, il était en piteux état, mais il était de retour au bercail ! Celle qui l'avait jadis adopté alors qu'elle était sur le point de mettre au monde une nouvelle portée – ce qu'elle avait fait le soir même – se tenait devant lui. Varka exultait. Son bonheur était si intense qu'il en oublia même la raison de sa présence dans la forêt, toute l'ardeur qu'il avait mise à rattraper le cortège d'Électra. Il oublia son amour maintenant libéré de la pierre verte, ainsi que l'image de son frère dans la pierre rouge. À l'instar du reste de la meute, la vieille Maïcha continuait de hurler à pleins poumons le plaisir de retrouver ce fils qu'elle n'aurait jamais cru revoir un jour.

Varka leva la tête vers le ciel et se mit à hurler lui aussi.

– Si ces maudits loups pouvaient se taire ! grommela Phoebe qui venait de regagner sa tente après être allée réconforter la princesse dans la sienne.

Le cauchemar d'Électra avait bouleversé la grosse gouvernante qui faisait maintenant les cent pas en pensant aux atrocités qui les attendaient, la princesse et elle, à Veliko Tarnovo.

« Ces maudites bêtes vont me faire tourner en bourrique ! songea-t-elle en soupirant. Plus la nuit avance, pire c'est ! Elles vont bien finir par manquer de souffle ! À moins que ce soient des créatures maudites et que... Oh non... je n'ose pas y penser, mais... je dois en avoir le cœur net ! »

La gouvernante passa sa large cape, glissa ses pieds dans ses sandales, puis sortit de la tente pour aller rejoindre un hoplite qui montait la garde près d'un feu.

– Vous ne voudriez pas chasser ces sales bêtes autour du camp ? demanda-t-elle, exaspérée. Leurs cris perturbent le sommeil de la princesse Électra, et elle ne doit pas être dérangée !

– C'est la pleine lune..., répondit l'hoplite sans plus d'explications.

– Et alors ? répliqua Phoebe.

– À la pleine lune, c'est normal que les loups hurlent. On n'y peut rien, c'est comme ça.

– Vous ne pouvez donc rien faire ?

– Non.

– Vraiment ?

– À la pleine lune, ajouta l'hoplite, les loups hurlent et les femmes se plaignent. Dans un cas comme dans l'autre, on ne peut que les subir en espérant que le soleil ne tarde pas à se lever.

– Apparemment, vous n'avez jamais entendu parler des hyrcanoï, ces hommes-loups qui se tiennent en bande sur tout le territoire ! Je ne serais pas surprise que ces bêtes qu'on entend s'égosiller en soient...

– Pauvre folle ! fit l'hoplite en s'esclaffant. Les hyrcanoï n'ont jamais existé, ce ne sont que des créatures imaginaires. Elle est bien bonne, celle-là. Des hyrcanoï...

– Je vous assure que les hyrcanoï…

– Bon, ça suffit ! Pour la dernière fois, je te dis qu'il n'y a rien à craindre des loups, et si tu ne retournes pas immédiatement dans ta tente, je t'y reconduirai moi-même à grands coups de pied aux fesses !

– Vieille brute ! marmonna la gouvernante en se dirigeant vers un paravent de toile derrière lequel se trouvait une espèce de vase en terre cuite. Si les femmes se plaignent autant, c'est parce que les hommes sont trop stupides pour les écouter ! Et si ça ne vous dérange pas trop, je dois aller me soulager !

– Prends garde à toi, Phoebe ! Les hyrcanoï se cachent souvent dans les vases à urine ! Mais, heureusement pour toi, je crois qu'ils ne raffolent pas de la viande grasse…

– Barbare ! Voilà ce que vous êtes, un sale barbare !

Tout à coup, les hurlements des loups s'intensifièrent, ce qui fit sursauter Phoebe. Le garde éclata de rire avant de faire une horrible grimace à la gouvernante qui se ressaisit et disparut derrière le paravent.

« Ces satanés loups, on dirait qu'ils nous narguent ! râla la grosse femme en s'installant sur le vase. Je ne suis pourtant pas folle ! Il y a bien dans ces hurlements quelque chose d'anormal. Ce ne sont peut-être pas des hyrcanoï, mais la preuve reste encore à faire… Une chose est sûre, les cris de ces bêtes sont obsédants. »

Phoebe se soulagea en scrutant l'obscurité.

« Mais qu'est-ce que je vois là ? ! »

Dans la lueur de la lune, la gouvernante avait remarqué des ombres inhabituelles à travers les arbres, plus loin. Elle était certaine qu'il s'agissait de loups, mais qu'avaient-ils à bondir sur place autour d'une silhouette plus haute que les leurs ? Intriguée, elle plissa les yeux pour tenter de mieux distinguer la silhouette qui semblait maintenant se déplacer à quatre pattes avant de reprendre, soudainement, une position verticale. Phoebe se frotta les yeux pour être certaine de ce qu'elle voyait, c'est-à-dire un loup debout sur ses deux pattes de derrière ! Toujours assise sur son vase, elle se mit à trembler de tous ses membres. Ce n'étaient donc pas des légendes ! Les hommes-loups étaient bien réels puisque, devant ses propres yeux, un loup venait de se transformer en homme !! En une seconde, l'hyrcanoï avait troqué ses quatre pattes contre deux jambes sur lesquelles il se tenait bien droit parmi les autres bêtes ! Elle le vit même caresser la tête de quelques loups avant de se mettre à marcher dans les bois.

« Je n'arrive pas à le croire..., se dit-elle, les lèvres tremblantes et les yeux exorbités. Ils sont ici... Il faut prévenir tout le monde que les hommes-loups existent... Je dois sauver Électra pendant qu'il en est temps... »

Phoebe bondit hors de sa cache et, décidée à sauver la princesse, elle hurla à perdre haleine :

– LES HYRCANOÏ ! LES HYRCANOÏ ATTAQUENT !

III

Le mystérieux peuple des hyrcanoï faisait autrefois partie des contes et des légendes que beaucoup de parents byzantins racontaient à leurs enfants pour les dissuader de s'éloigner de la maison. Les exploits de ce peuple étrange avaient accompagné Phoebe durant toute son enfance, car son père, un habile conteur, aimait vanter ces guerriers d'un autre temps.

– Tu sais, Phoebe, lui avait-il dit un jour avec un sourire espiègle, bien avant l'arrivée des Thraces et des Grecs sur les rives de la mer Noire, vivait, au sein des grandes forêts de la côte, un peuple d'hommes étranges aux facultés surnaturelles. Ils étaient venus des lointaines contrées du Nord et vouaient un culte à Börte Tchinö, une déesse barbare qui les observait avec son œil immense qui jaillissait des étoiles. Börte Tchinö, aussi appelée « le Loup bleu », accordait à certaines femmes particulièrement douées pour la magie, les dactyles, le pouvoir de changer les humains en loups !...

– Mais c'est impossible, père ! lui avait répondu Phoebe, encore toute jeune à l'époque. Le maître d'école nous a appris que seuls les dieux ont de tels pouvoirs, pas les hommes ni les femmes !

– Ah, c'est ce que ton maître a dit, hein ? Eh bien, c'est qu'il n'a jamais entendu parler de ces femmes qui étaient capables de prédire l'avenir et d'ensorceler les humains, et qu'on appelle « les dactyles aux longs cheveux roux » ! Les rites et les pouvoirs de ces dévotes de Börte Tchinö étaient très mystérieux. Il s'agissait de véritables sorcières qui excellaient aussi bien dans la pratique de la conjuration que dans la fabrication des armes... Elles étaient de formidables forgeronnes, dit-on !

On m'a déjà raconté que les dactyles connaissaient tout des mystères de la nature : du plus petit des champignons vénéneux jusqu'au mode de multiplication de n'importe quel arbre de la forêt ! En plus de savoir prévoir avec exactitude le temps qu'il ferait, ces femmes connaissaient d'innombrables recettes de potions et de philtres. Chaque groupe d'hyrcanoï, qu'on appelait aussi « hommes-loups », était mené par une dactyle, et c'était la puissante magie de ces sibylles qui les rendait presque invincibles.

– Et comment faisaient-ils, les hommes-loups, pour se transformer en bêtes ?

– Pour eux, rien de plus facile ! Les hyrcanoï enlevaient les jeunes enfants qui s'approchaient trop de la forêt pour ensuite les faire bouillir, encore vivants, dans de gigantesques marmites. À l'aide de formules magiques et d'ingrédients secrets, les dactyles ensorcelaient le mélange pour en faire un bouillon infect et malodorant. Une fois ce liquide refroidi, les hommes n'avaient plus qu'à s'immerger dans la marmite pour être instantanément transformés en bêtes ! Ainsi métamorphosées, ces créatures attaquaient des villes et des villages, pillaient tout sur leur passage et ne laissaient derrière elles que mort et désolation. On m'a déjà confié que ces monstres étaient d'une force telle qu'ils pouvaient même venir à bout de la meilleure armée d'hoplites. Tu imagines ?

– Et ils étaient condamnés à demeurer toute leur vie des créatures féroces qui détruisaient tout autour d'elles ?

– Mais non, Phoebe, cette transformation en loup sauvage n'était que passagère, car, une fois leurs méfaits accomplis, les bêtes n'avaient qu'à se dresser sur leurs deux pattes arrière pour reprendre aussitôt leur aspect humain ! Tu te rends compte, ma petite, que cela veut dire que nous pourrions être entourés d'hyrcanoï, en ce moment même, dans cette ville, et ne jamais le savoir ?... Ils sont peut-être partout autour de nous ! Voilà une autre bonne raison de te méfier des étrangers.

– Je comprends très bien, père, et je ne m'éloignerai jamais de la maison ! Les hyrcanoï me font trop peur !

– Et ne t'approche pas non plus de la forêt... Sois toujours vigilante !

– Je le serai, père... promis.

C'était à cette première histoire d'hommes-loups, qu'elle avait entendue de la bouche de son père, que Phoebe avait pensé avant de quitter d'un bond son pot d'aisances en hurlant comme une démente. Bien sûr, tout le campement fut réveillé par ses exclamations de panique et ses avertissements farfelus.

– LES HYRCANOÏ ! LES HYRCANOÏ ATTAQUENT ! Ils nous entourent ! Je les ai vus ! Les hommes-loups ! La soupe d'enfants et les dactyles ! Ils sont partout ! Il faut partir avant qu'il ne soit trop tard !

– Mais tais-toi donc, pauvre gourde, ce ne sont que des loups ! M'as-tu entendu ? Ferme-la, grosse truie, ou je vais t'égorger ! cria le garde hoplite qui veillait près du feu.

Phoebe continua de hurler, et les tentes se vidèrent une à une de leurs soldats qui, en petite tenue et l'épée à la main, s'empressèrent pour les uns d'entourer Phoebe afin de la protéger, et pour les autres de se mettre en position de combat en scrutant les environs à la recherche de l'ennemi à affronter. Un autre peloton spécialement entraîné à contrer les attaques surprises entoura la tente de la princesse afin de parer à toute tentative d'enlèvement. Mais aucune attaque ne survint. Seul le cri d'un hibou troubla le silence de la nuit après que les hurlements des loups se furent tus.

– Quelqu'un peut m'expliquer ce qui se passe ici ? demanda le commandant en chef du convoi.

– Je suis désolé, c'est la gouvernante de la princesse Électra..., répondit le veilleur en baissant honteusement la tête. Elle est complètement folle... J'aurais dû l'assommer... Je suis désolé d'avoir laissé troubler votre sommeil par cette...

– Très bien, soldat ! coupa le commandant. Il y a certaines choses que l'on ne peut pas contrôler dans la vie... comme les femmes.

– Écoutez-moi ! lança Phoebe, encore tout énervée. À la lisière de la forêt, j'ai vu un loup se transformer en homme ! Devant mes yeux, la bête s'est d'abord mise sur ses pattes de derrière et a ensuite pris une apparence humaine. De toute évidence, il s'agissait d'un hyrcanoï sous l'influence de la magie d'une dactyle ! Et ces monstres se déplacent toujours en bande... En ce moment, ils doivent nous épier. Je sais qu'ils nous encerclent ! Il faut partir tout de suite ! Il faut rapidement fuir ce lieu ! Vous comprenez ? Il faut vite réagir ! Ce sont les hyrcanoï ! LES HYRCANOÏ !!!

– C'est tout ? soupira le commandant des hoplites. Vous nous avez réveillés pour ça ?!

– Non, ce n'est pas tout ! Ils sont là, partout autour de nous ! Les hyrcanoï nous attaqueront... Nous sommes sur leur territoire et... et...

– Et quoi ?!

– Et... et... et vous devez protéger la princesse !

– La princesse Électra est en danger, c'est ce que vous me dites ?

– Non, pas... pas encore, mais avec les hyrcanoï dans le coin... on ne sait jamais...

– Bon ! grogna le commandant en menaçant la gouvernante de son épée. La seule personne ici qui court un grave danger, c'est vous ! Ne vous avisez plus de réveiller mes hommes avec vos histoires d'hyrcanoï ou je vous couperai moi-même la langue. Vous vous plaignez sans cesse depuis notre départ de Byzance, et vos jérémiades commencent à me tomber sur les nerfs. Alors, retournez immédiatement dans vos quartiers et n'en sortez plus avant l'aube !

– Mais les hyrcanoï ?!

Le commandant inspira un bon coup pour se calmer, puis renvoya ses hommes au lit. Il saisit ensuite Phoebe par le bras et la conduisit d'un pas rapide à sa tente.

– Vous ouvrez encore une fois la bouche et je vous tue ! s'exclama-t-il avant de la pousser à l'intérieur.

Exactement comme le commandant le lui avait brutalement laissé entendre, Phoebe n'avait aucune raison de s'inquiéter. Ce n'était pas des hyrcanoï qu'elle avait vus, mais une meute de loups. Et, dans ce cas précis, il s'agissait d'une famille qui recueillait l'un des siens. Une mère louve avait retrouvé son fils et le ramenait à la tanière.

« Ils n'ont pas le droit de me traiter ainsi..., ragea intérieurement la grosse gouvernante en se glissant sous ses couvertures. Je me plaindrai à Héraclès de Byzance la prochaine fois que j'irai aux thermes, tiens ! Il a des relations et il ne fera qu'une bouchée de ces porcs ! »

Tandis que Phoebe ruminait sa vengeance contre les hoplites, Varka pénétrait dans la tanière de son enfance. L'endroit n'avait pas changé. Le refuge avait été creusé sous un immense chêne bien enraciné au centre d'une petite clairière, non loin d'un ruisseau aux reflets argentés. C'était l'endroit rêvé pour élever de jeunes loups, et peut-être aussi pour voir grandir un enfant.

Toujours très faible à cause de ses blessures, Varka se recroquevilla sur le sol frais et s'endormit rapidement. Pour la première fois depuis de nombreuses années, il ferma les yeux avec le sentiment d'être en parfaite sécurité. Près de ces bêtes, rien ne pourrait lui arriver.

La vieille louve s'était installée auprès de son fils adoptif pour lui lécher délicatement le visage. Elle s'occupa ensuite de désinfecter ses plaies en les noyant de salive, puis s'allongea contre lui pour le réchauffer. Si elle avait pu parler, elle lui aurait fait le récit de son arrivée dans la meute. À la manière d'un conte qu'on chuchote aux enfants pour les endormir, elle lui aurait expliqué ce qui avait fait de lui un loup ; quel moment extraordinaire avait été la découverte du panier d'osier qui avait été déposé au pied d'un grand chêne, et dans lequel il se trouvait avec son frère jumeau, ce frère qui avait été, plus tard, rejeté par la meute. La louve se rappelait qu'elle avait à peine eu le temps de regagner sa tanière avec le panier dans la gueule qu'elle accouchait de six louveteaux. Dans les heures qui avaient suivi, elle avait également nourri les deux enfants comme s'ils avaient été les siens, et ce, malgré l'appréhension manifestée par le chef de la meute, son compagnon. Bien qu'elles fussent différentes de ses autres rejetons, il avait fini par accepter la présence de ces deux petites créatures roses au pelage à jamais inexistant. Voilà ce que la louve aurait raconté à son fils prodigue si elle l'avait pu. Elle se contenta de poser la tête sur son épaule.

L'humain qu'elle avait jadis recueilli, et qui avait longtemps vécu ailleurs que dans sa tanière, n'avait rien perdu de son odeur animale. En léchant ses plaies, Maïcha devina qu'il était un loup dans l'âme, comme elle l'avait senti dès le premier jour. Avant qu'il ne s'endorme, elle s'était rendu compte qu'il avait toujours les mêmes yeux fureteurs et la même énergie que durant ses premières années passées auprès d'elle. Contrairement à ceux des autres humains, son cœur ne semblait pas s'être durci avec l'âge et son esprit était demeuré libre de toutes contraintes. En entendant les gargouillements incessants de son estomac affamé, la louve regretta de ne pas avoir de lait à lui donner. Elle aurait aimé sentir une dernière fois ce plaisir maternel, cette douce proximité qui l'avait déjà rendue si heureuse.

Depuis le jour où Varka avait quitté la meute, bien des choses avaient changé. Deux générations de chefs s'étaient succédé. La vieille louve avait vu mourir son compagnon de vie et presque tous ses enfants. Seuls subsistaient deux vieux loups nés de sa dernière portée, et qui ne pouvaient même plus chasser pour s'alimenter. La meute avait connu de bonnes et de mauvaises saisons, mais elle n'avait jamais dû changer de lieu de campement. La mort était souvent passée, mais elle avait toujours oublié d'emporter la vieille louve.

Se souvenait-il encore de ce que la meute lui avait enseigné ? se demandait Maïcha, plongée dans ses souvenirs. Son père adoptif, le chef du clan, lui avait tout appris de la chasse. Il lui avait enseigné à tuer les grosses proies durant l'hiver, afin de pouvoir conserver plus longtemps les bonnes quantités de viande, et à attraper le petit gibier et les rongeurs le reste de l'année, pour se nourrir de chair fraîche. L'homme se rappelait-il qu'il ne faut jamais poursuivre trop longtemps une proie afin de garder son énergie ? que les cerfs sont capables de défoncer le crâne d'un loup d'un seul coup de bois ? Savait-il encore qu'une meute doit s'attaquer aux individus faibles, blessés ou malades d'un troupeau, et qu'elle ne doit jamais s'attaquer aux humains pour éviter qu'ils ne se vengent ?

Bien sûr que Varka avait retenu tous ces enseignements qui avaient soutenu son instinct de survie. Parce qu'il avait maintes fois vu ses frères loups à l'action, il savait comment mettre à mort un cerf. Il connaissait la façon de tuer un mouton sans qu'il crie et savait comment se débarrasser d'un chien agressif en le saisissant à la gorge. Il savait comment marcher, le nez toujours dans le vent, à l'affût de l'odeur d'une éventuelle proie ou de celle d'un ennemi embusqué. Malgré tout ce temps passé loin des siens, Varka était encore capable de reconnaître les effluves laissés par certains animaux pour délimiter leur territoire. Depuis le jour où sa vie avait basculé dans l'esclavage, il avait su conserver son éducation et se rappelait les grands principes de la vie èn meute. S'il ne s'était pas retrouvé chez les humains, le garçon serait devenu un égal de ses frères louveteaux.

Son malheur était survenu à la fin d'un été particulièrement chaud. La meute, trop lasse pour chasser, lui avait alors confié la mission de rapporter tous les jours du poisson. Très doué pour la pêche à mains nues, Varka se rendait déjà régulièrement à la rivière et capturait en très peu de temps assez de nourriture pour satisfaire l'appétit de tous ses frères. Beaucoup moins accablé par la chaleur que les animaux, il s'acquitta de sa tâche et revint avec une grande quantité de poissons. Contente de lui, sa mère louve lui dit qu'il pouvait aller dans les bois. Libre dans la forêt, découvrant tantôt des petits fruits à se mettre sous la dent, tantôt des œufs de faisan à gober, il vit soudainement un faon bondir devant lui. Comme un véritable loup, il s'élança à sa poursuite.

De l'écume plein la bouche, le jeune garçon commença à poursuivre sa proie à travers une épaisse forêt de pins, tout comme il avait vu ses frères le faire tant de fois. Porté par le vent, il bondissait vers l'animal avec la ferme intention de rapporter de la viande à la meute. Tous ses sens en alerte, il respirait à pleins poumons l'odeur de sa victime. Tout en pensant à ses frères qui, grâce à l'agilité que leur donnaient leurs quatre pattes, à leurs griffes acérées et à leurs puissantes mâchoires, étaient beaucoup mieux adaptés que lui à la chasse, il fonçait aussi vite qu'il pouvait derrière la bête. Le poisson avait fait son temps, il fallait maintenant de la viande ! Et pas n'importe laquelle : la tendre chair d'un faon dont les viscères n'avaient pas encore l'âcreté de ceux du cerf adulte. Terminé pour lui, la chasse au petit gibier : le moment était venu de montrer sa valeur aux autres membres de la meute, de leur faire comprendre que, malgré ses handicaps, il était un loup capable de prendre sa place au sein du groupe.

À bout de souffle, mais toujours aussi motivé, l'enfant espérait s'approcher de sa proie afin de lui asséner un bon coup sur le sabot. Il devait déstabiliser le faon dans sa course s'il voulait par la suite le saisir à la gorge et lui planter ses dents dans le cou afin de boire son sang. Une fois l'animal au sol, le garçon aurait toutes les chances de parvenir à lui fracturer une patte ou encore à l'assommer avec une branche. Mais le faon courait devant lui et demeurait toujours insaisissable. Il semblait même se moquer de son poursuivant en bondissant de façon irrégulière, un peu comme s'il s'était agi d'un jeu. Sa petite queue dans le vent, il narguait le garçon haletant. De toute évidence, la course à quatre pattes donnait de meilleurs résultats durant une poursuite, mais, cela, le garçon-loup n'en avait pas conscience. Puis, au moment où ce dernier allait abandonner cette course inutile, une large crevasse vint barrer la route du cervidé.

Tel un oiseau, le jeune cerf franchit l'obstacle d'un bond et atterrit gracieusement de l'autre côté de la brèche. Il était trop tard pour reculer, l'enfant devait bondir ou essayer de se cramponner à une branche pour freiner son élan. C'est alors qu'il décida de jouer le tout pour le tout et qu'il s'élança de toutes ses forces dans le vide. Il espérait atteindre tout aussi facilement que sa proie l'autre côté de la crevasse, mais il n'avait pas sauté assez haut et son corps frappa violemment le bord de la fissure. Les jambes dans le vide et les mains agrippées à quelques touffes d'herbes, il tenta de remonter, mais n'y parvint pas. Il se sentit attiré vers le fond du gouffre et, malgré sa lutte acharnée, il finit par lâcher prise.

Le garçon alla s'écraser sur les gros rochers d'un ruisseau presque asséché. Toujours conscient, mais le souffle coupé, il eut l'impression que tous les os de son corps venaient de se fracasser. Il essaya de respirer, mais ses poumons refusaient de s'activer. Plus que certain qu'il allait mourir, l'enfant-loup regarda le ciel une dernière fois, puis ferma les yeux en pensant à ses frères loups et aux poissons qu'il ne pourrait leur rapporter.

Ce fut un éleveur de cochons à la recherche d'une de ses bêtes, qui s'était enfuie dans la forêt, qui trouva le jeune blessé et l'emmena chez le médecin du village. Le petit avait un bras et les deux jambes cassés, plusieurs côtes fracturées et une très vilaine plaie à la base du crâne. Après avoir immobilisé ses membres brisés avec des éclisses de bois, on le transporta chez l'éleveur de cochons en espérant qu'il survive à son malheureux accident. Durant de longues semaines, l'enfant demeura entre la vie et la mort, mais son exceptionnelle forme physique l'aida à remonter la pente, si bien que, bientôt, il se sentit assez fort pour se lever et marcher.

Pendant toute la période que dura la convalescence du rescapé, l'éleveur et sa femme ne purent que remarquer son comportement étrange. D'abord, il refusait toujours la viande ou le poisson cuits, mais il se jetait sur son assiette quand ces aliments étaient crus. Ensuite, il ne communiquait qu'en poussant des grognements, des petits cris et des aboiements, selon son humeur ou ses besoins. Par une nuit de pleine lune, alors que le garçon s'était mis à hurler comme un loup, l'éleveur eut de sérieux doutes sur sa santé mentale et crut qu'il s'était heurté la tête plus violemment qu'on ne l'avait pensé.

Au bout d'un certain temps, les craintes de l'homme se confirmèrent: Varka n'était pas un enfant normal. Lorsque, une fois rétabli, il put enfin sortir de la chaumière, les porcs eurent une peur bleue en le voyant. Les jours suivants, les choses ne s'améliorèrent pas. Dès qu'il s'approchait de leur enclos, les cochons se mettaient à crier comme s'ils faisaient face à un prédateur. Quand l'éleveur surprit l'enfant en train d'avaler un rat encore vivant, puis d'attaquer ses poules, ce fut le comble. Il décida que ce garçon n'avait rien à faire dans sa ferme et alla le vendre comme esclave dans un marché près de la mer Noire. C'est ainsi que le petit tomba entre les mains du Mésopotamien qui le baptisa « La Bête » et qui l'enferma dans une cage à cause de son tempérament fougueux. Au fil de ses voyages avec le Mésopotamien, son nouveau maître, il oublia ses origines dans la grande forêt du Nord et sa véritable famille, les loups.

Lorsqu'il rouvrit les yeux, Varka découvrit le corps inerte de sa vieille mère contre le sien. La louve était morte. Elle avait quitté le monde dans la chaleur de son fils enfin revenu à la tanière après tant d'années d'absence. N'eussent été les extraordinaires pouvoirs régénérateurs du lac de la montagne, on aurait pu croire qu'elle l'avait aimé au point de se faire oublier de la mort pour l'accueillir de nouveau parmi les siens.

Une larme coula sur la joue de Varka pendant qu'il serrait sa mère contre lui. La gorge nouée, il se rappela toute l'affection et la patience qu'elle lui avait montrées à lui, petit loup sans fourrure, qui grandissait et apprenait beaucoup plus lentement que les autres louveteaux. Pendant des mois et des mois, Maïcha avait mâché sa nourriture jusqu'à ce que ses dents aient poussé et qu'il puisse lui-même la mastiquer. Elle l'avait aussi protégé de ses frères souvent trop agressifs ou parfois même jaloux de l'attention particulière qu'elle lui portait. Et quel bonheur c'était de sentir cette langue chaude partout sur sa peau lorsqu'elle le lavait en fin de journée ! Quel réconfort pour le petit Varka de savoir que sa mère était toujours là pour lui, à le protéger et à le chérir !

Alors qu'il caressait une dernière fois le pelage cendré de sa mère louve, les doigts de Varka sentirent un cordon autour de son cou. Intrigué, il écarta le poil de l'animal et découvrit un vieux collier avec un pendentif de bois sur lequel étaient gravés de petits signes qui formaient un joli dessin. Ne sachant pas lire, le jeune homme se demanda ce que ces symboles pouvaient bien signifier, mais cela n'avait pas grande importance, car il était content de pouvoir garder un souvenir de sa mère. Sans le savoir, il venait de récupérer le bijou qu'avait confectionné celle qui l'avait mis au monde dans la prison du roi de Veliko Tarnovo, avant que celui-ci ne l'étrangle. Il portait maintenant à son cou les lettres qui constituaient son véritable nom, Avatah.

Diminué par ses blessures, Varka se traîna hors de la tanière. Aussitôt, le chef de la meute, un gros loup au thorax large et à la gueule impressionnante, s'avança vers lui. Les crocs découverts, il l'invitait à se mesurer à lui. Le museau pointé, les oreilles vers l'avant, le poil hérissé, les pattes tendues et la queue haute, l'animal voulait le défier. En réponse à cette invitation au combat, Varka se contenta de baisser les yeux et de fixer le sol quelques instants, après quoi il se laissa glisser par terre et resta couché sur le côté. Il indiquait ainsi au loup dominant qu'il se soumettait totalement à son autorité.

Le chef de la meute abandonna immédiatement son comportement agressif et alla renifler avec circonspection les aisselles, la bouche, puis le derrière de Varka. En signe de sujétion, l'homme lécha le museau du loup et, pour lui prouver qu'il ne voulait pas se battre, il leva la cuisse et laissa échapper quelques gouttes d'urine. Rapidement, le loup dominant comprit que l'homme ne représentait pas un danger pour son autorité et s'éloigna nonchalamment. Les autres bêtes s'approchèrent ensuite de Varka et le saluèrent en lui léchant le nez.

Une fois les politesses terminées, Varka retourna dans la tanière de la vieille louve et prit son corps dans ses bras. Il le déposa tout d'abord sur un rocher afin que tous puissent le voir, puis il le porta plus loin dans la forêt. L'ancien esclave étendit respectueusement sa mère sur un tapis de mousse, près d'un grand arbre. Avec tendresse, il lui caressa la tête tout en la remerciant pour l'amour qu'elle lui avait donné. Tous les loups, à tour de rôle, vinrent saluer le départ de leur doyenne. Même le chef, accompagné de sa famille, prit quelques instants pour lécher les oreilles de la défunte en signe de respect.

Lorsque les adieux furent faits, Varka revint dans la tanière de sa mère et s'y coucha. Il lui fallut plusieurs semaines pour se remettre de ses blessures et, surtout, de son chagrin.

IV

Héraclès de Byzance faisait les cent pas derrière la grande porte du stade. Depuis bientôt une semaine, le bâtiment était fermé à la population. Impatients, les citoyens de la ville, massés devant l'entrée, réclamaient leur champion. Le cadet du roi avait habitué le peuple à sa dose quotidienne de sensations fortes et, maintenant, les partisans étaient en manque. Seulement voilà, Varka, le roi du stade, s'était enfui et personne ne savait où il était. Jusqu'à présent, les recherches, menées dans le plus grand secret par les hommes d'Héraclès, avaient été infructueuses. On avait fouillé la ville de fond en comble, mais sans succès. Les villages tout autour de Byzance avaient eux aussi été passés au peigne fin. Encore là, rien. Pas la moindre trace ni même un tout petit indice constituant le début d'une piste à suivre. Tous ses hommes étant revenus bredouilles, Héraclès ne savait plus quoi faire pour combler le vide qu'avait laissé son étoile montante. Le champion semblait avoir pris le large pour de bon, et la population n'avalerait pas de sitôt un tel affront. Varka était devenu l'unique sujet de conversation dans toute la cité, et on voulait absolument le voir à l'entraînement.

– Ils vont tout défoncer, ces sauvages ! lança Héraclès en regardant, par une fenêtre du stade, la foule de plus en plus nerveuse. Si je leur raconte la vérité, ils vont me lapider… que dis-je, m'arracher les yeux et me faire griller sur le bûcher. Je dois trouver rapidement une solution afin de calmer cette grogne, mais quoi ?

Héraclès savait que de folles rumeurs circulaient dans la ville depuis la fuite de son champion et, du même coup, la fermeture complète des portes du stade. Certains disaient que Varka était très malade et qu'il allait bientôt mourir. Il s'agissait d'une rare maladie qui lui paralysait lentement le corps de la tête aux pieds. Un mal atroce dont on avait déjà vu les ravages chez des militaires revenus de lointains pays. D'autres prétendaient plutôt que les Spartiates avaient assassiné Varka afin qu'il ne participe pas aux Jeux. Mauvais perdants, les concurrents de Sparte ne voulaient pas prendre le risque d'être humiliés par un athlète tel que lui. Voilà pourquoi ils l'avaient fait empoisonner ! Et puis, les prêtres, grands admirateurs du champion eux aussi, interrogeaient le ciel toutes les nuits afin de savoir si les dieux n'avaient pas décidé de se liguer contre le grand athlète de Byzance. Ces sages savaient que les divinités n'aimaient pas beaucoup que les humains admirent avec autant de ferveur un autre mortel. Cette adulation faisait de l'ombre à leur grandeur ainsi qu'à leur puissance, mais surtout à leur orgueil.

Cependant, toutes ces théories étaient bien éloignées de la réalité qu'avait à camoufler Héraclès. Son protégé s'était tout simplement enfui, et jamais le peuple n'accepterait une telle explication. C'était une excuse trop facile, banale même, qui ne ferait que mettre davantage le feu aux poudres. Il était totalement illogique qu'un homme adulé par toute une ville puisse fuir ainsi, sans raison apparente et sans dire où il se rendait. Pourtant, c'était bien ce qui était arrivé.

– Le peuple s'impatiente, monsieur ! dit un des serviteurs d'Héraclès qui venait lui faire son rapport. Il veut absolument voir Varka…

– JE SAIS CE QUE LE PEUPLE DÉSIRE ! hurla le gros gaillard, à bout de nerfs. Malheureusement, je ne peux pas leur sortir un nouveau champion de mon chiton ! Je ne sais pas quoi leur dire, à ces excités qui s'entassent toujours plus nombreux devant le stade !

– Certains partisans menacent de revenir avec un bélier afin de défoncer la porte…

– EH BIEN, QU'ILS LA DÉFONCENT, CETTE FOUTUE PORTE ! cria Héraclès. J'APPELLERAI L'ARMÉE POUR PROTÉGER LE STADE, ET LES HOPLITES VIENDRONT METTRE DE L'ORDRE ! S'ILS VEULENT UN BAIN DE SANG, EH BIEN, ILS L'AURONT !

– Un messager du roi m'a demandé de vous dire que votre frère souhaite que vous rétablissiez la paix le plus rapidement possible… Il n'aime pas voir cette ville en proie à une telle…

– Qu'Hadès l'emporte, celui-là ! grogna Héraclès. Je ne me mêle pas de l'administration de son royaume, alors qu'il me fiche la paix dans mon stade ! Mon grand frère qui me demande de rétablir la paix ! Elle est bien bonne, celle-là ! Ce sale lâche qui a vendu sa propre fille aux Thraces ose me donner des ordres ! Cochon ! Bâtard ! Putois !

– Euh… que dois-je répondre, alors ? demanda timidement le serviteur.

Héraclès prit quelques secondes pour se calmer. Bien qu'il eût désiré plus de patience et de compréhension de la part de son frère le roi, il eut la sagesse de se ressaisir et de ne pas lui faire dire d'aller au diable.

– Dis à ce messager d'assurer à mon cher frère aîné que j'ai la situation bien en mains et qu'il n'aura plus, très bientôt, à endurer les cris de son peuple ! Retire-toi, maintenant, tu m'empêches de réfléchir.

– Très bien…, fit le serviteur en s'éclipsant. Il aura aujourd'hui même votre réponse.

Héraclès, encore bouillant de colère, donna un puissant coup de poing dans le mur en jetant un cri de rage. Les dents serrées, il respira un bon coup, puis jeta encore un coup d'œil par la fenêtre du stade. Une foule d'admirateurs en furie scandaient des slogans hostiles et chahutaient comme des enfants gâtés. Ils portaient des paniers remplis de tomates et d'œufs pourris, ainsi que de salades flétries dont ils comptaient se servir comme de munitions si jamais l'armée intervenait.

« Ils ne partiront pas de là avant d'avoir vu leur champion, pensa Héraclès, en proie au désespoir. Grâce à moi, Varka est rapidement devenu un héros, et le peuple ne voudra jamais entendre la vérité. Je paie aujourd'hui le prix de mes mensonges. Encore une fois, je devrai leur mentir si je veux que cette ville retrouve un peu de calme… Je dois trouver rapidement une solution. »

Héraclès poussa un long soupir en songeant à toute sa gloire perdue. Lui qui avait rêvé de voir sa statue à côté de celle de son athlète se retrouvait maintenant avec un soulèvement populaire sur les bras. Au lieu des encouragements de son peuple, il recevait des insultes et des quolibets.

« Bon, réfléchis, Héraclès..., se dit-il en essayant de trouver un peu d'inspiration. Il me faut inventer une excuse solide pour justifier le départ de Varka, quelque chose qui satisfera le peuple tout en m'évitant la grogne des gens. Alors... si je considère que jamais ces manifestants ne croiront que leur champion s'est enfui en les abandonnant à quelques mois des Jeux et que je me ferai lyncher sur la place publique si j'ose leur dire cette vérité, je dois trouver une explication cohérente... »

Après quelques minutes de réflexion, Héraclès eut soudainement une révélation. Il avait enfin trouvé une explication que le peuple pourrait accepter. Un éclair de génie lui avait donné la solution : les responsables de la mort de Varka seraient les Perses ! Ces ennemis de longue date, dont les récentes tentatives de rapprochement ne suscitaient que méfiance parmi le peuple, seraient les parfaits boucs émissaires ! À Byzance, on ne tolérait ces gens, qu'on disait voleurs et menteurs, qu'en raison des magnifiques marchandises qu'ils importaient de Babylone. En dehors de leur travail, ils n'avaient pas droit à plus de respect que les vipères et les scorpions. D'ailleurs, ils étaient tous confinés dans des baraques de bois sur les quais et ne s'aventuraient que très rarement dans la ville. De peur qu'on les insulte ou qu'on leur lance des pierres, ils vivaient entre eux et ne cherchaient pas à s'intégrer.

Séduit par son idée, Héraclès sourit, puis se rendit à son bureau en soupirant de soulagement. Ragaillardi, il déroula un grand papyrus et s'assit, plume à la main, pour prendre quelques notes.

« Je dois être direct et convaincant, se dit-il en cherchant les premiers mots de son allocution. Mais aussi très émotif et rempli de remords... Et si je commençais par "Pardonnez-moi"?... Oui, c'est excellent comme introduction ! »

Une fois sa tâche terminée, Héraclès lut son discours à haute voix et y fit quelques modifications pour ajouter plus de poids à ses propos. À l'extérieur, la manifestation battait son plein. Les partisans de Varka criaient leur revendication encore plus fort, et les tomates pourries volaient de tous les côtés. C'est en espérant impressionner suffisamment la plèbe pour rediriger sa colère vers les Perses que l'ancien entraîneur se composa une mine abominable et quitta son bureau, son discours roulé sous le bras.

Contre toute attente, Héraclès de Byzance demanda à ses hommes qu'on ouvre les portes du stade. Le peuple avait besoin de savoir ce qu'il était advenu de son champion.

La joie que les Byzantins ressentirent en voyant enfin les grandes portes s'ouvrir fut vite étouffée par l'arrivée d'Héraclès. Son visage d'une exceptionnelle gravité produisit sur eux l'effet voulu. De toute évidence, il allait annoncer un grave malheur. Un angoissant murmure parcourut l'assistance.

Pour rendre le spectacle plus émouvant, Héraclès essuya une larme du revers de la main, puis il leva un bras vers le ciel pour demander le silence. Aussitôt, la foule se tut. On pouvait maintenant entendre une mouche voler. Tel un oracle qui s'apprête à dévoiler un mauvais présage, Héraclès déroula lentement son papyrus, toussota pour s'éclaircir la voix, puis commença son discours :

– Pardon, mes amis, pardonnez-moi de vous avoir déçus... Vous aviez mis en moi votre confiance, et voilà qu'aujourd'hui je faillis à mon devoir. Pardonnez-moi.

Un chuchotement se répandit dans la foule qui voyait se confirmer le drame qu'elle pressentait déjà.

– J'aurais dû savoir... J'aurais dû prévoir..., continua Héraclès. Il est de notoriété publique que les plus beaux joyaux excitent inévitablement la jalousie. Eh bien, en ce jour funeste, nous venons de perdre notre plus beau trésor... Oui, mes amis... oui, mes frères et mes sœurs... Varka est décédé. Notre champion est... il est... mort !

La dure fatalité venait de s'abattre sur Byzance. Cette révélation glaça le sang de l'assistance qui, le souffle coupé, n'émit qu'une sourde exclamation. Personne n'en croyait ses oreilles.

– Pardonnez-moi, car il était de ma responsabilité de vous informer immédiatement des circonstances du drame qui a emporté notre champion. J'aurais dû vous le dire avant, vous éclairer bien plus tôt sur ce grand malheur, mais je ne le pouvais pas. Mes hommes et moi menions l'enquête pour élucider le mystère de cet... de cet assassinat! Oui, vous avez bien compris, notre Varka a été lâchement ASSASSINÉ!

Électrochoc chez les spectateurs! Leur champion, victime d'un meurtre?! Mais pourquoi? Et qui l'avait tué? Devant le stade, la foule commençait maintenant à bouillir, à s'indigner. Tel un animal sauvage qui se réveille affamé après un somme, la plèbe grognait en attendant des explications.

– Après enquête, nous en sommes venus à la conclusion que..., continua Héraclès, la gorge faussement nouée par l'émotion. Pardonnez-moi... je suis dans tous mes états... Donc, après enquête, nous en sommes venus à la conclusion que notre champion a été empoisonné par les membres d'une secte maudite, qui ont trahi la confiance que nous leur avions accordée. En effet, les nomades du désert de l'Est, qu'on appelle «les adorateurs d'Iblis», à qui nous avions permis de prendre part à nos Jeux, auraient subtilement empoisonné Varka afin d'avantager leurs propres athlètes... Mais la question que nous devons aujourd'hui nous poser est celle-ci: Qui se cache vraiment derrière la secte de meurtriers qui nous prive aujourd'hui de notre champion? Eh bien, la réponse est simple: il s'agit de l'empire des Perses de Babylone! Nous possédons les preuves de leur implication dans ce complot!

La colère se répandit parmi les citoyens. Enfin, ils avaient quelque chose à se mettre sous la dent. Encore une fois, ces chiens galeux de Perses avaient comploté dans leur dos. Depuis toujours, ces vipères du désert voulaient briser les Byzantins et s'emparer de leur ville. Voilà maintenant qu'ils attaquaient directement l'âme de la population en sabotant l'idéal olympique. C'était la goutte de trop, celle qui fait déborder le vase. Sur toutes les lèvres, on pouvait lire le même mot: vengeance.

– S'il y a quelqu'un à blâmer ici... eh bien, c'est moi! s'exclama Héraclès dans un dernier effort de manipulation. J'ai voulu ouvrir les Jeux, nos Jeux, à des gens que je croyais être nos amis et j'ai manqué de vigilance à leur égard. Je portais en moi un rêve de paix à travers un idéal sportif de dépassement et d'accomplissement et… et j'ai échoué. Jamais je n'aurais cru que ces traîtres d'adorateurs d'Iblis s'étaient acoquinés avec les Perses… Jamais je ne les aurais crus capables d'une telle bassesse ! Alors, pardonnez-moi ou lapidez-moi, car je suis responsable de la mort de Varka… J'ai manqué à mon devoir ! Je mérite votre courroux !

– Brave Héraclès ! cria un manifestant dans la foule. Tu n'y es pour rien, car tes intentions étaient nobles et ton cœur est pur ! Ce sont les Perses qu'il faut blâmer pour ce crime !

Comme un tonnerre qui gronde, le peuple applaudit à tout rompre les sages paroles de l'inconnu.

– NON ! C'est ma faute, tout est ma faute ! renchérit Héraclès qui, se prenant à son propre jeu, devenait encore plus émotif. Varka est mort parce que j'ai laissé s'introduire dans le stade des gens qui ne méritaient pas ma confiance ! Comme un mauvais boxeur, j'ai baissé ma garde et j'ai été durement frappé. J'aurais dû savoir ! J'aurais dû prévoir !

– On ne peut jamais prévoir ce que feront les Perses ! hurla un autre spectateur. Ce sont des animaux incapables de respecter leur parole !

– Ce ne sont pas des hommes ! cria un autre. Ce sont des chiens qui méritent d'être égorgés !

– On nous a volé notre champion ! scandèrent plusieurs excités.

– Allons-nous demeurer les bras croisés, sans rien faire ? ! lança un hoplite en levant son épée.

– Si les Perses veulent la guerre, ils vont l'avoir ! renchérirent quelques braves.

Depuis de nombreuses années, les relations diplomatiques plus détendues entre les Perses et les Grecs avaient amené des marchands et des familles babyloniennes à s'installer à Byzance. Tolérés par les autorités, ces immigrants faisaient du commerce pour survivre et offraient à une clientèle diversifiée des produits venant des lointains royaumes du Tigre et de l'Euphrate. Gagnant difficilement leur vie, ils proposaient dans leurs échoppes de magnifiques tissus que plusieurs femmes de la haute société faisaient acheter en secret par leurs servantes afin de les transformer en délicates robes d'été ou en toilettes de soirée. Les hommes y trouvaient des armes étranges dont les fameux djambiyas, des poignards à la lame courbée, typiques des contrées du Sud. Ces armes au fourreau abondamment décoré avaient la cote auprès des soldats qui les portaient comme parures les jours où ils n'étaient pas de service.

La population byzantine méprisait ces commerçants venus du désert, en qui elle n'avait pas confiance. On les traitait souvent de canailles et, chaque fois qu'un crime était commis dans la ville, c'était toujours eux qu'on soupçonnait les premiers. Dans une ville portuaire aussi grande que Byzance, les échanges commerciaux constituaient la pierre angulaire du développement et, même si les Perses avaient été jadis de farouches ennemis, ils y avaient tout de même un comptoir commercial qui rapportait à la cité d'importantes sommes d'argent.

La foule en colère se dirigea d'un bloc vers les bas quartiers de la ville où se trouvaient le port et le marché aux poissons. C'est là, sur cet inoffensif comptoir du port, que la foule déchargea en tout premier lieu sa colère et sa frustration. On s'empressa de l'encercler pour ensuite y mettre le feu. Lorsque le propriétaire, déjà fort occupé sur un bateau de marchandises, accourut pour voir ce qui se passait, les Byzantins l'assommèrent violemment et, sous un tonnerre d'applaudissements, le lancèrent vivant dans le brasier. Le pauvre homme reprit conscience en hurlant alors que les flammes lui dévoraient la peau. Stimulé par son instinct de survie, il réussit dans un ultime effort à s'extirper du brasier. La torche humaine qu'il était devenu se lança à l'eau. Mais il fut vite avalé par la mer et ne remonta pas à la surface. À peine cette première exécution terminée, la foule, emportée, en réclama une autre pour venger la mort du champion. Le sang par le sang, voilà ce que voulait le peuple.

Devant une émeute aussi violente, les hoplites de la cité se firent discrets et ne tentèrent pas de calmer ou de repousser la foule. Les ordres du commandant étaient clairs : « Personne ne bouge tant qu'ils s'en prennent aux Perses. Si le soulèvement se déplace ailleurs dans la ville et que des indociles tournent leur hostilité vers des propriétés byzantines, l'armée interviendra. »

Ainsi, la voie était libre pour que le peuple se fasse lui-même justice et commette les pires atrocités.

Dans leur soif de vengeance, les émeutiers pillèrent les commerces des Perses, puis saccagèrent tout à l'intérieur. Des familles entières furent entraînées sur les quais où l'on décapita publiquement les hommes. Sous les rires déments des agitateurs survoltés, les femmes et les enfants furent dévêtus et jetés à la mer. En les regardant se débattre dans l'eau, les Byzantins les moins scrupuleux prirent des paris sur les enfants qui réussiraient à nager le plus longtemps avant de couler. Que de rires et de joyeux cris en regardant ces petits rats tenter de maintenir leur tête hors de l'eau ! Quel plaisir de les voir humiliés, si inoffensifs et apeurés !

La vindicte populaire avait frappé d'innocentes victimes, et les Byzantins se sentaient maintenant vengés. Œil pour œil, dent pour dent. Les Perses avaient tué leur champion et, pour les punir, on les avait fait disparaître de la ville. S'ils avaient pu mettre le feu à la grande Babylone et exécuter tous ses habitants pour calmer leur rage, les Byzantins l'auraient fait sans se questionner. Heureusement, la capitale persane était beaucoup trop loin. Aujourd'hui, on avait fait le maximum pour débarrasser la cité de ces vermines du désert. Quelle agréable libération ! La colère était maintenant passée. Les habitants de Byzance seraient bientôt prêts pour les funérailles de leur champion ; ils seraient là pour rendre un dernier hommage au grand athlète, à Varka, qui les avait quittés trop rapidement.

V

Depuis quelques jours, Varka tournait en rond dans le camp des loups. Guéri de ses blessures, il ne savait pas comment aider la meute dans ses tâches quotidiennes. Il avait bien retiré des épines de la patte d'un de ses frères et volé quelques œufs de pie pour gâter les jeunes louveteaux, mais il ne faisait rien de vraiment utile pour servir les siens. En dehors de ces moments où il regardait sa pierre verte en espérant y voir réapparaître l'image de sa bien-aimée, ses journées étaient monotones. Il demeurait de longues heures assis au même endroit et admirait les arbres en silence. Parfois, il s'éloignait un peu du camp et marchait dans la forêt.

Varka se sentait comme un animal qu'on tolère, mais qui n'a pas encore mérité le respect de la meute. Le chef le maintenait toujours à l'écart et ne lui proposait jamais de participer à la chasse. Alors que tous les autres loups dans la force de l'âge partaient la tête haute avec la mission de rapporter de la viande, Varka restait derrière avec les vieillards, les louves et les louveteaux. Bien sûr, il aurait pu chasser seul, de son côté, et rapporter malgré tout de quoi manger à la meute, mais cette initiative aurait été perçue comme un affront à l'autorité du chef. Une atteinte à son pouvoir qui l'aurait inévitablement mené à une bataille sanglante pour la désignation d'un nouveau meneur.

Un matin, alors que Varka était roulé en boule et qu'il admirait les arbres en soupirant d'ennui, le chef s'approcha et lui asséna quelques coups de museau derrière la tête. Le message était clair: il l'invitait à se joindre à la chasse. La bête contourna lentement l'homme et le regarda directement dans les yeux.

Instinctivement, celui-ci baissa la tête pour éviter de le défier. Le loup émit quelques grognements, puis frappa plusieurs fois le sol de sa patte. Varka savait qu'en le conviant ainsi, on lui témoignait un grand respect et une grande confiance. Il accepta aussitôt l'invitation en imitant le mouvement du chef. L'entente venait d'être scellée : un nouveau chasseur allait entrer dans le groupe. Varka savait qu'il devrait rapidement faire ses preuves, car les loups n'accordaient que très rarement une deuxième chance.

Il se leva et se dirigea vers les autres chasseurs. Aussitôt, le chef donna le signal, et la troupe bondit pour s'enfoncer dans la forêt. À ce moment, Varka comprit que, pour suivre ses frères à quatre pattes, il allait devoir courir comme jamais il ne l'avait fait. Plus qu'au stade ou à la course de Nosor Al Shaytan, sa performance déterminerait son statut au sein de la meute. Voilà qu'il allait participer à une épreuve bien plus ardue que toutes les compétitions olympiques, car mériter le respect des loups était nettement plus difficile qu'éblouir des gradins remplis de partisans byzantins.

Varka serra les poings, respira un bon coup, puis s'élança à toute vitesse derrière les loups.

Malgré l'épreuve, l'ancien esclave était plus vivant que jamais. L'odeur de la terre humide, de la mousse et des feuilles le propulsa des années en arrière alors que, gamin, il faisait la course en compagnie des autres louveteaux. Comme dans sa jeunesse, il était encore bon dernier, mais il tenait bon. Le souffle court et la langue pendante, le front en sueur et les pieds meurtris, Varka courait comme si sa vie en dépendait. Il lui fallait absolument impressionner le chef et se tailler une place parmi ces chasseurs. Évitant les arbres et bondissant tel un cerf par-dessus les troncs, il était sans doute le plus rapide de tous les humains à cette épreuve. Seulement voilà, le plus rapide de tous les hommes n'arrivait même pas à la cheville du plus lent de tous les loups ! Malgré tous ses efforts, Varka ne parvint pas à tenir le rythme et rejoignit enfin les siens de longues minutes après qu'ils eurent arrêté leur course non loin d'une proie.

Complètement épuisé, il tomba mollement à genoux aux pieds du chef de la meute. L'homme exhalait une odeur si forte qu'il risquait de faire fuir tous les animaux de cette partie de la forêt. Le mâle dominant, peu impressionné par la résistance de son nouveau chasseur, se contenta de soupirer avant d'indiquer à la meute un vieux sanglier qui broutait dans une clairière. Celui-ci devait être sourd, car il continuait à paître sans se soucier de la respiration bruyante de Varka. Le chef des loups ordonna à trois de ses chasseurs de se diriger discrètement vers la proie afin de la surprendre. Les autres, sous son commandement, encercleraient le sanglier pour prévenir sa fuite. Évidemment, Varka ne fut pas invité à se joindre au groupe. Le chef l'avait déjà jugé incapable. De toute évidence, cet homme était un trop mauvais coureur pour tenir le rythme contre un sanglier.

D'instinct, Varka sut qu'il avait déçu la meute et qu'il ne serait plus jamais invité à la chasse. Les poings serrés et l'âme déchirée par cette défaite, il chercha rapidement un moyen de montrer sa valeur et de regagner l'estime des siens. Après tout, il avait d'autres qualités plus surprenantes que sa capacité de courir. Mais il fallait agir vite afin que le chef change tout de suite d'opinion à son sujet !

C'est alors qu'il vit, tout près de lui, un arbre mort entièrement desséché. Le destin venait peut-être de lui offrir une chance de se rattraper. Rapidement, Varka cassa une longue branche et s'en fit un javelot de fortune. Lui qui avait déjà établi plusieurs records de lancer à Byzance arriverait peut-être à toucher le sanglier avant que ses frères ne s'élancent vers lui. Tuer la bête d'un coup, sans que ses compagnons n'aient de risques à prendre, lui semblait la solution idéale pour racheter sa piètre performance.

Et ce fut exactement ce qui se produisit ! Comme les loups allaient bondir pour se jeter sur le sanglier, la branche effilée de Varka fendit l'air et vint transpercer le corps de la bête qui s'effondra sur le sol avec un couinement de surprise. Le projectile traversa le cœur du porc sauvage, qui émit un dernier grognement avant de fermer les yeux. À ce moment, tous les loups se tournèrent vers Varka qui, juché sur un gros rocher, poussa un hurlement victorieux.

Les chasseurs de la première ligne s'approchèrent alors du corps de la proie pour s'assurer qu'elle était bien morte et, excités à l'idée de dévorer ce festin, attendirent l'arrivée du chef qui avait la priorité. Le loup dominant mangea le premier jusqu'à satiété, puis invita sa femelle, la seule louve du groupe, à faire de même. Ensuite, contre toute attente, il passa derrière Varka et le poussa du museau vers le festin. Le chef, reconnaissant, l'invitait à manger tout juste après sa femelle. Ce signe de grande considération enchanta Varka qui, soulagé de s'être racheté, détacha une cuisse de la bête avant de se mettre à l'écart pour manger. Comprenant qu'ils pouvaient maintenant se servir, les autres loups se ruèrent sur ce qui restait du cadavre et le déchiquetèrent.

La bouche pleine de sang chaud, Varka se réjouissait d'avoir pu montrer son savoir-faire. Même s'il courait moins vite que les loups, son indéniable talent de chasseur pouvait profiter à la meute. Aujourd'hui, il avait officiellement pris sa place parmi les siens et plus rien ne pourrait la lui enlever, sauf peut-être s'il avait à les abandonner afin de retrouver celle qu'il aimait, la jeune femme qui avait si longtemps habité sa pierre verte avant de s'en échapper. Elle était toujours là, dans un coin de son esprit, et ne quittait jamais totalement ses pensées. Mais comment la retrouver maintenant ? Où se cachait-elle dans ce vaste monde ? Pour la rejoindre, il aurait fallu à Varka un véritable museau de loup capable de repérer une odeur à des lieues à la ronde. Ainsi, il aurait pu déceler dans l'air un peu de son parfum si caractéristique et suivre sa piste. Cependant, ses capacités, en tant qu'humain, étaient bien limitées et il le regrettait amèrement. De toute évidence, même s'il était accepté comme un membre à part entière de la meute, Varka ne serait toujours qu'un homme, jamais un animal.

Content du premier repas qu'il avait lui-même chassé, il regagna le camp avec la meute. Tout au long du trajet, il porta la carcasse du sanglier sur ses épaules et l'offrit à son arrivée aux louves, aux louveteaux et aux vieillards. Habitué à la nourriture régurgitée, le reste de la meute fit un véritable festin de ces restes. En quelques heures, il ne resta plus un seul bout de peau ou d'os de l'animal. Tout avait été avalé avec appétit.

La nuit allait bientôt tomber lorsque le chef de la meute vint s'installer près de Varka pour regarder les étoiles. Par ce geste, le mâle dominant invitait son nouveau chasseur à hurler en sa compagnie. Le moment venu, l'homme et la bête uniraient leurs voix dans le même chant.

Un magnifique croissant de lune se levait déjà à l'horizon. La nuit était douce et chaude pour la saison. Varka ferma les yeux et repensa à ses années d'emprisonnement au service du Mésopotamien. Il se demanda ce que ce dernier était devenu et s'il travaillait encore à Çatal Höyük. Puis ses pensées glissèrent naturellement vers son second maître, Nosor Al Shaytan, et il espéra que rien de fâcheux ne lui était arrivé. En réalité, le Mésopotamien avait été assassiné et le nomade préparait un plan pour se venger du coup d'épée qui lui avait traversé le ventre. Mais Varka ne savait rien de tout cela ; il ne se rappelait même pas avoir attaqué Nosor le soir de sa capture près d'Héraclée. Pour l'ancien esclave, la vie loin des humains était devenue beaucoup plus simple et, malgré le fait qu'il pensait très souvent à sa bien-aimée, il ne voulait plus revenir parmi les hommes.

Comme il avait grandi parmi eux, Varka avait appris à comprendre le langage des loups et à en distinguer toutes les tonalités. Il savait que les aboiements, peu fréquents, mais grandement significatifs, constituaient un cri d'alarme ou de surprise. Les jappements aigus étaient un appel au jeu et un signe d'amitié, alors que les grondements, interprétés en fonction de leur ton et de leur intensité, portaient en eux toutes les nuances de l'agressivité, allant de la mise en garde jusqu'à la plus grande des fureurs. Pour Varka, toutefois, il n'y avait rien de plus beau et de plus exaltant que des loups hurlant à la lune après une partie de chasse. Jeune, il les avait souvent entendus. Par ce cérémonial, les membres de la meute remerciaient en chœur la terre de sa générosité et chantaient les merveilles du monde. Sous les étoiles, les airs débutaient par des notes graves et montaient en arpège jusqu'aux aiguës. Particulièrement poignants, ils étaient chargés d'une profonde mélancolie et pouvaient être entendus à des lieues à la ronde.

C'est ainsi que Varka, invité par le chef, joignit pour la première fois de sa vie sa voix à celles de ses frères et qu'il hurla, comme un vrai chasseur, sa prière aux étoiles. Assis le dos droit comme un mâle dominant et le nez pointé vers le ciel, l'ancien esclave fut rapidement gagné par la fierté d'être un loup et chanta sa joie d'être enfin de retour parmi les siens. Pendant de longues minutes, il cria avec les bêtes, puis s'arrêta lorsque le chef, fatigué par sa journée de chasse, quitta le chœur. Encore tout enivré par la mélodie de la meute, Varka s'accroupit près d'un arbre afin d'admirer de nouveau ses pierres.

Toujours content de les retrouver, il en plaça une entre son œil et la lune. La pierre bleue s'illumina de reflets dansants, mais, encore une fois, il ne vit aucune image apparaître à l'intérieur. Habitué à voir l'œil bienveillant du loup se former parmi mille étoiles, Varka soupira de déception et prit une autre pierre. Rien non plus dans la pierre verte où il avait l'habitude d'admirer la femme dont il était amoureux. C'était un peu normal qu'elle ne fût plus là, puisqu'elle s'était matérialisée dans le monde réel ! Seule la dernière pierre aux chatoiements rouges parsemés de petites lumières lui montra l'homme qu'il avait maintes fois regardé. Ce dernier avait le même visage que lui, mais il avait beaucoup plus de prestance, et ses traits étaient plus durs. Pour la première fois, Varka reconnut très clairement le visage de son frère. Comme s'il avait eu une révélation, tout devint clair dans son esprit. C'était lui, ce frère, l'autre loup, le rival qui, dans ses rêves, montait la louve près du lac. C'était lui que sa bien-aimée, la femme de la pierre verte, était allée rejoindre ! Elle était là, dans les bras de son jumeau, alors même que Varka se trouvait paralysé ici, dans les bois. Tout comme dans son rêve où il se voyait immobile dans les hautes herbes, l'ancien esclave comprit que s'il demeurait sans bouger, il perdrait définitivement la femme qu'il aimait au profit de ce frère insolent qui avait été chassé de la meute.

En effet, Hitovo, comme lui, avait grandi parmi les loups, mais il n'avait jamais perdu son arrogance d'homme. Pas assez fort pour s'adapter à son environnement, il était très souvent malade et il avait failli mourir plusieurs fois. Il était une source de préoccupations continuelles pour les autres membres de la meute et n'eût été la protection de la louve, il aurait rapidement été dévoré.

Hitovo regardait régulièrement les bêtes dans les yeux, attisant ainsi leur colère. Il s'amusait à leur arracher les poils de la queue et à leur donner des coups de pied. On aurait dit que le petit garçon ne comprenait rien à l'organisation sociale de la meute ni à l'ordre hiérarchique qu'il se devait de respecter. Hitovo semblait toujours vouloir en imposer aux loups et leur lançait des pierres à la moindre contrariété. Humain dans l'âme, il voulait être obéi de ceux qu'il considérait, malgré son jeune âge, comme des créatures inférieures. C'était un être dominant de nature qui n'avait pas sa place au sein d'une communauté comme celle des loups, organisée selon une hiérarchie très stricte. Le chef, patient comme un bon père ayant sur les bras une turbulente progéniture, avait essayé maintes fois de lui enseigner les bonnes manières jusqu'au jour où, rendu fou de rage par ses cris incessants et son irrespect des autres loups, il l'avait attrapé dans sa gueule et abandonné au bord d'une route de la forêt. C'était ainsi qu'Hitovo avait été recueilli par un groupe de rebelles vivant dans les bois. Il s'agissait d'un groupe de guerriers fanatiques des loups qui vouaient un culte à la déesse Börte Tchinö. Voilà comment Hitovo était tombé dans les mains des hyrcanoï et avait été élevé comme l'un des leurs.

Ses pierres toujours entre les doigts, Varka s'en voulut d'avoir laissé échapper la femme qu'il aimait, mais se convainquit qu'il n'était peut-être pas trop tard et qu'il la retrouverait bientôt. Posant les yeux une seconde fois sur la pierre rouge, il constata que la figure de son jumeau avait disparu. L'œil du loup dans la pierre bleue l'avait conduit à la liberté, la pierre verte lui avait donné une raison de vivre et la pierre rouge lui confirmait maintenant la présence d'un ennemi à vaincre.

Varka rangea ses pierres dans le petit sac de toile et les enterra dans le sol compact de la tanière de sa mère louve. Dès ce moment, il sut qu'elles ne lui serviraient plus à rien. La dernière image envolée, ces bouts de roche n'avaient plus de valeur.

Ce soir-là, Varka ferma les paupières en se disant qu'il devrait bientôt quitter la meute pour retrouver sa bien-aimée. Il serait contraint d'abandonner les siens pour la ravir à son frère et, du coup, tuer ce dernier. Une fois cette tâche accomplie, il reviendrait avec sa femme dans la forêt pour vivre auprès des loups le reste de sa vie. Le plan avait du sens, mais comment faire maintenant pour retrouver la trace de sa future épouse ?

VI

Il faisait encore nuit lorsque Varka ouvrit les yeux. La lune éclairait encore les bois, et ses frères loups fuyaient de tous les côtés en poussant de petits cris d'effroi. L'ancien esclave vit une vingtaine d'hommes munis de torches et de bâtons qui avançaient dans le camp de la meute. Sans se préoccuper outre mesure des animaux, ils semblaient vouloir encercler Varka.

Ces guerriers portaient un étrange maquillage qui assombrissait leur visage, et leur armure de cuir était couverte de lambeaux de fourrure. De longues peaux de loups, dont la gueule formait un casque, tombaient telles de longues capes sur leur dos. Rapides dans leurs mouvements, ils s'élancèrent comme prévu sur Varka avec l'intention très évidente de l'assommer. Ce qu'ils ignoraient en l'attaquant de la sorte, c'était que l'ancien esclave avait été entraîné pendant des mois à la lutte, au pancrace et à la boxe, et qu'il savait très bien se défendre.

Enragé comme un animal piégé, Varka n'attendit pas que ses assaillants portent le premier coup et il les attaqua avec férocité. Rapide et précis, il fractura d'un coup de pied la rotule de son premier adversaire. Le second et le troisième eurent respectivement le nez fracturé et trois doigts de la main cassés. Une poignée de sable dans les yeux du quatrième et une clé de bras qui disloqua l'épaule du cinquième firent reculer de quelques pas les guerriers encore debout. En quelques secondes, Varka avait mis hors d'état de nuire cinq valeureux combattants qui avaient pourtant fait maintes fois leurs preuves. Alors qu'une deuxième vague de courageux se préparait à foncer sur lui, une voix féminine à l'accent très prononcé ordonna que cesse le combat.

Sous le feu des torches, Varka vit une jolie femme aux longs cheveux roux, mais dont le visage reflétait une rage contenue, s'avancer prudemment vers lui. Elle portait une grande robe de lin souillée, de nombreux bijoux, des gris-gris et des amulettes ainsi qu'une couronne de branches d'aulnes où avaient été insérées quelques fleurs des bois. Maîtrisant sa colère, elle s'arrêta à quelques pas de Varka et lui lança :

– Te voilà de retour, chien ! Comment les loups ont-ils pu accepter au sein de leur meute un traître tel que toi ? Je croyais que ces bêtes avaient plus de noblesse et qu'elles refusaient de nourrir les charognards de ton espèce !

Varka, qui comprenait la langue des Grecs, mais qui ne maîtrisait pas le dialecte propre aux Thraces, demeura interdit devant la haine qui émanait de cette femme. Sur ses gardes, il ne répondit rien et se contenta de baisser les yeux pour signifier qu'il ne désirait pas se battre avec elle.

– Tu ne réponds rien ?! Es-tu devenu muet, sale porc ?! Tu as perdu ta langue, ou c'est la honte de nous avoir abandonnés qui te trouble ? Décidément, je t'ai connu beaucoup plus bavard !

Toujours aussi mal à l'aise, Varka regarda autour de lui afin de voir par où il pourrait fuir si les choses s'envenimaient davantage. Rapidement, il se fit mentalement un trajet jusqu'à la forêt. Pour y arriver, il aurait à tuer deux ou trois hommes. Ces gens, qu'il ne connaissait pas, songeaient peut-être à le capturer pour faire de lui un esclave. Maintenant qu'il était libre, jamais il ne se laisserait enchaîner de nouveau. Quoi qu'il en soit, il allait se battre jusqu'à la mort.

– Mais que se passe-t-il ? Tu ne me reconnais pas ? demanda la femme rousse d'un ton incrédule. Tu ne reconnais pas celle que tu as humiliée et jetée comme une vulgaire moins que rien ? Ne me dis pas que tu as déjà oublié ta femme, Hitovo ? Hitovo, regarde-moi lorsque je t'adresse la parole !

Varka, de plus en plus énervé par la tournure des événements, fit un signe de tête à la femme pour lui indiquer qu'il ne comprenait pas ce qu'elle lui disait. En réalité, il n'avait rien compris du tout à son charabia et n'attendait que le bon moment pour bondir vers la liberté.

– Ma foi, fit-elle en le regardant plus attentivement, mais… mais tu n'es pas Hitovo ! Tu lui ressembles tellement… c'est étonnant ! Qu'est-ce que tu portes, là… à ton cou ?

Maintenant plus intriguée que fâchée, la femme aux longs cheveux roux porta la main au pendentif que Varka avait trouvé autour du cou de sa mère louve. Elle le tourna entre ses doigts et y vit, écrit dans la langue ancestrale des dactyles, ces femmes mi-sorcières, mi-druides dont elle faisait partie, un nom : AVATAH.

– Mais qui es-tu, toi ? Et pourquoi portes-tu ce pendentif ?

Encore une fois, Varka se tut. Un peu plus rassuré en voyant que la femme avait changé de ton, il leva simplement les yeux. Il haussa ensuite légèrement les épaules afin de signifier qu'il ne comprenait rien à son dialecte.

– Tu parles la langue des hommes de Byzance ? lui demanda-t-elle dans un grec approximatif. Tu viens du Sud ?

Varka la regarda alors droit dans les yeux et sourit ; il comprenait enfin ce que la femme lui disait.

– Avatah, c'est ton nom ? C'est ainsi que tu t'appelles ? A-VA-TAH, c'est bien ton nom ?

L'ancien esclave fit un signe affirmatif de la tête. Il ne servait à rien de tenter d'expliquer à cette inconnue que son ancien maître, Nosor Al Shaytan, l'avait nommé Varka. Alors qu'il avait répondu presque toute sa vie au nom de « La Bête », avoir deux noms aujourd'hui lui faisait chaud au cœur. Si cette jolie femme voulait l'appeler Avatah, que grand bien lui fasse !

– Avatah ? fit la dactyle, perplexe. Cela veut dire « fils de la lune »… Mais comment es-tu arrivé jusqu'ici ?

L'ancien esclave qui avait compris sa question lui demanda, d'un signe, de patienter quelques instants. Il fit quelques pas et entra dans la tanière de sa mère louve. Rapidement, il gratta le sol et récupéra ses trois pierres. Croyant qu'il s'agissait, comme dans le conte de Nosor Al Shaytan, des larmes de la lune qui étaient tombées sur terre, il les présenta fièrement à la dactyle. Il n'était peut-être pas le fils de la lune, mais il possédait de ses larmes, et celles-ci l'avaient mené jusqu'à sa meute, jusque dans ces bois où il avait grandi.

Varka déposa dans la main de la femme la pierre bleue, après quoi, maladroitement, il dessina un œil sur le sable. Il montra ensuite les étoiles du ciel, puis retira de son petit sac la pierre verte. Dans un monologue de grognements et de jappements, il tenta d'expliquer qu'une jeune fille était apparue au centre de la pierre et qu'elle s'était un jour matérialisée. Ensuite, il lui donna la pierre rouge, mais il n'eut pas le temps de continuer ses explications. La femme interrompit d'un geste son incompréhensible histoire.

Les pierres dans la main, la dactyle eut soudainement un frisson. La prophétie de Börte Tchinö, le Loup bleu, se réalisait devant ses yeux. Depuis son plus jeune âge, elle avait espéré la voir s'accomplir de son vivant. Depuis l'aube des temps, les dactyles étaient les guides spirituels des hyrcanoï et préparaient le jour de l'apparition du premier des Râjâ, la réincarnation terrestre de Börte Tchinö. Sans le savoir, l'ancien esclave venait de confirmer à la dactyle qu'il était l'élu que ses semblables et elle attendaient depuis des siècles. En lui présentant les trois couleurs sacrées du culte des loups, il lui prouvait la véracité des enseignements les plus anciens.

L'effet que ces trois pierres de lune eurent sur la femme étonna grandement Avatah. Il la vit changer de couleur et devenir blanche comme un spectre. On aurait dit que son cœur s'était tout à coup arrêté de battre.

– Toi, que... que nous avons entendu et que... et que j'ai vu hurler avec les loups, balbutia la dactyle, stupéfaite, toi qui sembles vivre parmi la meute comme s'il s'agissait de ta famille, de tes proches... toi qui ne parles pas la langue des humains, mais comprends celle des animaux... toi qui es aussi rapide et aussi fort qu'un loup... es-tu celui que nous attendons ? Es-tu le premier des Râjâ ?

Comme unique réponse, Avatah, qui n'avait pas compris cette longue question, se contenta de tendre la main pour récupérer ses pierres. Aussitôt, la dactyle les lui rendit.

– Nous viens-tu des étoiles ? continua-t-elle, troublée. Tu es le Râjâ, n'est-ce pas ? Tu es celui qui unira l'homme et la bête dans un parfait équilibre ? Avatah, fils de la lune, donne-moi un indice... Dis-moi si tu es bien celui que nous attendons !

Encore une fois, Avatah ne saisit rien de ce que disait cette femme qui s'exprimait dans un byzantin plus qu'approximatif.

Il se contenta de la regarder et de sourire. Dans sa candeur, la dactyle crut voir un signe d'assentiment.

Les loups, qui avaient fui lors de l'arrivée soudaine des hyrcanoï, commençaient maintenant à rôder autour de leur camp. Très mécontents de ce brutal réveil, ils étaient agités et grognaient en montrant leurs dents, les babines retroussées. Le chef, un peu à l'écart de sa meute, lança un aboiement à l'intention d'Avatah. Cet avertissement signifiait que les loups désiraient regagner leur camp et qu'ils n'hésiteraient pas à attaquer bientôt.

– Tes frères s'impatientent, n'est-ce pas ? demanda la dactyle, encore dans un mauvais grec. Nous ferions mieux de quitter les lieux… Voudrais-tu nous accompagner ? Viens avec moi… Je t'en prie, viens…

Avatah hésita. La femme rousse lui tendait la main et l'invitait à quitter le camp avec elle. Que faire, rester ou partir ? Quitter les loups pour retrouver le monde des hommes ne lui plaisait pas trop. Pour une fois, il était heureux et respecté parmi les siens, mais, d'un autre côté, il devait retrouver la femme de la pierre verte. Jamais il ne réussirait à la retracer en demeurant avec la meute. Avatah avait un choix déterminant à faire et il devait prendre cette décision dans les prochaines secondes. Tout autour, les loups s'impatientaient.

– Accompagne-nous… J'aimerais te connaître davantage. Si tu es le Râjâ, tu reviendras parmi les loups… Tu seras le roi des humains et le roi des bêtes… Prends ma main et rejoins-nous. Mon peuple a besoin de toi… J'ai besoin de toi… Le monde entier te réclame.

L'ancien esclave soupira, puis, un peu à contrecœur, il choisit de suivre la femme. Malgré sa déception de quitter la meute, il consentit à prendre la main de la dactyle et à s'éloigner de ses frères. Avant de quitter les siens, il prit soin de leur faire savoir qu'il n'était pas en danger et qu'il suivait les humains de son plein gré. Le chef des loups lui répondit par un léger signe de tête, ce qui voulait dire qu'il avait la permission de partir.

La troupe des hyrcanoï s'enfonça dans la forêt, laissant ainsi aux loups le loisir de regagner leur lieu de repos.

Avatah marchait aux côtés de cette femme rousse, ignorant qu'il était en présence de l'une des plus puissantes femmes de l'ancien monde. En effet, les sorcières que l'on nommait dactyles étaient les dépositaires du savoir des très anciens cultes des premiers chamans. Elles étaient les gardiennes de la magie sacrée des forces surnaturelles qui unissaient le cosmos. Ces femmes, rouquines et ensorceleuses de mère en fille, vénéraient les forêts, les rivières, les lacs et les montagnes comme s'ils avaient été des idoles de marbre ou des temples. La nature, cette source inépuisable d'enseignements, leur fournissait tous les éléments nécessaires à la pratique de leur culte. Pour elles, le divin était en chaque être vivant et il agissait à travers toute chose, qu'elle soit animale, végétale ou minérale. C'est grâce à cette énergie, à cette vibration présente dans la vie qui s'épanouissait autour d'elles que ces sorcières arrivaient à intervenir directement sur la structure du monde. Ainsi, on disait que les dactyles étaient capables de changer les conditions climatiques, de faire croître du blé sur des sols arides, de se transformer en oiseaux pour voler jusque dans les nuages ou de se faire obéir des animaux sauvages de la forêt. Vivant recluses dans les bois, elles étaient les chefs de grandes communautés de marginaux qui avaient envie d'une vie plus riche au contact de la nature. Heureusement bien protégées par les hyrcanoï, de solides guerriers qui vénéraient les loups et étaient spécialement entraînés pour assurer leur protection, les dactyles pouvaient se concentrer presque exclusivement sur leurs pratiques chamaniques. Loin des villes fortifiées, elles possédaient des royaumes sans frontières allant du fin fond des mers jusqu'aux plus hautes montagnes. Comme elles n'avaient rien à protéger ou à défendre, ces femmes avaient la liberté dans une main et l'univers dans l'autre.

Comme un chien bien dressé, Avatah suivit la dactyle et ses hyrcanoï jusque dans leur village situé non loin du camp de la meute, tout juste de l'autre côté de la montagne, sur une pente douce et régulière. Il vit les premiers rayons du soleil éclairer ce petit hameau de huttes, très bien camouflé dans les arbres. Presque impossibles à distinguer pour un œil étranger, les maisons de bois, de feuilles et d'écorces avaient été brillamment bâties de façon à se fondre dans le paysage. Trottoirs de pierres et ponts suspendus reliaient entre eux les différents bâtiments dont l'un, plus grand que les autres, était construit à même les branches d'un gigantesque chêne centenaire. Un grand terrain d'entraînement pour le tir à l'arc était maintenant à l'abandon, envahi par le lierre et les fougères. Même chose pour la forge qui paraissait aussi avoir été désertée. Manifestement, les hyrcanoï ne faisaient plus la guerre depuis un bon moment, et ces installations ne servaient plus à rien. Malgré l'heure matinale, des enfants couraient entre les arbres pendant que quelques adultes étaient penchés sur leur potager. De gigantesques vignes soutenues par d'imposants treillis poussaient non loin d'un pressoir à raisins qui attendait patiemment les vendanges. Sans le savoir, Avatah marchait dans le village où avait grandi son frère jumeau.

Maintenant que la lumière du soleil inondait les lieux, il remarqua que les guerriers qui l'accompagnaient portaient des épées à la lame émoussée et que plusieurs d'entre eux manquaient d'exercice. Bedaines et bourrelets s'échappaient de leur armure de cuir, tandis que leurs muscles semblaient flasques et lourds. Pas étonnant qu'ils se soient si mal battus durant l'attaque de la nuit précédente. Aucun d'entre eux n'avait réussi à porter un seul coup à Avatah, et pour cause : ils avaient perdu la vitesse et l'agilité indispensables aux véritables combattants.

Quelques personnes, sortant de leur maison respective, dévisagèrent Avatah. Pour elles, il s'agissait non pas d'un nouvel arrivant, mais plutôt d'Hitovo le Chien, le grand roi de Veliko Tarnovo qui les avait abandonnés. Incrédules, plusieurs durent se pincer pour s'assurer qu'ils ne rêvaient pas.

Les gardiens du village, un peu secoués par la soudaine apparition de leur ancien chef, saluèrent le passage de la dactyle. Celle-ci marcha jusqu'à l'entrée d'une grotte dans laquelle elle invita Avatah à pénétrer. La femme demanda ensuite à deux de ses guerriers de rester à l'entrée pour assurer sa sécurité, puis donna congé aux autres.

En se glissant à l'intérieur de la grotte, Avatah découvrit avec surprise une grande pièce très luxueuse où foyer, chandelles et torches éclairaient de leur lumière vacillante des parois rocheuses recouvertes de milliers de dessins. Des meubles de grande valeur, des pièces de vaisselle en or et de somptueux coussins traînaient çà et là.

La dactyle s'approcha du feu où, dans un récipient de métal, bouillait de l'eau qu'elle versa dans un bol. Elle y ajouta quelques herbes avant de présenter la mixture à Avatah. Ce dernier accepta volontiers le breuvage et s'assit par terre, juste en face du feu. Il remarqua que la fumée s'évacuait par un trou pratiqué dans le plafond de la caverne.

– C'est Hitovo qui a taillé la pierre afin que l'air soit respirable à l'intérieur, dit la femme en appuyant sur chacun de ses mots pour essayer de se faire comprendre. Tu connais Hitovo, le souverain de Veliko Tarnovo? À quelques petites différences près, vous êtes presque identiques...

Encore une fois, Avatah ne comprit rien de ce qu'elle disait. Il ne fit même aucun effort pour essayer de communiquer avec elle. Il demeura sans bouger, les yeux fixés sur le feu. Près des flammes, il avait chaud et il était heureux. De plus, le breuvage aux herbes était délicieux.

– Je saurai bientôt qui tu es et pourquoi tu te trouves ici, fit la dactyle en caressant les cheveux d'Avatah. Je vois que ma petite mixture commence à faire effet. Tes paupières sont lourdes... On est si bien ici, n'est-ce pas?

L'ancien esclave bâilla une fois, puis une seconde et une troisième. Sans demander la permission à son hôtesse, il se leva, puis grimpa sur une paillasse où il se glissa sous une épaisse couverture. Il s'endormit rapidement, drogué par le breuvage. Quelques minutes plus tard, il ronflait comme un sonneur.

Lorsqu'elle fut certaine qu'il ne se réveillerait pas, la dactyle se rendit près du lit, retira la couverture, puis commença à l'examiner attentivement. Elle n'eut pas le temps de mener bien loin son enquête, car aussitôt elle entendit les raclements de gorge caractéristiques de sa mère.

– On raconte dans le village que tu as retrouvé Hitovo? dit une femme âgée en entrant avec empressement dans la grotte.

– Je ne sais pas encore qui il est, mère, répondit la jeune dactyle, un peu agacée par cette visite. Tiens donc, il a une marque derrière l'épaule!

– Si c'est lui, laisse-moi l'égorger de mes mains ! Ce prétentieux ne mérite pas mieux ! se fâcha la mère en s'approchant d'Avatah.

– Désolée de vous décevoir, mère, mais je ne crois pas qu'il s'agisse de notre ancien chef… Son visage est pareil à celui de…

– Ton ancien mari, tu veux dire ! Sois plus précise, s'il te plaît ! Hitovo était notre ancien chef de la garde… C'est toi qui mènes les hyrcanoï, pas ce misérable crapaud.

– Oui, oui, mère ! s'impatienta la fille. Alors, ce que je vous disais avant d'être interrompue, c'est qu'il porte une cicatrice en forme de salamandre. Regardez cette marque derrière son épaule, je crois qu…

– Laisse-moi voir… hum…, la coupa encore une fois la vieille femme. En effet, il s'agit de l'emblème des adorateurs d'Iblis… la salamandre de feu… ou la bête de braise, si tu préfères… hum… On dit que c'est la seule créature terrestre à vivre dans le feu et à se nourrir de tisons ardents !

– C'est bizarre, qu'il porte ce symbole… Les adorateurs d'Iblis vivent en Anatolie, n'est-ce pas ?

– C'est parce que cet homme est un esclave en fuite, ma fille…

– Ou un affranchi !

– Les nomades de l'Anatolie ne relâchent jamais leurs esclaves, ils les font travailler jusqu'à la mort ou ils les tuent quand ils commencent à s'affaiblir. Bon, bon… si je regarde les muscles de ses jambes et de ses doigts… Intéressant !

– Mais que voyez-vous, mère ?

– Le corps d'un homme qui a beaucoup souffert, mais qui possède une constitution hors du commun.

– Vous croyez qu'il s'agit de… ?

– Malgré ses traits tout à fait semblables à ceux de ton ancien mari, cet homme nous arrive tout droit des territoires perses, et il n'est définitivement pas le souverain de Veliko Tarnovo… Moi qui aurais bien aimé lui passer les mains autour du cou, me voilà déçue !

– Ne trouvez-vous pas étrange, alors, qu'ils aient le même visage ? Regardez son nez, mère… Voyez son front et ses lèvres !

Ce n'est pas un Perse qui se trouve devant vous. Regardez bien sa mâchoire... Il a les traits d'un Thrace, non?

– Et où as-tu trouvé ce pauvre malheureux?

– Avec la meute de la vieille Maïcha qui vit au sud de la montagne. Je l'ai entendu hurler avec les loups hier soir. Il semblait...

– Il hurlait avec les loups?! l'interrompit la vieille dactyle, surprise.

– Bien mieux, mère, il vivait avec eux! Nous l'avons surpris en train de dormir dans la tanière de Maïcha! La vieille louve n'y était plus, d'ailleurs...

– As-tu vu Maïcha près de lui?

– Non, mère, je viens de vous dire que la louve n'était pas là... Elle ne semblait pas se trouver avec la meute. Peut-être était-elle montée au lac.

– Impossible, ce n'est pas le moment de son bain.

– Si vous le dites..., répondit la femme, exaspérée par l'attitude déplaisante de sa mère. Après tout, vous êtes sûrement de bonnes amies, vous vous confiez probablement tous vos secrets!

– Dis-moi, tu l'as interrogé, cet énergumène, avant de l'amener ici? demanda la vieille femme qui ne releva pas la remarque de sa fille.

– J'ai essayé, mais c'était impossible, il ne parle pas notre langue... D'ailleurs, il ne parle pas du tout. Par contre, il semble comprendre quelques mots de byzantin.

– Toi-même, tu le parles tellement mal qu'il est normal que tu n'aies rien tiré de lui! Tu sais bien que personne n'arrive à te comprendre lorsque tu baragouines ce dialecte!

La jeune dactyle serra les dents, essayant de contenir sa rage. Sa mère ne manquait jamais une occasion de la rabrouer ou de l'humilier. Dès qu'elle le pouvait, elle lui balançait des piques qui lui hérissaient les poils. Et cette fâcheuse habitude s'amplifiait avec les années, surtout depuis qu'elle avait passé le flambeau à sa fille qui, désormais, dirigeait le village. On aurait dit que la vieille femme n'acceptait pas que sa remplaçante pût s'acquitter de ses fonctions avec succès.

– Un beau mystère ! Hum... alors, si je récapitule, réfléchit-elle tout haut, cet homme, qui a la même tête que notre ancien chef de la garde, porte dans le dos la marque d'une tribu perse, mais il comprend le grec byzantin... Il vit avec les loups comme s'il était un des leurs, dort dans la tanière de Maïcha et ne sait pas dire un mot. Il y a autre chose que je dois savoir ? Tu ne me caches rien ?

– Non... je ne vous cache rien, mère, et, oui, il y a autre chose à savoir, fit la jeune dactyle en sortant un petit sac de toile des loques que portait Avatah. Vous voyez ces pierres ? Les trois couleurs de Börte Tchinö... Le bleu pour le loup, le rouge pour le sang et...

– ... et le vert pour l'avenir, compléta la vieille femme. Oui, je connais la prophétie du Râjâ... Je connais le présage de celui qui doit faire l'unité entre la sagesse humaine et l'instinct animal... C'est même moi qui te l'ai enseigné !

– Alors, croyez-vous que... qu'il est celui que nous attendons ?

– Mais non ! s'exclama la mère en rigolant. Tu es complètement dans l'erreur, ma chère enfant ! C'est tout à fait farfelu ! Dis-moi, l'as-tu vu prendre la forme du Loup bleu ?

– Euh... non... mais je croyais que...

– Alors, pourquoi me poses-tu cette stupide question ? Dois-je te rafraîchir la mémoire, ma fille ? Encore une fois ! Dans les temps anciens, alors que le roi Lycaon, premier fils du souverain Pélasgos, régnait sur toute la terre, les dieux baissèrent leur regard vers lui et virent toute la sauvagerie dont il était capable. Accompagné de ses cinquante fils, tous plus méchants les uns que les autres, Lycaon n'avait aucun respect pour les autres hommes et encore moins pour les animaux, chassant et tuant pour son unique plaisir toute créature qu'il croisait sur sa route. La déesse Börte Tchinö décida un jour de lui rendre visite sous la forme d'une pauvre paysanne. Affirmant qu'elle connaissait le secret de l'immortalité, elle se fit inviter à la table royale. Mais Lycaon, qui se méfiait des dieux, eut l'effronterie de mettre dans la nourriture de son invitée de la chair humaine. La déesse détecta aussitôt l'infamie et repoussa son assiette avec une telle violence que le palais faillit s'effondrer. Hors d'elle,

elle foudroya le souverain et ses fils qui se transformèrent sur-le-champ en loups et elle les dispersa aux quatre coins du monde. C'est ainsi que les premiers loups vinrent au monde et qu'ils peuplèrent les forêts de leurs descendants. Lorsque nous prions la déesse, nous implorons en réalité le Loup bleu qui est la force primaire et primitive de Börte Tchinö... Bon, maintenant, les trois couleurs sont...

– MAIS TAISEZ-VOUS DONC ! JE SAIS TOUT CELA, MÈRE ! hurla la jeune dactyle, furieuse. Cela fait cent fois que vous me répétez la même histoire !

– JE SAIS, TU CONNAIS LES HISTOIRES ANCIENNES ! répliqua la mère sur le même ton. Mais je sais aussi qu'il est bon de te rafraîchir la mémoire, car ton cœur t'égare souvent, Séléné ! Tu croyais qu'Hitovo était le Râjâ parce que tu étais amoureuse de lui ! Et maintenant cet inconnu, arrivé d'on ne sait où, entre dans ta vie et te revoilà qui parles du Râjâ ! Ma fille, ce n'est pas sérieux...

– Je n'ai jamais pensé qu'Hitovo était le...

– Mais si ! Mais quelle mauvaise foi, ma fille ! L'amour t'égare et tu perds ton jugement !

La vieille dame avait raison. Séléné, inconsciemment, le savait aussi. Elle avait passionnément aimé Hitovo, et le feu brûlant de cet amour lui consumait encore l'âme. Aussitôt qu'elle avait posé les yeux sur lui la première fois, son cœur s'était emballé comme un cheval fou.

– Dès qu'il est arrivé au village, continua sa mère, tu l'as aimé...

– Comment pouvez-vous savoir ce qui se p...

– Ah, mais ferme-la, petite sotte ! Lorsque Ym'hur, son père adoptif, l'a trouvé dans les bois, tu avais six ans et lui, peut-être quatre ou cinq, et tu as TOUT DE SUITE DIT qu'il serait un jour l'homme de ta vie et le père de tes enfants. Tu étais haute comme trois pommes et tu parlais d'avoir une famille... Encore une chose que tu as ratée, ma fille.

– Vous êtes cruelle, mère, fit Séléné en se renfrognant.

– Non, ma fille, JE SUIS HONNÊTE...

Encore une fois, la vieille dactyle avait raison. Séléné aurait voulu fonder une famille avec cet homme fort comme deux et doué d'un charisme peu commun. Dans ses jeux d'enfant, Hitovo aimait se battre contre ses camarades et diriger des expéditions en forêt. Depuis son plus jeune âge, il était un véritable meneur. Ym'hur avait maintes fois raconté à la mère de Séléné comment il l'avait découvert, nu près d'un arbre, alors qu'il faisait une ronde dans la forêt. Le petit grognait comme une bête enragée et il avait essayé plusieurs fois de le mordre. C'était un vrai dur à cuire.

– Je suis honnête, mais cela ne m'empêche pas de comprendre ce que tu as vécu, Séléné. Hitovo était un homme charmant, mais surtout imprévisible ! Même tout petit, il avait une âme hors du commun… une âme instable et insoumise. C'est moi qui ai lu la première son nom, inscrit sur un petit pendentif de bois : Hitovo ! Le bras vengeur !

– Lui aussi porte un pendentif…, dit Séléné en montrant Avatah.

– Fils de la lune…, murmura la vieille femme en examinant le pendentif. Il ressemble en tous points à celui qu'Hitovo portait au cou lorsqu'il a été recueilli dans la forêt. Mais comment cela est-il possible ? À moins que… à moins qu'Avatah ne soit le frère jumeau d'Hitovo ! Ainsi, ils étaient deux enfants… deux frères, deux destins.

– Comprenez-vous, mère, pourquoi je crois qu'il est le Râjâ ? Je vois en lui tous les signes de la prophétie…

– Non, ce n'est pas le Râjâ, mais il fait partie du plan de Börte Tchinö. Il est un des maillons de la chaîne qui nous conduira au véritable Râjâ.

– Je ne crois pas, mère. Je crois qu'il est celui que nous attendons et je vous le prouverai ! Je célébrerai la cérémonie près du lac et vous verrez !

– Je t'interdis de faire cela…

– Je le ferai, que vous soyez d'accord ou non.

– Petite sotte ! Dans ce cas, Börte Tchinö te punira pour ton arrogance.

– Je suis prête à assumer les conséquences de mes actes.

– Eh bien, soit ! lança la vieille dactyle en se dirigeant vers la sortie de la grotte. Adieu !

Et elle quitta les lieux en pestant contre sa fille.

Séléné, enfin délivrée de sa mère, demeura seule avec Avatah. Émue par ce visage identique à celui de l'homme qu'elle aimait toujours, elle eut un élan de tendresse et lui caressa doucement les cheveux. Hitovo était parti depuis des années, mais la blessure de la séparation ne s'était jamais refermée. Tous les jours, elle pensait à lui, à leur bonheur perdu et aux enfants qu'ils auraient pu avoir.

Hitovo l'avait un jour quittée pour aller faire un peu de commerce à Veliko Tarnovo et il n'était pas revenu. La rumeur de son accession au trône avait atteint le village quelques semaines plus tard. Depuis, l'ancien hyrcanoï avait renié les siens et entrepris de vivre une nouvelle vie. Séléné cherchait encore des justifications à ce départ imprévu, mais ses questions demeuraient sans réponses.

VII

Perdu au milieu d'une contrée dont il ne connaissait pas la géographie et encore moins la langue, Sénosiris avançait jour après jour avec courage. L'estomac dans les talons, la tête lourde et le moral bien bas, le jeune garçon rêvait d'un morceau de viande à se mettre sous la dent. Lui qui détestait manger du crocodile et du serpent, des plats très prisés dans le royaume égyptien, il aurait tout donné aujourd'hui pour s'en remplir le ventre. S'il avait été plus grand et plus fort, il aurait pu tuer son bourricot afin de le faire cuire à la broche. Mais, heureusement pour la bête, Sénosiris n'était pas encore un homme et se sentait bien incapable de faire du mal à une mouche. L'âne pouvait donc paître en paix.

Pour oublier sa faim, Sénosiris étudiait les papyrus de son ancien maître et tentait de comprendre la configuration des étoiles dans le ciel. Loin d'être aussi nourrissantes qu'un bout de pain ou qu'une poignée de noix, les cartes du ciel lui permettaient néanmoins de porter son attention ailleurs que sur les gargouillis de son ventre.

– Bon, voici l'Ank, dit-il tout haut à son âne qui broutait paisiblement sous les étoiles. Tu vois, c'est le symbole de l'intelligence divine. Sa constellation rejoint le Ba, qui représente l'âme, mais aussi la capacité qu'ont les choses de se dédoubler, de changer de forme… Intéressant, n'est-ce pas ?

La bête continua à brouter sans lever la tête. Elle s'était habituée à entendre tous les jours les paroles de son jeune maître et trouvait le son de sa voix très rassurant. Pour l'animal, il s'agissait d'une douce mélodie aussi plaisante que le bruit du vent dans les feuilles, aussi apaisante que les vagues de la mer sur une plage.

Très absorbé par son analyse du ciel, le garçon continua:

– J'en déduis que si l'intelligence divine entre dans le domaine de l'âme, le Ka, qui représente la puissance de l'homme, en sera métamorphosé… Tu vois où je veux en venir? Je comprends maintenant pourquoi le maître était si content d'entreprendre ce voyage… Eh oui, on voit bien l'œil d'Osiris… Ah, c'est vraiment épatant!

La bête finit par lever la tête et, repue, souffla un bon coup par le nez pour évacuer le pollen de quelques fleurs qu'elle venait d'avaler. Si elle avait pu sourire, elle l'aurait fait.

– C'est cet indice, l'œil, qui a mis la puce à l'oreille de notre maître… Tu m'écoutes, bourrique? Nous allons à la rencontre d'un être de Maât, d'un humain d'exception réunissant en lui la stabilité et le chaos. Enfin, je mourrai peut-être de faim avant de le rencontrer, mais, au moins, j'aurai essayé…

Sénosiris avait tenté de se faire le plus intéressant possible, mais l'âne, dont les paupières s'alourdissaient un peu plus de seconde en seconde, ne l'écoutait plus. Le ventre plein, il sommeillait.

– C'est ça, dors et ne m'écoute pas! fit le garçon en observant la bête du coin de l'œil. Je vois bien que je ne t'intéresse pas du tout.

Même s'il savait très bien que son âne ne l'écoutait jamais, Sénosiris prenait plaisir à lui faire la conversation. C'était sa façon de briser sa solitude.

Maintenant seul avec ses calculs astrologiques, il saisit ses instruments de mesure et s'appliqua à relier les étoiles les unes aux autres. Son vieux maître lui avait appris que le monde se divisait en deux parties identiques. Il lui avait expliqué qu'au début des temps, les dieux avaient fait émerger la terre des eaux afin de séparer le royaume des morts, à l'est, de leurs résidences célestes, à l'ouest. Depuis ce jour, le passage du soleil était déterminant, puisqu'il naissait dans le royaume des ombres pour venir mourir chez les dieux. À chacun de ses voyages, l'astre du jour transportait avec lui les âmes des morts chez les dieux, leur permettant ainsi de se réincarner sur terre. Mais pour les astrologues et astronomes égyptiens, le passage du soleil venait chaque fois effacer toutes les étoiles du firmament que les dieux devaient ensuite replacer une à une. Les divinités en profitaient alors pour écrire sur la grande ardoise noire des cieux d'importants messages afin d'informer les hommes des événements à venir. C'était grâce aux étoiles et à la lune que les dieux s'adressaient aux seuls humains capables de décoder leur langage: les sages et les érudits. Cette science particulière demandait des années d'expérience et un nombre incalculable d'heures à regarder la voûte céleste. Très intelligent et fortement doué, Sénosiris commençait à bien reconnaître les signes du ciel. Bien qu'il eût encore besoin de s'exercer pour formuler des interprétations solides, il y voyait quand même les grandes tendances à venir.

« C'est fascinant de voir tous ces points célestes qui changent continuellement de place..., se dit-il en traçant avec sa règle un triangle dans la constellation de Börte Tchinö. Mais qu'est-ce que ce bruit ? ! »

Le garçon s'arrêta net et, d'un coup d'œil, parcourut la forêt obscure qui l'entourait. Il venait tout juste d'entendre un inquiétant craquement, le son très distinct d'une branche sèche qui se casse sous le poids d'un pied.

– Il y a quelqu'un ? cria-t-il en saisissant une des torches qu'il avait placées autour de sa charrette. Vous n'avez rien à craindre de moi ! Je suis un voyageur et je ne fais que passer ! Vous m'entendez ? Hou ! hou !

Bien qu'il sût très bien qu'il ne parlait pas la même langue que les habitants de cette contrée, Sénosiris espérait que son interlocuteur pût sentir la pureté de ses intentions. À ce moment, l'âne ouvrit brusquement les yeux, dressa les oreilles et commença à respirer nerveusement. L'animal, flairant un danger imminent, poussa quelques petits cris, puis y alla de grands braiments empreints de panique.

– Montrez-vous ! ordonna Sénosiris, le cœur battant et les jambes tremblantes. Je ne suis pas armé et je suis pauvre ! Je viens d'un lointain pays et je... et je n'ai rien d'intéressant pour vous... à moins que... à moins que...

Reflétant la lumière de la torche, deux grands yeux rouges apparurent entre les branches.

– ... à moins que vous soyez un... un loup ! termina le garçon en se raidissant. Ah non, je n'avais vraiment pas besoin de ça !

Sénosiris comprit qu'il ne lui servait maintenant plus à rien d'expliquer sa situation. La menace venait non pas d'un homme, mais d'une bête. Et l'animal en question était probablement aussi affamé que lui. D'autres craquements de pas se firent soudainement entendre tout autour de lui. Le garçon en déduisit que la bête n'était pas seule et que ses congénères avaient déjà entrepris d'entourer la charrette. Son âne s'agitait maintenant de plus en plus frénétiquement et brayait de frayeur.

Sénosiris tomba à genoux.

– Osiris, je connais ton nom et tu connais mon âme, marmonna-t-il tout bas, commençant ainsi sa dernière prière. Âme à la semence pure, âme aux chairs indemnes... Osiris, âme glorieuse et épanouie, âme magie, âme essence et âme mâle... fais que mon visage soit tourné vers la droite...

Les mouvements s'étaient accentués autour du jeune Égyptien. L'âne, encore plus affolé, se mit à ruer de tous les côtés afin de rompre la corde qui le maintenait attaché à la charrette. De toute évidence, les bêtes se rapprochaient de plus en plus. Malgré tout le remue-ménage que faisait la bourrique, Sénosiris pouvait suivre leurs déplacements dans l'épais feuillage. Ne sachant pas comment se défendre, il ferma les yeux et continua sa prière :

– Vive Râ, que meure le serpent, continua-t-il en urinant de terreur dans ses vêtements. Demeure ferme et ton ennemi sera renversé. Ô, Râ, tu mets la fête au ciel en tant qu'Adjy, ta barque est joie et ton cœur est réjoui...

Les yeux toujours bien fermés, à genoux dans l'herbe, le garçon entendit clairement les bêtes quitter les fourrés et s'avancer lentement vers lui. Un rapide calcul mental lui révéla qu'elles étaient au moins dix. Dix animaux affamés qui allaient bientôt se repaître de son corps. L'âne, un instant auparavant si paniqué, s'était maintenant tu et n'osait plus bouger. Un silence lourd, uniquement troublé par la marche lente des prédateurs vers leurs proies, était tombé sur les lieux.

– Fais que je parvienne au ciel de l'éternité, la région désertique des élus, pria avec ferveur le garçon, en sanglots. Que je rejoigne les bienheureux vénérables et éminents de l'empire des morts, Osiris... Râ... Isis et Thot... je t'adore quand tu te couches dans le Noum...

Un souffle chaud vint effleurer la joue de Sénosiris. La bête était là, juste à côté de lui. Elle lui respirait au visage. De toute évidence, ces créatures de la nuit allaient d'un instant à l'autre l'attaquer et le réduire en charpie.

« Je suis mort, pensa-t-il, résigné. Ça y est, je suis mort... C'est ainsi que je quitte aujourd'hui le monde... C'est le destin que les dieux ont choisi pour moi. Me voilà prêt pour le grand départ... J'espère que le maître ne sera pas trop déçu de constater que je ne suis pas parvenu à terminer ce voyage. »

Curieusement, une paix profonde envahit le garçon, et toute peur se dissipa. Il avait accepté son sort et voyait déjà Osiris ouvrir grand les bras afin de l'accueillir dans le royaume des morts. Comme son maître, il n'aurait pas de tombeau pour protéger son corps et, de ce fait, sa résurrection était plus qu'improbable, mais qu'à cela ne tienne, il était tout de même prêt pour le long voyage vers l'ouest, la longue route vers la terre des ombres.

Puis, alors qu'il s'attendait à ressentir l'atroce douleur d'une morsure au visage, Sénosiris eut plutôt l'agréable sensation d'une langue humide lui léchant le nez. Cette étrange caresse le fit sursauter. Intrigué, il ouvrit précautionneusement un œil et aperçut les deux yeux mouillés et la barbichette d'une mignonne petite chèvre. Soulagé, le jeune Égyptien sourit en se demandant comment l'horrible loup qu'il avait imaginé en train de le dévorer s'était miraculeusement transformé en une chèvre inoffensive. Ce n'est qu'après quelques instants qu'il réussit à se convaincre qu'aucun monstre assoiffé de sang ne l'avait attaqué.

Sénosiris tourna alors la tête et vit qu'un petit troupeau d'une dizaine de bêtes s'était agglutiné autour de sa charrette. L'une d'entre elles, effrontée, avait même commencé à grignoter un rouleau contenant des papyrus.

– Des chèvres ?! fit le garçon en poussant un soupir de soulagement. Que des chèvres... De petites chèvres inoffensives... Moi qui croyais que ces bêtes allaient me... Ô, grand Osiris, que des chèvres !

Il se laissa tomber face contre terre. Le nez dans l'herbe, il pleura de joie.

L'âne, qui était redevenu calme depuis un bon moment, rota un bon coup, puis ferma une seconde fois les yeux pour la nuit. Le bruit fit sursauter le pauvre Sénosiris qui bondit sur ses pieds, mais retomba aussi vite sur le sol, épuisé par les émotions qu'il venait d'avoir.

« Ce sont des chèvres, se répéta-t-il encore une bonne dizaine de fois avant de se retourner pour admirer les étoiles. Merci, Osiris, Thot et Isis, merci, Râ... Dès ce soir, je pourrai boire de leur lait et apaiser ma faim... Je pourrai aussi en vendre une si je trouve un village sur ma route... Je suis sauvé... Merci, Osiris, splendeur du Nil, merci de ta générosité. »

Après avoir passé de longues minutes à remercier le ciel, Sénosiris se leva enfin pour examiner ce cadeau des dieux. À la lueur de sa torche, il scruta chacune des bêtes afin de déceler des blessures, mais, heureusement, il ne trouva rien d'inquiétant. De toute évidence, les chèvres n'avaient pas été entretenues depuis un bon moment, et quelques parasites en avaient profité pour s'installer entre leurs poils. Encore là, rien de préoccupant. Un bon brossage et une mixture de fleurs d'hibiscus allaient rapidement régler ce petit problème.

Sénosiris remarqua qu'il y avait un certain temps que les bêtes n'avaient pas été traites. Leurs pis étaient énormes. Cet indice, ajouté à quelques petites plaies aux pattes, lui fit supposer que ce troupeau marchait depuis de nombreux jours dans la forêt. Perdues, les chèvres l'avaient certainement confondu avec leur berger et s'étaient approchées de lui dans l'espoir d'être secourues.

Affamé, le garçon prit un récipient et commença à les traire. Ce soir-là, il s'endormit rassasié de lait chaud et remercia encore une fois les forces célestes qui l'avaient secouru. Alors qu'il n'avait connu que des déboires depuis la mort de son maître, le voyage de Sénosiris vers Veliko Tarnovo prenait maintenant une nouvelle tournure.

VIII

Assurbanipal, roi et maître de Babylone et des royaumes perses du grand empire, se tenait debout devant le très humble Nosor Al Shaytan, prophète et ancien chef de clan des adorateurs d'Iblis.

– Est-il vrai que tu te prosternes depuis des jours entiers devant mon palais ? lui demanda-t-il. Mon serviteur m'a rapporté que tu dis vouloir mourir pour ma gloire ? Explique-toi, je suis curieux de t'entendre.

Nosor, épuisé par sa longue veille de plusieurs jours en face des portes du palais, leva péniblement la tête et vit le grand Assurbanipal. Le souverain avait de longs cheveux tressés de bandelettes dorées et une longue barbiche décorée de trois anneaux d'ivoire finement sculptés. Torse nu, il portait sur les épaules une large cape aux motifs très colorés ainsi qu'un pantalon bouffant noir. Le maquillage sombre qui cernait ses yeux conférait à son regard une intensité hors du commun.

– Tout ce que vous a rapporté votre serviteur est vrai, ô lumière de ce monde ! s'exclama Nosor en se prosternant de façon théâtrale. Je suis un misérable Anatolien, un petit prophète du peuple nomade d'Iblis, et je suis venu des contrées arides du désert afin de rendre gloire à votre immortalité.

– Est-ce tout ? soupira le roi qui s'attendait à une divertissante surprise.

– Non… non, ce n'est pas tout. Je viens aussi vous raconter une histoire…

– Une histoire ? ! fit le souverain, enchanté. Voilà qui est mieux ! J'espère que ton récit sera digne du temps que je consacre à l'écouter !

Assurbanipal fit un signe à un serviteur qui s'empressa d'installer Nosor sur un tout petit tapis, en face du gigantesque trône du souverain, avant de déposer une cruche d'eau tout juste à côté de lui. Nosor, assoiffé, en profita pour se désaltérer. Le nomade n'aurait pas deux chances de faire bonne impression au roi. Il se devait de frapper un bon coup s'il voulait mettre à exécution son plan pour se venger des Byzantins. Tout allait maintenant dépendre de sa performance.

– Connaissez-vous l'histoire des singes et du marchand de chapeaux ? demanda Nosor après s'être éclairci la voix.

– Non, prophète ! Je ne connais pas cette histoire... Raconte, tu m'intrigues !

– Alors, laissez-moi le plaisir de vous parler de ce marchand de chapeaux très spécial, commença Nosor avec un large sourire qui dévoila ses dents en or. Comme tous les marchands, c'était un homme simple qui aimait la vie et travaillait durement tous les jours pour fabriquer de magnifiques chapeaux qu'il vendait de marché en marché, de village en village, de ville en ville...

– Et de pays en pays ! fit le roi, amusé. Et ce marchand, connaissait-il mon nom et toute la majesté de mon empire ?

– Évidemment ! s'exclama Nosor. C'était un Babylonien !!!

– J'aime cette histoire, elle commence très bien !

– Alors, voilà qu'un jour, durant un de ses nombreux voyages, notre marchand babylonien s'arrêta au bord d'une rivière pour y faire la sieste à l'ombre de grands arbres. Il n'était pas dans ses habitudes de dormir n'importe où, mais l'après-midi était particulièrement chaud, et notre homme avait besoin de repos.

– Je comprends ce marchand, lança le roi. Moi-même, il m'arrive de faire la sieste l'après-midi lorsque le soleil frappe trop durement la cité. C'était un sage marchand !

– Sage, oui..., confirma Nosor, mais quand même un peu imprudent. Car, pendant son sommeil, voilà qu'un groupe de singes descendit des arbres et lui vola ses chapeaux. Les cris de joie de ces petits démons alarmèrent notre marchand qui se rendit vite compte, en frottant ses yeux ensommeillés, que tous ses couvre-chefs volaient d'arbre en arbre.

– Ah ! malheur à ces singes ! s'indigna le roi. Pauvre homme... je le plains.

– Maintenant bien réveillé, le marchand tenta du mieux qu'il le put d'appeler les singes ! Il leur demanda gentiment de descendre, mais ils se moquèrent de lui. Devant tant d'indiscipline, l'homme en vint rapidement à les menacer de son poignard, mais rien n'y fit. Les petites bêtes continuaient à s'amuser avec les chapeaux sans se préoccuper réellement de lui. Comme ultime solution, le marchand désespéré leur lança des pierres afin de les obliger à descendre de leur perchoir. Encore une fois, ce fut un échec…

– Cet homme aurait dû savoir qu'en leur lançant des pierres, il ne faisait que les exciter davantage ! s'écria Assurbanipal qui adorait manifestement cette histoire. Je ne doute pas que ces singes se soient bien moqués de lui ! Cet homme était peut-être un bon chapelier, mais il n'était pas très futé…

– Exactement ! Vous avez tout à fait raison ! répondit Nosor qui avait toute l'attention du roi. Dans ce cas précis, la colère avait remplacé la sagesse, et rien ne semblait indiquer que le marchand allait un jour récupérer son bien. C'est alors que passa près de lui un mendiant. Il demanda au commerçant pourquoi il excitait ainsi ces pauvres animaux, et celui-ci lui raconta son histoire. Après avoir écouté attentivement le récit, le vagabond, qui portait lui-même un chapeau, éclata d'un rire bien sonore, puis attira l'attention des singes en hurlant quelques mots incompréhensibles. Une fois que tous les yeux des petites bêtes furent fixés sur lui, il retira son chapeau, cracha à l'intérieur et le lança dans la rivière. Aussitôt, les singes excités imitèrent son geste, et tous les chapeaux du marchand se retrouvèrent à l'eau.

– Excellent ! jubila Assurbanipal en rigolant et en se frappant sur les cuisses. Ainsi, le marchand put récupérer ses chapeaux, les faire sécher et continuer sa route, c'est bien cela ? Quelle magnifique ruse !

– En effet, grand souverain, vous avez deviné la fin de mon histoire. Mais ce que vous ne savez pas, c'est ce que le mendiant dit ensuite au marchand de chapeaux…

– Et que lui dit-il ?

– Le sage vagabond lui enseigna ceci : il ne faut jamais oublier que, pour être plus habile qu'un singe, on doit penser comme un singe !

– C'est une belle leçon, prophète ! Je l'apprécie... Est-ce tout ? Tu as fait tout ce chemin depuis l'Anatolie pour me raconter cette histoire ?

– Oui, car je sais maintenant que vous êtes prêt à recevoir ma révélation. Je sais de source sûre que les Byzantins ont décidé d'envahir la Perse. Pour vaincre un Grec, il faut penser comme un traître... Les traîtres sont comme les singes, grand Assurbanipal : ils attaquent lorsqu'on s'y attend le moins. Je voulais m'assurer, en vous racontant cette histoire, que vous ne faisiez pas la sieste et que vos chapeaux étaient bien en sécurité.

Un profond silence tomba alors sur la cour du roi de Babylone. Le visage d'Assurbanipal devint soudainement très grave et s'empourpra de colère. Nosor profita du malaise qu'il venait de provoquer pour conclure :

– Et je suis aussi là pour vous dire que, dans un rêve prémonitoire, je vous ai vu les vaincre ! J'ai vu vos armées marcher sur Byzance. C'est alors que j'ai su que vous deviendriez le plus puissant monarque que la terre ait porté. Voilà pourquoi je suis venu jusqu'à vous... voilà pourquoi je m'agenouille devant votre splendeur.

Le roi prit encore quelques secondes afin de calmer sa rage. On aurait pu entendre une mouche voler dans le palais.

– Ainsi, ces chiens complotent encore contre mon empire, grogna-t-il entre ses dents. Malgré notre récent traité de paix, ces bâtards manigancent dans mon dos... D'où tiens-tu cette information, prophète ?

– C'est une de leurs épées qui me l'a confiée ! répondit Nosor Al Shaytan en montrant au roi la cicatrice qu'il avait au ventre. Je campais paisiblement sur les rives de la grande mer d'Anatolie avec mon clan lorsqu'une troupe d'hoplites en provenance de Byzance nous a sauvagement attaqués. Tous mes hommes, ainsi que leurs familles, ont été sauvagement assassinés... Quant à moi, j'ai survécu par miracle. C'est précisément alors que j'allais mourir qu'une vision m'est apparue ! J'ai vu le grand Assurbanipal écrasant de sa poigne de fer les armées grecques. J'ai alors compris que j'allais devoir me battre pour survivre afin de venir vous annoncer la nouvelle. Que le ciel et la terre m'en soient témoins, maintenant que ma mission est accomplie… je peux mourir en paix.

– Et c'est un Byzantin qui t'a fait cette marque ?

– Oui… Il s'agit d'un guerrier exceptionnel ! mentit Nosor avec une exclamation théâtrale. Il se nomme Varka, et ses exploits sont chantés dans toutes les villes grecques. Cet homme est d'une force et d'une rapidité dignes des héros des plus grandes légendes. On le dit capable d'exploits défiant l'imagination, car il serait apparemment un demi-dieu envoyé sur terre afin de seconder les rois de Byzance, de Sparte et de Corcyre dans leur conquête du monde. C'est lui qui mène secrètement les armées byzantines et qui lancera bientôt ses troupes sur nos terres. Retenez ce nom, il se nomme Varka… Varka La Bête !

– Je t'ai entendu, prophète, dit Assurbanipal, très impressionné par le récit de Nosor. Je sais que certains marchands de Babylone font un peu de commerce à Byzance. J'enverrai donc un éclaireur pour voir ce qui se trame dans la cité grecque. Pendant qu'il enquêtera, sois le bienvenu dans mon palais et fais comme chez toi. Mes gens s'occuperont de t'installer dans une chambre du palais des invités, dans la cour extérieure. Je te garde ici comme témoin, et tu n'es pas autorisé à sortir du palais avant que mon éclaireur ne me confirme la véracité de ton histoire.

– Je vous indiquerai même l'endroit où nous fûmes, mes frères et moi, si lâchement attaqués ! Vos hommes trouveront sans peine les cadavres des membres de mon clan enterrés dans le désert, sans sépulture.

– Va, prophète ! fit le roi en ordonnant d'un geste à ses serviteurs de conduire son nouvel invité dans ses appartements.

– Une chose encore, grand Assurbanipal…, lança timidement Nosor. Afin d'honorer convenablement la mémoire de mes compagnons, j'aimerais être autorisé à me recueillir dans les jardins de votre palais.

– Les jardins te seront ouverts, déclara le souverain.

– Merci… merci pour tout !

C'est ainsi que Nosor Al Shaytan, ancien chef de clan des adorateurs d'Iblis, entra au palais de l'un des plus grands souverains du monde, où il fut traité comme un prince. Habillé des pieds à la tête de vêtements de soie et de lin, nourri de mets exquis cuisinés par les plus grands maîtres de l'empire et dorloté tel un jeune séducteur par les plus jolies servantes, il y demeura plusieurs mois. Profitant des largesses du roi, il s'empiffra comme un goinfre et gagna au fil des semaines une belle bedaine bien arrondie.

Tous les jours, Nosor allait se promener dans les Jardins suspendus de Babylone, une merveille d'architecture et d'horticulture. Cette gigantesque plantation composée de quatre terrasses de huit mètres de hauteur chacune était constamment alimentée en eau par d'ingénieuses vis hydrauliques. Les eaux de l'Euphrate, l'indispensable fleuve qui coulait dans la cité, étaient aspirées tout en haut des jardins et retombaient de plateau en plateau en de minces ruisseaux. Tout en bas des jardins, poussaient des arbres tels des palmiers, des dattiers et de gigantesques pins, puis, en remontant un monumental escalier de marbre, on traversait une forêt d'arbres fruitiers. Les derniers étages étaient consacrés aux fleurs. Les roses, symbolisant l'ancienne reine Sémiramis, pour qui les jardins avaient été construits, y trônaient dans toute leur splendeur. Du haut des jardins, il était possible d'admirer Babylone. Les neuf énormes portes de bronze et les deux cent cinquante tours de protection qui s'élevaient au-dessus des murs en faisaient la cité la mieux protégée du monde. C'est précisément là, tout en haut des jardins et juste à côté d'un immense massif de roses, que Nosor Al Shaytan, connu au palais comme le plus grand mangeur de figues de l'empire, aimait passer des après-midi à se faire dorer au soleil.

C'est aussi à cet endroit qu'on vint le chercher afin qu'il se présente une seconde fois devant le grand Assurbanipal. Maintenant dodu comme un cochon de lait, Nosor accompagna le messager et se rendit dans la grande salle d'audience. Le souverain, rouge d'une colère à peine contrôlée, l'invita à prendre place sur un petit tabouret, juste devant son grand trône.

– Prophète ! s'exclama-t-il d'une voix rageuse. Tu avais raison à propos de ces chiens galeux de Grecs ! Mon envoyé a trouvé les cadavres des hommes et des femmes de ton clan. Ils étaient exactement à l'endroit que tu nous avais indiqué, à l'ouest d'Héraclée.

– Jamais je n'aurais osé vous mentir, grand Assurbanipal! fit Nosor d'une voix mielleuse. Les mots qui s'envolent de ma bouche ont les ailes de la vérité, voilà pourquoi les prophètes comme moi élèvent l'esprit de ceux qui les écoutent. Vous savez maintenant qui complote dans votre dos, et je suis ravi d'avoir été l'instrument de votre prise de conscience.

Nosor avait l'esprit vif, la langue bien pendue et, sous son air innocent, il était un fieffé menteur. L'ancien chef de clan n'avait jamais eu de vision qui aurait pu le faire entrer dans la catégorie des prophètes, mais son instinct était sûr et les révélations qui suivirent le lui confirmèrent.

– Sais-tu ce que je viens tout juste d'apprendre, prophète? lui demanda d'un ton lugubre Assurbanipal. Sais-tu ce que mon envoyé vient à peine de me rapporter?

– Non, je ne le sais pas, mais je m'en doute un peu, répondit Nosor d'un air grave. Je sens bien qu'il s'agit d'une autre trahison de la part des Grecs, n'est-ce pas?

– Tout à fait, prophète, tu as encore vu juste! clama le roi. Mon envoyé m'a confirmé que les Byzantins ont déjà commencé la guerre contre nous et que leur roi a fait massacrer tous les Perses qui commerçaient dans leur port... Ces chiens les ont dépossédés avant de les brûler vifs. Les femmes et les enfants ont été noyés comme des rats encombrants! Des bâtards, voilà ce que sont les Byzantins, des bâtards qu'il nous faut soumettre au plus vite!

– Ô, grand souverain! se lamenta Nosor qui profita de l'occasion pour faire mousser sa crédibilité. Quel drame! Quelle horreur! Mon cœur saigne autant que le vôtre en apprenant cette nouvelle, car j'ai vu ce massacre en rêve. Oui, j'y étais en songe et j'ai souffert avec ces malheureux. Je les ai vus... dans le port... Ils... Ah! mes lèvres se refusent à parler, tant l'horreur de ma vision est indescriptible. Que leurs âmes reposent en paix! Je suis heureux que vous partagiez avec moi cette douleur, Assurbanipal, car maintenant vous savez que mes mots ne sont pas des poignards pointés contre vous, mais qu'ils sont là pour vous aider à accomplir votre destin.

– Tu avais raison, mon bon Nosor, et j'ai douté de toi..., avoua le souverain. J'aurais dû t'écouter et lancer immédiatement mes armées contre Byzance, mais, au lieu de cela, j'ai perdu un temps précieux à me faire confirmer ce que tu m'avais déjà annoncé...

– Voilà maintenant que je ne peux plus chasser la vision du grand massacre de Byzance ! mentit encore Nosor Al Shaytan. Je les vois, ils brûlent... et les cris, j'entends les cris ! Et les enfants ! Par Iblis, les enfants...

– Mais que se passe-t-il, prophète ? demanda nerveusement le roi devant cette scène inhabituelle. Explique-moi ce que tu vois !

– LES ENFANTS VIOLÉS ET ÉGORGÉS ! hurla Nosor, en transe, les bras tendus comme pour implorer les dieux. VOILÀ CE QUE JE VOIS ! Je vois leurs petites mains implorant la miséricorde et la lame de ces chiens leur transperçant le corps. Je vois les femmes en larmes et la haine dans les yeux des Byzantins... Je vois maintenant ces yeux qui se posent sur Babylone avec la même hostilité et la même soif de sang... ces yeux remplis de jalousie...

– C'est incroyable ! s'exclama Assurbanipal, grandement impressionné par ce spectacle. Encore, prophète ! Dis-moi ce que tu vois !

– ET VOILÀ QUE JE VOUS VOIS BRISER LES MURS DE LA CITÉ ENNEMIE ET ÉCRASER LES SERPENTS ! hurla Nosor avant de tomber par terre comme une poupée de chiffon.

– QU'ON L'AIDE À SE RELEVER ! cria le souverain, avide des propos flatteurs de son prophète.

Deux serviteurs soulevèrent Nosor, alors qu'un troisième lui servait de l'eau. Toujours dans la peau de son personnage, le nomade but lentement et se rassit sur son petit banc.

– La vision est passée, dit-il d'un air penaud. Je suis désolé, ça ne devait pas arriver... Pardonnez-moi de vous avoir fait ce numéro, mais... mais c'était plus fort que moi.

– J'aurais tant voulu en savoir davantage, soupira Assurbanipal avec tristesse. Je vais demander que l'on prépare mes armées et que l'on avertisse mes troupes dans les cités d'Uruk, Larsa, Isin, Samarra, Mari et Assur. Nous partons en guerre ! Mes conseillers seront à...

Content de l'effet qu'il venait de produire, mais peu convaincu qu'Assurbanipal mènerait ses armées à la victoire aussi facilement que lui-même le prétendait, Nosor leva le doigt pour parler.

– Prophète ?! Tu veux ajouter quelque chose ? Tu as une nouvelle vision ?

– Non, mais je désire vous raconter une histoire…

– Est-ce bien le moment ? Je viens à peine d'annoncer que je vais partir en guerre et, toi, tu veux me raconter une histoire ?

– À vous d'en juger…

Assurbanipal réfléchit pendant quelques secondes, puis décida finalement d'écouter son prophète.

– Hum, vas-y, je t'écoute.

– Il s'agit d'un petit récit qui pourra peut-être faire la différence entre la victoire et la défaite, commença Nosor. Connaissez-vous l'histoire du perroquet qui, prisonnier de sa cage, se languissait en rêvant à sa liberté perdue ?

– Non, je ne connais pas cette histoire. Fais vite…

– Un marchand possédait un magnifique perroquet, unique par son plumage et dont le talent pour reproduire les sons enchantait toute sa famille. Un jour qu'il devait se rendre dans un pays lointain, il demanda à ses enfants et à sa femme ce qu'il pourrait ramener de ce voyage pour leur faire plaisir. Les gamins demandèrent des jouets, la femme, des robes et des parfums, lorsque soudain le perroquet prit la parole…

– Ton histoire n'a pas de sens, les perroquets ne parlent pas ! rétorqua le roi.

– Si on les y entraîne, oui, ils le peuvent, continua Nosor, sentant qu'Assurbanipal mordait lentement à son hameçon. L'oiseau demanda à son maître de se rendre jusqu'à la forêt de ses ancêtres perroquets afin de demander aux oiseaux s'il était juste qu'ils vivent en liberté alors que lui était prisonnier d'une cage.

– Et le marchand accepta ?

– Il trouva la demande originale et, en effet, accepta d'aller poser la question de son oiseau à ses congénères de la forêt. Sur le chemin du retour, l'homme s'y arrêta donc et vit des centaines d'oiseaux comme le sien voler librement de branche en branche. Il dit alors, à voix haute : « Mon perroquet, qui vit avec moi dans une cage dorée, se demande s'il est juste que vous soyez en liberté alors que lui ne l'est pas. » Une fois la question posée, il vit un oiseau tomber d'une branche. Inerte, l'animal demeura immobile sur le sol.

– Cette question avait tué l'oiseau ? s'étonna Assurbanipal, complètement absorbé par le récit. Mais comment une simple question peut-elle tuer une bête bien portante ? Ce perroquet était sûrement malade, non ?

– J'y viens... j'y viens, fit Nosor avec un demi-sourire. De retour chez lui, le marchand alla voir son perroquet et lui raconta le triste événement. Il lui dit qu'au moment même où il finissait de poser sa question, un de ses frères perroquets était tombé de sa branche et qu'il était resté immobile sur le sol. C'est à ce moment que le perroquet du marchand se laissa tomber, exactement comme son semblable de la forêt, au fond de sa cage et qu'il demeura immobile. Décontenancé, l'homme ouvrit la cage pour examiner son animal, mais celui-ci profita d'une seconde d'inattention de son maître pour se remettre sur ses pattes et s'envoler hors de sa prison...

– Le pauvre marchand s'était fait posséder par son propre oiseau ! s'amusa le roi.

– En effet..., répondit Nosor. Maintenant libre et perché bien haut dans un arbre, le perroquet regarda son maître et le remercia d'avoir porté si loin sa question. Le message s'était bien rendu, et la réponse avait été entendue. Pour gagner, il faut savoir être plus malin que ses adversaires...

– Je ne comprends pas ta parabole, dit Assurbanipal. Qu'a-t-elle à m'enseigner sur la guerre que je prépare ? Je suis déjà libre et je n'ai pas de geôlier !

– Qu'il ne sert à rien d'ouvrir une cage de force... Si vous êtes malin, les Byzantins vous ouvriront leurs portes.

– Mais comment ?

– Il faudra, comme l'oiseau de mon récit, faire le mort et attendre le moment propice.

– Je vois bien que tu me parles d'un plan, mais je n'arrive pas à le saisir. Comment dois-je faire pour que les Byzantins m'ouvrent les portes de leur cité ?

– Vous n'aurez qu'à préparer vos armées et monter très discrètement vers le nord, expliqua Nosor. Ensuite, vous me laisserez quitter Babylone avec une délégation de vos plus belles femmes et une partie du trésor de vos coffres. Finalement, vous devrez me faire totalement confiance, et les portes s'ouvriront d'elles-mêmes…

Assurbanipal s'adossa à son trône et regarda ses conseillers afin d'obtenir leur approbation. Aucun d'eux ne semblait vouloir mettre dans les mains de ce prophète la destinée de leur royaume. Ils avaient tous la mine longue et hochaient la tête en signe de désaccord. Le souverain se rappela les paroles de son ancien devin : « Un homme viendra… Ce sera un prophète ! C'est lui qui vous donnera la clé des changements à venir. Il vous faudra l'écouter. Il sera habile comme la salamandre. Il glissera facilement entre vos doigts. Vous devrez vous assurer de sa loyauté avant de lui accorder votre confiance. Cet homme provoquera votre gloire ou causera votre perte ! Il sera le feu qui réchauffe ou le feu qui brûle. »

– Qu'est-ce qui me prouve que tu ne t'enfuiras pas avec mes richesses ? demanda le roi de Babylone.

– Rien ne peut vous le prouver. Voilà pourquoi je demande votre confiance ! déclara simplement Nosor. Je crois pouvoir tromper les Grecs et procurer une victoire facile à l'Empire perse. Une fois arrivés aux portes de Byzance, vos hommes seront fatigués et devront déployer des efforts surhumains afin de faire tomber les murs d'enceinte. Mais, grâce à mon plan, la cage de l'oiseau sera déjà ouverte, vos armées n'auront qu'à pousser la porte. Contrairement à vous, je connais bien les Grecs. Je sais où sont leurs faiblesses et comment en tirer profit.

– Et pourquoi me demandes-tu des femmes ?

– Alors même que tous les djinns savent que l'on doit se méfier des femmes comme des vipères, les Grecs, eux, croient qu'elles n'existent que pour satisfaire leurs désirs et qu'en dehors de l'amour, elles ne valent rien. Je vais utiliser ces femmes pour ce qu'elles savent faire le mieux, c'est-à-dire charmer et mentir.

– Et si tu échoues ?

– Je n'échouerai pas, car j'ai aussi rêvé que vous serez le maître du monde et qu'au jour de votre couronnement, je serai juste là, à vos côtés, pour célébrer l'événement.

Le roi regarda de nouveau ses conseillers. Plus que jamais, ceux-ci secouaient la tête pour montrer leur désapprobation. Assurbanipal savait qu'il pouvait se fier à ses proches conseillers, car ils avaient maintes fois fait la preuve de leur loyauté. Par contre, il connaissait aussi leur nature et leurs limites. Il savait que les gens de sa cour menaient une existence confortable et que, pour rien au monde, même au risque de subir une attaque surprise des Grecs, ils ne lui auraient conseillé de se lancer sur un coup de tête, ou, pire encore, sur la foi d'un prophète, dans une guerre contre les Byzantins. Ils avaient tout à perdre dans le cas où les choses tourneraient mal.

Embêté, Assurbanipal se remémora encore une fois les paroles d'un de ses devins: « Vous devrez vous assurer de sa loyauté avant de lui accorder votre confiance. »

« Je dois savoir qui, de mes conseillers ou du prophète, mérite ma confiance », pensa-t-il.

C'est alors que le souverain détacha de son collier une perle de belle taille. D'un geste assuré, il la déposa par terre, puis la fit rouler un peu plus loin en direction de ses conseillers.

– Dis-moi, demanda-t-il à son conseiller le plus sage, combien vaut cette perle selon toi ?

– Elle est d'une valeur inestimable, répondit aussitôt le mentor, d'autant qu'elle vous appartient, ce qui en fait l'une des plus nobles pierres de ce monde, grand Assurbanipal...

– Écrase-la avec ton talon ! lui ordonna le roi.

– J'aimerais bien vous obéir, grand souverain, mais comment pourrais-je vivre en sachant que j'ai fait perdre à mon roi une telle merveille ? Je suis désolé de vous déplaire, mais ma tâche auprès de vous consiste à accroître votre richesse et non à vous en déposséder. Peut-être quelqu'un d'autre pourrait-il le faire à ma place si vous tenez vraiment à détruire cette magnifique perle.

– Tu es un sage homme, fit le roi. Et j'apprécie ta réponse... Tu es égal à toi-même.

Puisque le plus sage de ses conseillers ne voulait pas le faire, le souverain de Babylone se tourna ensuite vers son argentier et lui demanda à son tour d'écraser la perle d'un coup de talon.

– Cette perle, dit l'homme en reculant d'un pas, est un ornement qui sied parfaitement à votre grandeur. Si je faisais cela, je regretterais pour le reste de mes jours de vous en avoir privé. On ne détruit pas ainsi un si bel objet ! Lentement créé dans le ventre de la mer pendant des siècles, cette perle est un joyau inestimable... Demandez-moi tout ce que vous voulez, mais pas cela...

– Merci bien, mon argentier ! répondit Assurbanipal. Je vois que tu tiens en grande estime ce que le monde offre aux hommes de plus beau et qu'entre tes mains, les joyaux de mon royaume n'ont rien à craindre.

Le roi demanda cette fois à son général, le chef de ses armées, de briser la perle.

– Demandez-moi de pourfendre vos ennemis, je le ferai..., lança l'homme en dégainant son arme. Pour vous, j'irai jusqu'à Byzance et mettrai à genoux les Grecs, mais, de grâce, ne me demandez pas d'être moins sage que le plus sage de vos conseillers et d'exécuter les basses œuvres que votre argentier dédaigne. Je refuse tout comme eux de vous priver de cette merveille. Mon rôle est de protéger cette perle de l'avarice et de la cupidité de vos ennemis... Je suis là pour la défendre et non pour la briser.

– Encore une fois, voilà une bien sage réponse, déclara Assurbanipal d'un air satisfait. Et toi, prophète, que feras-tu si je te demande de casser cette perle devant ma cour ?

Aussitôt, Nosor bondit de son petit tabouret et, d'un solide coup de talon, il fracassa la perle en mille morceaux. Un lourd silence tomba sur les spectateurs qui, bouche bée, n'osaient même plus respirer, tant ils appréhendaient la colère d'Assurbanipal.

– Pourquoi as-tu fait cela ? demanda calmement le roi, étonné par une aussi vive réponse.

– Mais..., fit le faux prophète qui avait compris à quel jeu Assurbanipal jouait, mais je l'ai fait parce que vous me l'avez demandé. Qui suis-je, moi, pauvre serviteur, pour mettre en doute l'ordre d'un roi ? Pour moi, cette vulgaire perle n'était rien qu'un morceau de nacre ! La véritable splendeur de ce monde est dans votre parole, dans votre jugement et dans vos commandements. La perle de Babylone, c'est Assurbanipal... Le trésor de cette cité, c'est Assurbanipal... La vie et la mort portent un nom : Assurbanipal. Que vaut une perle contre la volonté d'Assurbanipal ? Qui suis-je pour désobéir à un roi ?

Le souverain, flatté de cette réponse, sourit et jeta un regard arrogant à ses conseillers. Ceux-ci comprirent alors qu'il s'agissait d'un test de loyauté et qu'ils venaient tout juste de le louper. Nosor était le seul qui avait obéi sans discuter. Par ce geste, il avait gagné la confiance d'Assurbanipal qui le considérait maintenant avec plus de respect que ses propres conseillers.

– Très bien, prophète, tu as bien répondu aux attentes de ton souverain… Tu auras ce que tu demandes. Nous exécuterons ton plan selon tes désirs et, malgré ta dévotion à mon égard, sache que mes hommes te surveilleront de près. Si tu réussis, je te ferai nommer premier conseiller de Byzance. Si tu échoues, tu auras la tête tranchée. Es-tu prêt à prendre ce risque ?

– Oui, je suis prêt à tout. Je ne vous décevrai pas, conclut Nosor Al Shaytan en s'agenouillant devant le grand Assurbanipal. Je jure sur Iblis de vous donner Byzance sur un plateau d'argent.

IX

Bien avant que ne soit fondée Byzance, que les premiers murs de Babylone ne soient érigés et que les grandes cités de la mer Noire ne voient le jour, les premiers habitants de ces royaumes étaient venus des lointaines contrées septentrionales de l'Asie et de la Sibérie. Un peuple solide composé d'hommes et de femmes ayant appris à chasser, à maîtriser le feu, à vivre en communauté. Mais ces individus avaient aussi une préoccupation dépassant leur simple survie. Au fil des siècles, ils découvrirent qu'en plus d'accueillir leur existence matérielle, le monde cachait une dimension invisible dont les forces surnaturelles avaient la faculté de transformer la réalité autour d'eux. C'est ainsi que certains, plus habiles que d'autres, remarquèrent qu'ils étaient capables d'entrer en communication avec les forces invisibles de la nature. Ce don leur permit de devenir des guides tribaux, et ils furent nommés « chamans ».

Loin du sorcier qui agissait souvent comme simple guérisseur, le chaman était considéré comme le portier qui pouvait ouvrir un passage entre le monde des humains et celui des dieux. Grâce à leur démarche spirituelle et à leur capacité d'entrer directement en contact avec ces divinités, les chamans acquirent rapidement un grand pouvoir au sein de leur collectivité et devinrent des meneurs de clans. Avec leurs fidèles, ils se répandirent ensuite partout autour de la mer Noire pour fonder de petites communautés qui, avec le temps, devinrent de plus en plus populeuses. C'est ainsi que la première des dactyles s'installa dans les forêts profondes peuplées de loups et qu'elle y établit le culte des hyrcanoï. Elle transmit son savoir à sa fille qui fit de même avec la sienne. Les techniques chamaniques demeurant inaccessibles à toute personne qui n'avait pas reçu l'enseignement d'un maître, l'art secret des dactyles se perpétua uniquement de mère en fille pendant des générations.

– Tu vois les étoiles, ma belle Séléné ? avait dit à celle-ci sa mère, alors qu'elle n'était encore qu'une enfant. Eh bien, elles sont toutes reliées les unes aux autres et forment un gigantesque pilier central qui soutient notre monde. C'est grâce à leur configuration et aux lignes invisibles qui les unissent qu'il est possible d'entrer en contact avec les dieux et de leur parler directement. Un jour, tu sauras aussi comment accomplir une telle chose et tu devras, comme je le fais, l'enseigner à ta fille. De plus…

– Regardez, maman, l'interrompit la petite Séléné, on dirait une tête de loup dans le ciel !

– Bravo, Séléné ! se réjouit la mère en regardant la constellation de Börte Tchinö. Il s'agit du Loup bleu ! C'est la déesse créatrice de tous les loups, et sa puissance est très grande. Il est dit qu'un jour, elle agira afin que naisse le premier des Râjâ…

– Un Râjâ ?

– Oui… il s'agit d'un humain qui sera moitié homme et moitié loup ! Les prophéties disent qu'il sera le fils de Börte Tchinö et que, grâce à lui, les humains vivront en parfaite harmonie avec les esprits de la nature. Avec lui, le monde connaîtra une plus grande paix. Viendra le jour où toutes les étoiles seront favorablement alignées, et son passage se fera dans la lumière de la lune.

– Le Râjâ viendra du ciel ?

– Son esprit descendra sur un rayon de lune pour s'incarner dans le corps d'un humain… Enfin, c'est ce que ta grand-mère m'a enseigné, mais il se peut aussi qu'il nous arrive d'une autre façon. Les vieilles histoires se déforment avec le temps, et ma mère était une fameuse conteuse ! Elle aura sûrement un peu embelli l'histoire…

– Je ne comprends pas, maman. Le Râjâ devrait avoir des ailes s'il nous arrive du ciel ! Sans ailes, il se fera très mal en touchant le sol !

– Excellente remarque, mais il n'est pas nécessaire que je t'explique tout, tout de suite, non ? Il faut se garder un peu de mystère pour nos prochaines nuits sous les étoiles. Plus tard, tu comprendras... Un jour, je t'expliquerai ce que sont les esprits et pourquoi ils peuvent voler sans avoir d'ailes !

Grâce aux bons enseignements de sa mère, Séléné était devenue en grandissant une chamane hors du commun, capable d'évoluer à la frontière de plusieurs mondes. Elle était maintenant habile à comprendre le langage des dieux par le biais des étoiles et elle pouvait percevoir les entités surnaturelles qui habitaient les différentes dimensions de la nature. Plusieurs voyages hors de son propre corps l'avaient amenée à ouvrir son esprit à la prémonition et aux visions. Par ce que lui avait transmis sa mère, mais aussi par ses propres expériences, la dactyle avait compris que les rêves étaient la voie de communication par excellence qu'utilisaient fréquemment les esprits pour dialoguer. C'était à travers ses songes qu'elle avait discuté, la première fois à treize ans, avec les esprits des hyrcanoï décédés. Bien des années plus tard, c'était toujours par ce moyen qu'elle arrivait le mieux à établir une bonne communication avec les entités éthérées. Ses talents lui avaient permis de guider, pendant des années, les âmes errantes des morts jusqu'à la frontière du monde des vivants afin qu'ils puissent quitter dans la paix, l'équilibre et l'harmonie la terre des mortels qu'ils avaient tant aimée. Toujours dans son sommeil, il lui arrivait même parfois d'accompagner les esprits des animaux troublés afin qu'eux aussi entament bien leur voyage vers le lieu où pourrait se reposer leur âme.

Les rêves de Séléné, qui ne servaient pas qu'à sa mission chamanique au sein de sa communauté, avaient plusieurs fonctions. Parfois, ils prenaient la forme d'horribles manifestations de ses angoisses et de ses peines. Ces cauchemars, presque toujours reliés de près ou de loin à la trahison d'Hitovo, mettaient en scène les soldats lourdement armés des troupes thraces de Veliko Tarnovo qui attaquaient son paisible village. Anéantissant tout sur leur passage, ces brutes étaient menées par un démon affreux accompagné d'une meute de chiens enragés. Malgré le courage des guerriers hyrcanoï qui se battaient avec conviction pour protéger Séléné des assauts ennemis, Hitovo réussissait toujours à s'approcher d'elle afin de lui murmurer à l'oreille, avant de lui trancher la tête, qu'il l'aimait encore.

Chaque fois, elle implorait les dieux de lui venir en aide, mais l'acier tranchant de l'épée de son ancien amant pénétrait dans sa chair en la réveillant dans un cri d'horreur.

Ce soir-là, Séléné se réveilla encore une fois en hurlant au milieu de la nuit. Effrayée par le même cauchemar, dans lequel Hitovo et ses guerriers brûlaient le village, elle fut soulagée de constater qu'elle se trouvait sous ses couvertures, dans le silence de sa grotte. À cause de ce réveil brutal, son cœur galopait comme un cheval emballé dans sa poitrine.

« Toujours ce rêve qui me hante depuis qu'Hitovo nous a trahis, pensa-t-elle en essayant de recouvrer ses esprits. Et cette panique qui me serre la gorge… J'en ai plus qu'assez de ce rêve stupide ! »

Comme d'habitude, Séléné respira calmement avant de se lever pour attiser le feu. Au passage, elle jeta un coup d'œil sur son invité. Avatah, toujours drogué par ses plantes soporifiques, dormait à poings fermés. Comme la jeune femme allait se remettre au lit, une ombre passa devant l'entrée de la grotte.

– Il y a quelqu'un ? demanda-t-elle en saisissant un long poignard. Je te préviens, on ne vient pas impunément déranger ma quiétude ! Si tu es un humain, montre-toi, si tu es un esprit, manifeste ta présence.

Séléné entendit, pour seule réponse, le bruissement des feuilles à l'extérieur de la grotte, dans le lourd silence de la nuit.

« C'est sans doute mon imagination, pensa-t-elle en déposant son arme près d'elle. Pourtant, je sens une présence… une présence familière. »

Gardée de jour comme de nuit par les hyrcanoï, Séléné se demanda pourquoi les hommes habituellement postés devant sa grotte étaient demeurés muets. Ils auraient dû lui répondre. Intriguée par ce silence, elle marcha sans faire de bruit vers l'entrée de la grotte et regarda prudemment vers l'extérieur. Grâce aux derniers rayons de lune qui bientôt céderaient leur place à l'aurore, la dactyle constata avec stupeur que ses gardes avaient disparu et qu'il n'y avait plus personne pour protéger sa demeure. Peu rassurée, elle sortit de la grotte.

« Mon cauchemar était peut-être prémonitoire…, songea Séléné en avançant dans la rosée du matin. Ce chien d'Hitovo est peut-être là, embusqué avec ses hommes. Il attend le lever du soleil pour lancer son attaque. Je devrais peut-être sonner l'alarme… »

Comme la dactyle allait crier pour avertir le village, Maïcha se matérialisa devant elle. La vieille louve semblait calme et sereine. Son corps, presque translucide, avait retrouvé la vivacité de sa jeunesse, et ses yeux d'un bleu profond, quoique un peu inquiétants, n'avaient rien de menaçant. Autour de son poil luisait un halo de lumière qui, dans la pénombre, lui donnait une silhouette spectrale.

– Maïcha !? s'étonna Séléné. Mais que fais-tu là et pourquoi viens-tu rôder près de ma demeure ? Tu sais que c'est imprudent d'agir ainsi… Ton chef de meute ne t'a-t-il pas dit d'éviter la présence des humains ? Tu sais que tu m'as fichu une de ces peurs ?! Je croyais que nous étions attaqués et j'ai failli réveiller tout le village en hurlant…

La louve se contenta de secouer la tête et se plaça en position pour jouer. Manifestement, les reproches de Séléné ne lui faisaient aucun effet.

– Mais qu'est-ce que tu fais ? fit la dactyle d'un ton plus détendu. Tu viens ici, au petit matin, pour me demander de jouer avec toi ? Ce n'est pas raisonnable, ma vieille amie, j'ai besoin de dormir, moi ! Alors, écoute, si tu veux, je te rejoins demain matin à la…

Séléné n'eut pas le temps de terminer sa phrase. La louve se précipita dans la grotte, bondit sur le corps endormi d'Avatah, puis, d'un coup de gueule, lui arracha son pendentif. La dactyle tenta du mieux qu'elle put de l'arrêter, mais ce fut peine perdue. La louve se montra beaucoup plus forte et bien plus agile. Sans plus de cérémonie, l'animal courut à toute vitesse vers la forêt.

– Maïcha ! cria Séléné au risque de réveiller les hyrcanoï. Je ne trouve pas ça drôle du tout ! Reviens ici tout de suite et rends-moi ce pendentif ! Je t'ai dit que je n'avais pas envie de jouer… Reviens immédiatement ou je vais me fâcher… Je ne jouerai plus avec toi !

Avec l'intention de narguer la dactyle, la vieille louve jaillit d'un bosquet et s'approcha tout près d'elle.

– Bon ! s'exclama Séléné. C'est mieux ainsi… Je ne sais pas ce qui te prend. Rends-moi tout de suite ce que tu as volé !

La louve fit mine de déposer le pendentif à ses pieds, mais lorsque Séléné s'accroupit pour le ramasser, l'animal aboya un bon coup, saisit de nouveau l'objet à toute vitesse, puis déguerpit.

– Mais que se passe-t-il, Maïcha ? Pourquoi agis-tu ainsi ? lança la femme qui commençait à fulminer. C'est la première fois que je te vois aussi agitée ! Même petite, tu n'étais pas aussi indisciplinée.

Après quelques bonds, la louve s'arrêta à la lisière des bois et regarda Séléné d'un air moqueur en grognant plusieurs fois. De toute évidence, elle lui demandait de la suivre.

– Bon ! s'écria la dactyle, voilà autre chose maintenant ! Patience, j'arrive…

Elle fit signe à la louve de l'attendre, puis elle retourna en maugréant dans sa grotte. Elle jeta un coup d'œil à Avatah afin de s'assurer qu'il dormait encore. Contente de le voir encore profondément endormi, elle chaussa ses bottes et mit une large cape pour se protéger du froid. Elle attrapa son poignard, le glissa dans son fourreau, puis se l'attacha à la taille. Ce couteau, que les dactyles appelaient « athamé », avait une solide lame à deux tranchants et représentait, dans le culte chamanique, la force mythique de la nature. C'est avec cette arme que les dactyles traçaient des symboles magiques qui servaient, durant certains rituels, à amplifier la force de leur magie. L'athamé à manche noir avait la propriété d'invoquer les puissances ténébreuses, alors que le blanc servait uniquement à la préparation des potions, des philtres et des élixirs. Pour être efficace, un athamé devait être forgé par son utilisatrice.

Une fois prête, Séléné se précipita à l'extérieur de la grotte.

– Maïcha ! Où es-tu ? demanda-t-elle en cherchant la louve du regard. Tu es encore cachée ?

Séléné constata que les premiers rayons du soleil teintaient déjà le ciel d'une douce lumière rouge. L'horizon s'enflammerait bientôt de vives couleurs roses et orangées. Malgré l'aspect normal des lieux, il y avait quelque chose d'étrange dans l'air. Comme si le temps avait décidé de s'arrêter. Le village, qui normalement commençait à s'activer avec l'arrivée du soleil, demeurait encore silencieux et désert, et aucun hyrcanoï n'était à son poste de guet alors que, habituellement, la relève de la garde avait lieu à cette heure. De plus, le coq n'avait pas encore chanté. Lui qui ne manquait jamais d'écorcher les oreilles des habitants du hameau ne semblait pas avoir remarqué les premières lueurs de l'aube.

– Maïcha ! Où te caches-tu ? Je commence à en avoir assez de tes petits jeux !

À ce moment, la dactyle vit devant elle quelques feuilles bouger, puis un long museau apparaître à travers les branches d'un arbuste. Elle remarqua tout de suite que la louve avait toujours le pendentif d'Avatah entre les dents.

– Comment pourrait-on te résister, toi ? s'attendrit-elle. Avec ton grand museau et tes petits yeux mouillés, on croirait que tu as une âme d'enfant. Je ne sais pas où tu veux me conduire, mais vas-y, je te suis !

Séléné emboîta le pas à la louve et marcha longuement pour atteindre l'endroit où se trouvait la meute de loups qui avait recueilli Avatah. Maïcha la guida jusqu'à un grand arbre devant lequel elle s'arrêta brusquement. Par terre gisait un corps inerte dont le pelage grisonnant rappelait celui d'un vieux loup. Séléné se pencha pour mieux voir et reconnut, contre toute attente, sa vieille amie Maïcha. Elle comprit aussitôt qu'elle avait été conduite jusqu'au corps par l'esprit de la louve.

– Ainsi, tu nous as quittés..., murmura Séléné en caressant l'épaisse fourrure de la bête. Je comprends maintenant... Tu es venue m'annoncer ton départ, c'est bien cela ?

– Après tous les jeux que nous avons partagés, répondit l'esprit de la louve, je me devais de t'avertir. Si j'ai vécu si longtemps, c'est grâce à toi. C'est toi qui m'as montré le lac et m'as fait connaître ses pouvoirs. Je ne pouvais pas quitter ce monde sans te dire au revoir.

– Tu es morte en paix, ma belle Maïcha ? demanda Séléné en se retournant vers le spectre de l'animal.

– En paix avec moi, en paix avec les miens...

– Tu me manqueras, tu sais...

– Tu me manqueras aussi...

– Je suis bien triste, mon amie. Quand mon tour sera venu, nous nous retrouverons dans l'autre monde et nous continuerons nos jeux et nos promenades.

– Et nous marcherons ensemble au milieu des étoiles…

– Et nous sauterons à pieds joints dans le soleil pour éclabousser l'univers de lumière !

– Séléné, mon amie, je suis venue te faire mes adieux, mais aussi te dire que la puissance de Börte Tchinö est prête. Le Loup bleu attend son Râjâ.

– Le Râjâ ? répéta la dactyle dont le visage s'illumina. Je le savais… Tu veux dire que l'heure est venue ? Mon intuition était juste, n'est-ce pas ?

– Oui, l'heure est venue. Le Râjâ sera bientôt là.

– Il s'agit d'Avatah, n'est-ce pas ? fit Séléné, soudainement excitée. C'est lui que le Loup bleu a choisi ? Avatah est le Râjâ ? ! Je le savais… Je l'ai senti dès que je l'ai entendu hurler avec la meute ! Tu crois qu'il pourra…

– Tu poses trop de questions, mon amie, l'interrompit l'esprit du loup, et bien que je connaisse maintenant l'avenir, je ne peux pas répondre. Je sais qu'il est temps d'aller au lac afin d'unir la puissance de Börte Tchinö au sang des mortels… Tu demanderas à Avatah de t'accompagner.

– Ce qui doit être fait sera enfin réalisé, se réjouit la femme. Et c'est moi qui présiderai cette cérémonie… Quel honneur !

– Tu devras attendre la lune de sang avant de procéder à l'union, car le Loup bleu aura besoin de cette énergie pour agir sur Avatah, continua la louve. L'œil de la déesse Börte Tchinö sera grand ouvert pour l'occasion.

– Merci, Maïcha, c'est une excellente nouvelle…

Soudain, un bruit discordant vint interrompre la conversation.

– Mais qu'est-ce que ce son ? Qu'est-ce que j'entends ? On dirait ce maudit coq qui se racle la gorge tous les matins !

– C'est bien cela, Séléné, il s'agit bien du coq ! Réveille-toi maintenant.

Séléné ouvrit les yeux et entendit une nouvelle fois les cris stridents du coq. Ce n'était qu'un rêve, un simple rêve. Fâchée d'avoir tout imaginé, la femme s'enroula dans ses couvertures et poussa un long soupir de déception.

« Moi qui croyais avoir été choisie par Börte Tchinö pour présider la cérémonie de la venue du Râjâ, je me sens vraiment stupide maintenant », grogna-t-elle intérieurement, à moitié réveillée.

Séléné, qui généralement était capable de faire la distinction entre ses rêves et la réalité, venait de se faire jouer un tour. Son ardent désir de voir Avatah devenir le Râjâ l'avait égarée.

« Si un jour je dévoile au monde le Râjâ, je profiterai de sa force pour lever une armée et prendre le contrôle de Veliko Tarnovo. J'aurai ma revanche sur ce traître d'Hitovo et je lui ferai payer de m'avoir abandonnée comme une moins que rien... »

Le coq chanta une deuxième fois.

« Avec Avatah, je... Mais au fait, se demanda-t-elle en se levant précipitamment, où est-il donc ? »

D'un coup d'œil, Séléné se rendit compte que son invité avait quitté la grotte. Le lit était vide. Rapidement, elle s'habilla, jeta une cape sur ses épaules et saisit son athamé. Bien décidée à le retrouver, elle sortit en coup de vent. À l'entrée de son repaire, elle constata que ses deux gardes gisaient sur le sol, inconscients. Pour s'enfuir, Avatah avait sûrement dû les neutraliser.

Le coq chanta une troisième fois lorsque la dactyle se pencha afin de repérer les traces du fuyard. Comme Avatah n'avait pas de chaussures, les empreintes de ses pieds étaient facilement reconnaissables. Se laissant guider par la piste, Séléné s'enfonça dans la forêt et marcha comme dans son rêve vers le corps inerte de son amie Maïcha. À sa grande surprise, elle trouva sous le grand arbre Avatah penché sur l'animal. Celui-ci pleurait à chaudes larmes en caressant tendrement la fourrure de la vieille louve.

« On dirait bien qu'il la connaissait, pensa la jeune femme en s'approchant doucement du cadavre. Ce n'était pas un simple rêve, mais bien une vision. Maïcha est réellement morte, et c'est bien son esprit qui m'a rendu visite cette nuit... »

Ce qu'elle ne savait pas, c'était que Maïcha était également apparue à Avatah et qu'elle lui avait révélé tout l'amour qu'elle avait eu pour lui. Ébranlé par autant de tendresse et d'affection à son égard, l'ancien esclave avait foncé vers elle dès son réveil afin de la serrer encore une fois dans ses bras. Malgré le temps qui s'était écoulé depuis sa mort, le corps de la louve n'avait pas commencé à se décomposer et demeurait aussi souple que le matin de son décès. Son haleine était encore chaude, et la rigidité cadavérique n'avait pas encore paralysé ses membres. Les effets du lac se prolongeaient jusque dans la mort.

– C'était aussi mon amie, dit doucement la dactyle pour ne pas effrayer Avatah. Elle est venue dans mes songes m'avertir de son départ. Toi aussi, tu la connaissais ?

Avatah se contenta de soupirer comme un animal exaspéré. Il ne comprenait pas ce que cette femme rousse lui disait et, dans les circonstances, il n'avait pas du tout envie de faire des efforts pour communiquer.

Dans cette réaction, Séléné détecta le mouvement d'un loup frustré. Maintes fois, elle avait vu Maïcha agir de cette façon lorsque quelque chose l'indisposait.

« Avec lui, je dois communiquer comme avec un loup, songea-t-elle. Ce n'est pas un humain, c'est un animal… »

Séléné se mit alors à quatre pattes, puis s'avança précautionneusement vers Avatah. Tendrement, elle posa sa tête sur son épaule et lui lécha l'arrière des oreilles. Voilà enfin un langage que l'ancien esclave allait saisir.

D'abord surpris par ce comportement de la part d'un humain, Avatah s'abandonna et comprit que la femme aux longs cheveux roux compatissait avec lui. Il déduisit de ce geste qu'elle connaissait aussi la vieille louve et que, sans être autant affligée que lui, elle souffrait beaucoup de son départ. Pour la remercier de sa sollicitude, il lui planta le nez quelques secondes dans le cou, puis posa la tête sur le corps de Maïcha.

Pour Séléné, tout était clair maintenant. L'homme qui pleurait la louve s'exprimait exactement comme un animal. Il avait les mêmes comportements et les mêmes expressions que les membres de la meute, qu'elle avait si souvent observés. Il n'y avait pas le moindre doute dans son esprit : il était bien le Râjâ, l'homme que les hyrcanoï attendaient depuis des lunes afin d'unir définitivement la nature à l'humain et de célébrer l'incarnation du Loup bleu parmi eux. Tout concordait autour de lui ; il ne restait plus maintenant qu'à le conduire au lac afin qu'il se transforme en une créature hybride, mi-homme, mi-loup. Maïcha lui avait bien dit dans son rêve que le temps était venu. Le Râjâ allait bientôt voir le jour.

Mais, pour Avatah, c'était plutôt le contraire qui se produisait. Tout semblait s'obscurcir autour de lui. Pour la première fois de sa vie, il était libre, mais ne savait que faire de cette liberté. Amoureux d'une femme dont il avait perdu la trace et désormais tiraillé entre sa condition humaine et sa condition animale, l'ancien esclave se sentait perdu. Paralysé devant le corps de sa mère louve, il ne pouvait que pleurer en espérant qu'on lui indique le chemin à suivre. Avatah ne savait pas se comporter comme un humain et ne pouvait plus vivre comme un animal.

– Tu te demandes à quel monde tu appartiens, n'est-ce pas? dit doucement Séléné qui lisait dans le cœur d'Avatah. Il n'y a rien de plus beau et de plus noble que la vie avec la meute… ,mais tu ne peux pas vivre avec les loups, car tu es un homme. Tu n'as pas la force, la rapidité et l'endurance nécessaires pour devenir un bon chasseur parmi les bêtes. À moins, bien sûr, que je t'aide… et, crois-moi, je peux te venir en aide…

Avatah leva la tête vers le ciel et commença à hurler pour chasser sa peine.

X

Tout comme Séléné, Hitovo avait grandi et pris une place importante au sein de la communauté des hyrcanoï. Lorsqu'il avait atteint l'âge de quatorze ans, Séléné, plus âgée que lui, l'avait entraîné dans la forêt en prétextant qu'elle voulait lui révéler un grand secret. Quand ils étaient arrivés tous les deux près de la rivière, elle s'était déshabillée et l'avait invité à la rejoindre. Hitovo, le cœur battant, s'était glissé à son tour dans l'eau. C'est là qu'ils avaient fait l'amour pour la première fois.

Par la suite, la dactyle fit secrètement boire des philtres d'amour à Hitovo afin de le retenir à ses côtés. La stratégie s'avéra fructueuse, puisque le jour où le garçon, devenu adulte, gagna le titre de chef de la garde du village, il la demanda en mariage. Ce soir-là, Hitovo jura devant le ciel et les étoiles de la protéger et de la chérir jusqu'à son dernier souffle. Après qu'il eut prononcé de tels vœux, Séléné ne craignit plus de voir son homme s'envoler avec une autre et diminua peu à peu l'intensité de ses potions et de ses charmes. Un jour, elle jugea qu'elle avait pleinement obtenu l'amour de son mari et cessa complètement d'exercer toute forme d'ensorcellement sur lui. C'est précisément ce jour-là que tout bascula pour le couple.

Le matin où il décida de se rendre à Veliko Tarnovo afin de faire un peu de commerce avec ses hommes, Hitovo n'était plus sous l'emprise magique de Séléné. La journée était magnifique pour le voyage et, de plus, le village avait bien besoin de ravitaillement. Le jeune homme partit donc le cœur léger avec une dizaine de ses meilleurs guerriers et chevaucha de longues heures en tirant un énorme chargement de bois destiné au marché. Les troncs des chênes centenaires se vendaient une fortune et, grâce à l'argent recueilli, il pourrait rapporter au village de grandes quantités de vivres. Ses hommes et lui pénétrèrent donc dans la cité en tant que simples marchands de bois et se rendirent tout d'abord dans une taverne afin d'étancher la soif qu'avait provoquée le voyage.

Après quelques bières, Hitovo et ses compagnons décidèrent d'aller au marché, mais leur attention fut attirée par l'étrange histoire qu'un homme racontait à son voisin.

– Je te jure, disait-il avec ferveur, que Stamos le Libidineux a des héritiers ! Je te le dis ! Écoute, tu vas comprendre ! Il y a bien des années de cela, alors que je faisais partie de sa garde personnelle, c'est à moi que Stamos a demandé de tuer ses deux enfants. Des jumeaux ! Je te jure ! Mais... mais je me suis défilé... Tu comprends, moi, tuer des enfants, je ne pouvais tout simplement pas. Alors, tu vois, j'ai pris sur moi de leur trouver une nouvelle famille et j'ai quitté précipitamment la ville en les cachant dans un panier... Bon, ensuite... eh bien, je ne suis pas fier de moi, mais je les ai perdus dans les bois ! Tu comprends, je me suis rendu compte que j'étais poursuivi par des brigands. Je n'avais pas le choix... Je ne pouvais leur échapper avec deux bébés dans les bras ! J'ai déposé le panier près d'un arbre avec l'intention de semer mes poursuivants et de revenir chercher les enfants, mais ils avaient disparu ! Plus de panier, plus rien ! Je suis prêt à jurer sur la tête de mon fils... et tu sais que mon fils veut devenir mystagogue, hé, ce n'est pas rien... un protégé d'Orphée, mon fils ! Alors, je disais que je suis prêt à jurer sur sa tête que les jumeaux ont été trouvés avant mon retour et qu'ils sont encore vivants, là, quelque part.

Hitovo se leva et s'approcha de lui. Sans savoir pourquoi, il avait la certitude d'être l'un de ces jumeaux abandonnés dans les bois.

– Et saurais-tu reconnaître aujourd'hui un de ces enfants, vieil homme ? demanda-t-il sèchement.

– Non..., répondit le vétéran en sursautant. Malheureusement, non... De leur naissance jusqu'à l'âge adulte, les hommes changent beaucoup ! Mais peut-être que... J'y pense maintenant... Euh... oui... je me rappelle que la mère de ces enfants avait taillé pour chacun un petit pendentif en bois avec son nom gravé dessus. J'ai souvenir de ces plaques de bois rudimentaires. Par contre, les noms des jumeaux étaient illisibles. Il s'agissait de signes étranges…

– Est-ce cela ?

Hitovo retira alors le pendentif qui était suspendu à son cou et le jeta sur la table devant lui. Les yeux de l'ancien garde de Stamos s'écarquillèrent comme s'il venait de voir le plus éclatant de tous les joyaux.

– C'est… mais c'est…, balbutia-t-il, c'est bien… oui, c'est bien le pendentif ! Oui, oui… c'est le même !

– Je suis donc le fils légitime de Stamos le Libidineux, murmura Hitovo pour lui-même. Et j'ai aussi un frère…

– Mais c'est incroyable ! C'est un vrai miracle !

– Je porte ce pendentif depuis ma plus tendre enfance et…

– Vous êtes donc le prince de ce royaume, l'interrompit le vieil homme. Vous êtes l'héritier du trône !

À ce moment, Hitovo se retourna vers ses compagnons et les fixa intensément. Aussitôt, tous comprirent qu'il y avait maintenant à Veliko Tarnovo beaucoup plus à prendre qu'une simple charrette de vivres ; il y avait un trône à réclamer.

– Ainsi donc, c'est grâce à toi que je suis encore vivant ? demanda Hitovo en se retournant vers son sauveur.

– Il semble bien que oui, prince.

– Et ma mère ? Parle-moi d'elle…

– Oh, grands dieux ! fit l'ancien garde en s'assombrissant. Elle était belle et gracieuse, mais Stamos l'a traitée comme une putain avant de la condamner à vivre dans un cachot humide et froid. Je l'ai vu l'étrangler de ses mains à peine une heure après son accouchement… Je… je ne me suis pas interposé… J'aurais dû… mais je servais le roi et… et le roi possède le droit de vie ou de mort sur ses sujets, donc… vous comprenez ? Je…

– Oui, je comprends. Et tu disais avoir un fils ?

– Euh… euh… oui, balbutia l'homme qui craignait les représailles. C'est… c'est un ascète du culte d'Orphée. Un jeune sage… très prometteur.

– Alors, tu iras le chercher et lui diras de me rejoindre dans une heure au palais, lança Hitovo en sortant une longue dague de ses vêtements. Il n'aura qu'à demander à voir le roi, car c'est moi qu'il trouvera assis à la place de mon père. Tu viendras aussi avec lui pour raconter ton histoire et témoigner devant l'armée de mon droit à accéder au trône. Mon nom est Hitovo, fils de Stamos le Libidineux et prince de Veliko Tarnovo ! Je vais de ce pas venger la mort de ma mère et réclamer mon dû !

– Mais… mais c'est de la folie… Je… je n'en crois pas mes oreilles ! Jamais vous n'arriverez à passer la garde !

– Je compte sur l'effet de surprise, répondit Hitovo d'un ton joyeux. Personne ne se doute de ma présence ici. Mes hommes et moi frapperons vite et bien !

– La population vous soutiendra, cria un homme dans la taverne. Tout le monde déteste Stamos ici, même ses soldats !

Les quelques buveurs attablés se mirent à applaudir et à lancer des mots d'encouragement à Hitovo.

– Toi à qui je dois la vie, fit le nouveau prince en se penchant vers le vieil homme, tu seras honoré pour ton geste et tu seras, ainsi que tes proches, comblé de richesses. Quant à ton fils, s'il est aussi sage que toi, j'en ferai mon premier conseiller. Maintenant, trêve de bavardages, il est temps de passer à l'action !

Hitovo et les hyrcanoï sortirent de la taverne et, d'un pas ferme, se dirigèrent vers le palais du roi. Rapides comme l'éclair, ils n'eurent aucun mal à se débarrasser des soldats qui montaient la garde devant la porte, puis ils pénétrèrent dans le donjon. Hitovo agrippa une servante qui passait par hasard dans l'entrée et lui demanda de lui indiquer l'endroit où se trouvait Stamos.

– Il est dans ses appartements, juste là, au premier étage, répondit la femme, effrayée, avant d'être assommée.

Après avoir neutralisé deux gardes au pied de l'escalier, Hitovo et ses hommes entrèrent dans les appartements du roi. Celui-ci était au lit avec un garçon d'à peine dix ans. L'enfant pleurait à chaudes larmes. L'intrusion des hyrcanoï le sauva des griffes de son agresseur et fit du même coup bondir de colère Stamos le Libidineux.

– Quel sale putois ! lança Hitovo, choqué par la scène.

– Mais qui ose s'introduire dans ma chambre sans avertissement ? ! cria Stamos en réajustant sa chemise de nuit. GARDES ! SORTEZ-MOI CES HOMMES D'ICI !

– Tu demandes qui ose venir te déranger pendant que tu nourris ton vice? lança Hitovo entre ses dents. Eh bien, c'est moi, ton fils, cher père! Je suis celui qui devait mourir et qui aujourd'hui vient réclamer le trône de Veliko Tarnovo.

– Quoi?! fit le souverain, estomaqué. Mais je... mais je n'ai pas de fils! Allez-vous-en, je suis chez moi, ici! Je suis le roi! Gardes! GARDES!

– Tu as la mémoire courte, père..., répondit Hitovo en caressant sa dague. Mais peut-être te rappelleras-tu de ma mère que tu as étranglée dans un de tes cachots. Tu te souviens de la femme qui t'a donné des jumeaux?

– Mais comment sais-tu cela?... Mais qui es-tu? C'est... c'est impossible, tu ne peux pas être un de ces enfants, je...

– Oui, je sais que tu as demandé à ton garde de nous assassiner, mais il t'a désobéi! Dis-moi, père, sais-tu au moins comment je me nomme?

Très embêté par cette situation cauchemardesque, Stamos se pinça en espérant qu'il allait se réveiller.

– Je t'ai posé une question, père! grogna Hitovo en avançant lentement vers lui. Tu pourrais au moins me répondre, non? Connais-tu le nom de ton fils?

– Non... non, je... je ne le connais pas...

– Je m'appelle Hitovo.

– Bonj... bonjour, Hitovo, balbutia le roi. Je ne... je ne m'attendais pas à recevoir ta visite! GARDES!

– Tes gardes sont morts, Stamos! Personne ne peut t'entendre.

– Alors... très bien... que veux-tu? de l'or? de l'argent? des femmes? Demande, et tes désirs seront exaucés.

– Je ne veux qu'une chose, que tu répondes à cette question: Connais-tu la signification du nom Hitovo dans la langue des dactyles?

– NON! s'exclama Stamos aussi fort qu'il le put afin de retrouver un peu de prestance. Je ne connais pas le sens de ce nom, et je ne sais pas non plus qui sont les dactyles.

– Dans ce cas, laisse-moi le privilège de t'apprendre qu'Hitovo signifie «le bras vengeur»! Et je suis ici pour accomplir ma destinée.

Hitovo bondit alors vers Stamos le Libidineux et lui planta sa dague dans l'estomac. Le roi, inondé de sang, tomba à genoux en balbutiant injures et jurons. La dague lui transperça ensuite à plusieurs reprises le dos, puis finalement la gorge. Sous l'ordre de leur chef, les hyrcanoï se saisirent du mourant et le jetèrent par la fenêtre de sa chambre. Son corps heurta violemment le sol, un étage plus bas. Le règne de Stamos venait de se terminer brutalement.

Quelques secondes plus tard, un cor d'alarme retentit dans la ville.

– Visitez les chambres une à une et éliminez-moi tous ceux qui vous paraîtront être des nobles et des conseilleurs du roi. Évitez de tuer les serviteurs ! J'ai remarqué que la salle du trône est en bas, au rez-de-chaussée. Vous m'y rejoindrez une fois votre travail accompli ! Faites vite, nous n'avons pas beaucoup de temps !

Aussitôt, les hyrcanoï obéirent pendant qu'Hitovo dévalait l'escalier pour se rendre dans la salle du trône. Rapidement, il barricada toutes les portes de l'immense pièce, sauf une, et ferma les lourds volets de métal. Quelques instants plus tard, les hyrcanoï pénétraient à leur tour dans la salle.

– Nous avons tué treize personnes, dit l'un d'eux à son chef.

– Excellent ! Aidez-moi maintenant à refermer cette dernière porte !

– Quel est ton plan, Hitovo ?

– Tu verras bien, mon ami !

Une fois bien enfermé dans la salle, Hitovo s'installa sur le trône de son père et demanda à ses hommes de se placer derrière lui. Il y eut tout à coup une grande activité derrière la porte qu'ils venaient de refermer.

– Bombez le torse, mes frères ! Le moment de vérité arrive ! Les armées de Veliko Tarnovo sont là…

Hitovo avait raison, les soldats étaient allés chercher un bélier et s'acharnaient à défoncer la porte. Après de longues minutes, cette dernière céda enfin et l'armée entra dans la pièce. C'est à cet instant que les hommes de troupe découvrirent leur nouveau souverain. L'image d'Hitovo, assis confortablement sur le trône, couvert du sang de son père et entouré de fiers guerriers à l'allure patibulaire, était saisissante. Devant cette soudaine apparition, les soldats reculèrent d'un pas. Un murmure étouffé se répandit parmi eux.

Majestueusement, Hitovo se leva et se présenta :

– Je suis Hitovo, fils de Stamos le Libidineux, et j'ai pris aujourd'hui ce qui appartenait à mon père. Je revendique le droit de m'asseoir sur ce trône et de régner sur cette ville, sur ses habitants et sur tout le royaume de Veliko Tarnovo. Un ancien garde de Stamos sera bientôt ici pour témoigner de la véracité de mes propos. Je vous demande d'être patients et d'écouter ce qu'il aura à vous dire. Cet homme connaît le secret de ma naissance, et je lui demanderai de le partager avec vous. Ainsi, vous verrez que je ne suis pas un usurpateur.

Comme il l'avait promis, le vieil homme de la taverne, bien connu au palais pour ses exceptionnels états de service, se présenta dans la salle du trône avec son fils et raconta en détail l'histoire de la naissance d'Hitovo et de son frère. Son récit fut corroboré par les notes des vieux scribes de la cité, qui avaient consigné les faits sur des grands rouleaux de peau de mouton. C'est ainsi que le droit légitime d'Hitovo au trône fut reconnu et qu'on le confirma dans son nouveau rôle de souverain.

Respectant sa parole, Hitovo prit comme premier conseiller le fils de son sauveur, un jeune dévot du culte d'Orphée, et l'éleva au rang de mystagogue. Le nouveau roi, sur qui les philtres d'amour de Séléné avaient cessé d'agir, ne revint jamais auprès de sa femme et il s'en détacha complètement. Il ne lui donna aucune nouvelle. Pour honorer les souffrances de sa mère et expier les atrocités commises par son père, Hitovo mènerait désormais une vie d'ascète et consacrerait son existence aux pratiques de l'orphisme. Ces nouvelles règles de vie strictes visant à le conduire à une libération de l'esprit entraient en contradiction avec la pensée polythéiste des dactyles. Il valait mieux couper tous les ponts et commencer une vie nouvelle.

Dans les mois qui suivirent son couronnement, Hitovo envoya un message à ses anciens camarades hyrcanoï du village afin de les aviser qu'il entamerait bientôt, dans son royaume, une purge des tribus barbares et des adorateurs de divinités païennes. Il insista sur le fait que jamais il n'enverrait les troupes de Veliko Tarnovo anéantir les hyrcanoï, tant et aussi longtemps que ceux-ci demeureraient cachés et ne s'opposeraient pas à sa volonté de régner sur le territoire. Dans le cas contraire, il n'hésiterait pas à raser leur village.

Cette trahison fit hurler de rage Séléné qui, en plus de perdre son mari, se voyait condamnée à vivre dans la menace perpétuelle d'une attaque des Thraces. Il était inutile de fuir : Hitovo connaissait toutes les ruses des hyrcanoï pour se cacher, tous les endroits sûrs où reconstruire un nouveau village sur le territoire, ainsi que toutes les routes migratoires du gibier que suivaient régulièrement les chasseurs du clan. Séléné n'avait plus que deux choix pour protéger les siens : quitter immédiatement le pays et s'établir dans un autre royaume, loin, très loin de Veliko Tarnovo, ou laisser croire que les hyrcanoï avaient disparu. Conseillée par sa mère, elle décida de se faire discrète et de ne pas bouger. Plutôt que d'affronter celui qu'elle aimait, la dactyle choisit de s'enterrer vivante dans son village et de se plier aux volontés du tyran.

Malgré les saisons qui s'étaient enchaînées les unes après les autres, le cœur de Séléné saignait toujours. Comme une plaie qui refusait de se refermer, son âme meurtrie n'arrivait pas à oublier. Elle maudissait tous les jours Hitovo, tout en souhaitant secrètement son retour.

XI

Dans la ville de Veliko Tarnovo, Hitovo le Chien marchait lentement sur les remparts de sa cité. Le souverain pensait à sa femme, Séléné, et à la vie qu'il avait dû sacrifier pour laver l'honneur de Stamos le Libidineux. Seul devant le paysage de ses terres qui s'étendaient à perte de vue, il regrettait maintenant sa vie passée. Revoyant le corps chaud et accueillant de sa dactyle, il ferma les yeux et songea à la première fois où ils avaient fait l'amour dans la rivière. C'était bien avant qu'il ne devienne le chef de la garde des hyrcanoï, bien avant qu'il ne se décide à la demander en mariage.

« Me voilà bien nostalgique, pensa-t-il en rêvant à sa liberté perdue. À quelques jours de mon mariage avec Électra de Byzance, je sens renaître mon amour pour Séléné et j'ai envie de la retrouver… »

Seul sur sa muraille, le roi avait l'âme déchirée et sentait le poids de la solitude peser sur ses épaules.

– Tu me manques, ma belle Séléné…, murmura-t-il en frémissant, tandis qu'il se souvenait de la douceur de tous ces moments passés avec elle. Si je reviens vers toi, belle Séléné, me pardonneras-tu ? Toi qui voulais des enfants, me reprendras-tu à tes côtés ? Tu sais, ma belle dactyle, depuis que je règne sur cette cité, mes journées ne sont qu'obligations et soucis. Je n'ai plus de temps pour la chasse, pour les balades en forêt, et encore moins pour me baigner dans la rivière. Toutes ces choses que j'aimais tant faire avec toi ont disparu, et je ne fais plus que de la politique… Ah, Séléné ! Belle Séléné !

– À qui parles-tu ainsi ? demanda le mystagogue qui s'était approché d'Hitovo en silence. Tu me sembles bien triste.

– Oh ! je… je priais Orphée afin qu'il m'accorde la sagesse de prendre les bonnes décisions pour l'avenir de ce royaume, mentit le souverain en chassant rapidement de son esprit l'image de Séléné.

– Qui est cette Séléné ? Orphée t'aurait-il demandé de la prier, elle aussi ?

Hitovo sursauta lorsqu'il entendit le mystagogue prononcer le nom de son ancienne femme. L'intrus avait tout entendu.

– Occupe-toi de ce qui te regarde, mystagogue, et laisse-moi prier mon dieu comme je l'entends, lança le roi en laissant paraître un certain malaise.

– Un souverain a bien le droit d'avoir ses petits secrets, répondit le jeune homme en souriant. Je n'insisterai pas pour savoir qui est cette femme.

– Tu dois sûrement avoir une bonne raison pour venir me déranger dans mes prières, mystagogue.

– En effet, il s'agit d'Électra, ta future épouse…

– Qu'en est-il ?

– La perle de Byzance attend depuis une semaine dans le palais que tu daignes te présenter, Hitovo…, lui expliqua poliment le mystagogue. J'ai suivi tes ordres et fait ordonner qu'elle et sa gouvernante soient traitées avec les plus grands honneurs. Nous lui avons donné tes appartements et avons déménagé tes affaires dans la tour ouest du palais. De plus, des serviteurs ont installé ta meute de chiens au pied de tes nouveaux quartiers. Maintenant, j'attends que tu consentes à aller saluer ta future épouse.

– En effet, tu as bien travaillé, et je te remercie pour ton dévouement ! Je voulais donner à Électra le temps de s'adapter un peu avant de me rencontrer… J'irai bientôt me présenter.

– Ne t'inquiète pas pour son adaptation. La douce Électra occupe le palais comme s'il lui appartenait et commence à donner des ordres au personnel. Elle se sent vraiment chez elle, et je crois que le temps est venu de lui rappeler qu'elle est aussi chez toi, tu ne crois pas ?

– Très bien, fit le souverain en essayant d'éluder la question, il est important qu'elle se sente à l'aise dans son nouvel environnement. C'est très bien pour les serviteurs, ainsi ils apprennent à la connaître. J'en suis ravi !

– Permets-moi d'aller tout de suite au but, Hitovo... Si tu veux épouser cette fille, la mettre dans ton lit et lui faire un héritier, il faudra d'abord qu'elle sache qui tu es ! On ne peut pas avoir d'enfants avec un fantôme qui fuit le palais pour aller habiter une obscure tour de garde... Il est temps d'agir, maintenant !

– Je comprends... je comprends...

– Ce n'est pas une réponse, Hitovo ! s'enflamma le mystagogue. Il me faut plus qu'un simple « je comprends ». Tu dois descendre de ton perchoir, foncer au palais, entrer dans sa chambre, courtiser Électra et, enfin, lui faire un enfant.

– Oui, oui, je sais..., soupira le roi.

– Alors, bouge ! Et rends-toi immédiatement au palais !

– Tu me fatigues...

– Et toi, tu m'exaspères !

– J'ai besoin de temps, avoua enfin le roi. Je ne suis pas prêt... pas prêt du tout.

– Tu as besoin de temps ?! Mais pourquoi ? Parle-moi ! l'implora le mystagogue. Explique-moi... je t'en prie, je suis là pour t'aider. Confie-toi à moi !

Un long silence s'immisça entre les deux hommes. Ne voulant rien avouer de sa vie passée, Hitovo attendit sans bouger dans l'espoir que le mystagogue quitte les lieux, mettant ainsi fin à la conversation. Mais, au lieu de ça, le jeune homme têtu comme une mule demeura à ses côtés et, avec la patience d'un fauve qui guette sa proie, il se tint immobile, le regard fixé sur son souverain. Ce ne fut qu'après de longues minutes de malaise que le roi se décida à parler.

Il respira un bon coup, puis confessa :

– Avant de m'emparer du trône de mon père et de gagner les terres de ce fantastique royaume, j'avais une femme...

La révélation assomma quelques instants le mystagogue.

– Quoi ?! Mais que me dis-tu là !? s'étonna le jeune homme qui ne s'attendait pas à un tel aveu. Tu es déjà marié ? Le peuple de Veliko Tarnovo a déjà une reine ?

– Oui..., acquiesça Hitovo. Et depuis quelque temps, eh bien, je pense souvent à elle... je pense souvent à... Séléné. C'est ainsi qu'elle se nomme.

Le mystagogue, encore sonné par cette nouvelle, prit une bonne minute pour se remettre. Il se gratta ensuite la tête, puis soupira un bon coup.

– Je ne te comprends pas, Hitovo… Mais pourquoi ne m'as-tu rien dit lorsque je t'ai proposé d'arranger un mariage avec la fille du roi de Byzance ? Pourquoi m'avoir laissé dans le noir ?

– Parce qu'à ce moment, je ne pensais plus à Séléné… Mais aujourd'hui les choses sont différentes. Depuis plusieurs nuits, son souvenir me hante. Je la vois qui m'appelle, qui attend patiemment mon retour…

– Qu'est-ce que je fais, moi, maintenant ? Je renvoie la fille à son père en lui disant que le mariage n'aura pas lieu parce que le puissant souverain de Veliko Tarnovo avait oublié qu'il était déjà marié ? C'est ce que tu veux ? !

– Non, ne fais rien de cela… Je vais… je vais épouser la jeune Byzantine.

– Les dieux ne permettent pas qu'un homme puisse avoir deux femmes…

– Eh bien, les dieux feront une exception !

– Tu subiras leur colère, et ce courroux te mènera à ta perte…

– Alors, je subirai la punition divine ! trancha Hitovo, exaspéré. Je ne vais pas reculer maintenant qu'elle est là, dans mon palais ! J'ai simplement besoin d'un peu de temps pour faire le point et… et pour oublier définitivement Séléné. Voilà, c'est tout !

– Non… Il faut penser à une autre stratégie.

– Et moi, je te dis que tout va pour le mieux ! s'écria Hitovo, mécontent. J'épouserai Électra, lui ferai un enfant, et tu auras ton héritier tant souhaité ! Ensuite, je…

– Tais-toi, Hitovo, j'ai une meilleure idée, dit soudain le mystagogue.

– Ma patience est à bout, fais vite !

– La jeune princesse de Byzance est ici et elle n'ira nulle part sans que nous lui en donnions l'autorisation. Profites-en, et va retrouver Séléné pour voir si elle veut toujours de toi. Si oui, tu nous la ramèneras ici et nous l'installerons sur le trône à tes côtés. Sinon tu devras rompre ce mariage et reprendre ta liberté… Qu'en penses-tu ?

Le roi, surpris par l'audace de cette proposition, réfléchit pendant un long moment. Après tout, la suggestion n'était pas folle ; cela valait la peine d'essayer. Peut-être même que Séléné lui pardonnerait de l'avoir abandonnée et qu'ensemble, ils pourraient retrouver leur bonheur perdu. Hitovo n'aurait qu'à être franc, lui ouvrir son cœur et lui avouer modestement qu'il ne pouvait pas vivre sans elle.

– Et si Séléné accepte de venir à Veliko Tarnovo, que ferons-nous d'Électra de Byzance ? s'inquiéta avec raison Hitovo.

– Nous verrons bien à ce moment…

– Mais il y a aussi Orphée et ma promesse de chasteté envers lui, dit le souverain, embêté.

– Tout comme moi, Orphée comprendra qu'un roi a besoin d'une descendance et qu'il vaut mieux que cet enfant soit le fruit d'un amour sincère que d'un mariage arrangé.

– Et notre plan pour envahir Byzance et étendre le pouvoir des Thraces jusqu'aux rives du Bosphore ? Nous l'abandonnerons ?

– Nos plans demeurent les mêmes, le rassura le mystagogue. Nous arriverons à nos fins d'une autre façon, c'est tout !

– Et que diras-tu à Électra pour couvrir mon départ ?

– Je lui dirai simplement la vérité, déclara le jeune homme, tout sourire. Je lui dirai que le grand souverain Hitovo de Veliko Tarnovo est occupé à mener d'importantes affaires à l'extérieur des murs de la cité et qu'il sera de retour une fois ses obligations remplies. Une femme n'a pas besoin d'en savoir plus pour être patiente et attendre ! Après tout, elle est la fille d'un roi et elle comprendra que l'administration d'un royaume passe avant les futilités d'un mariage.

– Tu es brillant, mon ami…

– Je te dois beaucoup, Hitovo, et, grâce à ta confiance, toute ma famille est à l'abri du besoin. Tu dois la vie à mon père et tu le lui as bien rendu. Par tes largesses et ta confiance, tu honores bien la clémence dont il a fait preuve jadis envers toi. Mon seul désir est de t'appuyer à mon tour du mieux possible dans l'exercice de tes fonctions. Je désire ton bonheur et, du même coup, celui de ce royaume.

Les deux hommes se donnèrent une chaude accolade.

– Je partirai secrètement demain à la première heure, lança Hitovo, satisfait. Et si Orphée est avec moi, je reviendrai avec une reine…

– Et ne t'inquiète pas pour Électra, fit le mystagogue, c'est une enfant capricieuse, mais nous satisferons chacun de ses désirs. Elle sera traitée comme notre future souveraine, et nous subirons ses colères et sa mauvaise humeur jusqu'à ton retour. J'ordonnerai aussi que des hommes de confiance t'accompagnent pour assurer ta sécurité.

– C'est hors de question, ordonna Hitovo. Je partirai sans escorte et seuls mes chiens m'accompagneront.

– Il serait plus prudent de…

– Va dormir, mystagogue. Cette discussion me semble bien terminée.

– Sois prudent alors…

– Je le serai ! Ne t'inquiète pas.

XII

Dans le village, la rumeur voulant que l'ancien chef de la garde des hyrcanoï soit revenu au bercail et qu'il ait retrouvé sa place entre les draps de la dactyle s'estompa rapidement. Le nouvel arrivant avait beau être le portrait craché d'Hitovo, il était loin d'avoir la fougue, la force et la sagacité de ce dernier.

Depuis plusieurs jours, Avatah vivait prostré dans la caverne de la dactyle. Il refusait de manger, dormait beaucoup et ne communiquait que très peu. L'ancien esclave était perdu, confus et ne savait quoi faire ni où aller. Ses pierres entre les doigts, il aurait aimé y revoir les images qui autrefois l'amusaient tant, mais c'était peine perdue. Les pierres de lune demeuraient vides. Lui qui les avait tant aimées commençait maintenant à les détester. Même l'œil du loup dans la pierre du Mâj Gayak l'avait abandonné. Sans ces images, Avatah n'avait plus rien pour le guider.

Mécontent, il avala d'un coup ses trois pierres. Peut-être une fois à l'intérieur de son corps allaient-elles se réactiver ?

Aussi affairée qu'Avatah était amorphe, Séléné préparait fiévreusement les éléments nécessaires au rituel du Râjâ. Après avoir pris soin de se purifier en prenant de longs bains chauds aux herbes aromatiques, elle était maintenant prête à revêtir son costume chamanique.

« Ce soir, les choses vont changer radicalement dans ce monde, se disait-elle. L'avènement du nouveau roi n'est plus maintenant qu'une question de temps. La lune rouge sera visible dans quelques heures, et le rituel de transformation aura bien lieu. Quoi qu'en pense ma mère, Avatah est le Râjâ, j'en suis certaine… Börte Tchinö est prête à s'incarner dans le corps d'un humain, je le sens... Ce soir naîtra par la magie du Loup bleu le premier des Râjâ, la fusion parfaite entre l'homme et la bête. »

Une fois ses préparatifs terminés, Séléné prit quelques grandes respirations pour calmer son excitation, puis se pencha lentement sur ses vêtements de cérémonie. Cette peau d'animal, composée de la fourrure des anciens chefs de la meute de loups qui vivait non loin du village, était brodée de petites représentations d'animaux sacrés. Solennellement, la jeune femme l'enfila. Elle passa ensuite un pectoral forgé de ses mains, sur lequel un œil averti pouvait distinguer, très finement ciselée dans le métal, une carte du ciel dont les étoiles, reliées entre elles, dessinaient la tête d'un loup vue de profil. La dactyle plaça autour de sa tête un large bandeau duquel pendaient de nombreuses représentations d'animaux et de petits objets évoquant les différentes saisons. Bois de cervidé, griffes d'ours et plumes d'oiseau côtoyaient fruits séchés et bouts de branches mortes dans cette stupéfiante couronne. Puis, comme Séléné achevait son rituel en enfilant un à un ses plus beaux bijoux, sa mère pénétra dans la grotte sans s'annoncer.

– Tu es ridicule, ma fille, et je t'interdis de présider ce soir le rituel de la lune rouge ! s'exclama-t-elle, très contrariée. Quelle honte ! Mais quelle honte !

– Taisez-vous, mère, je sais ce que je fais...

– Non, justement, tu ne le sais pas ! rouspéta la vieille femme. Tu es une petite sotte et tu ne mérites pas tout le temps que j'ai perdu à t'enseigner les arts sacrés de tes ancêtres. Cet humain n'est pas le Râjâ ! C'est un pauvre type, un malheureux, un malchanceux, c'est tout !

– Lorsque la fusion sera faite, mère, il ressortira du lac moitié homme et moitié loup, dit calmement la dactyle, convaincue. Je le sais, car Maïcha est venue me l'annoncer dans un rêve.

– L'esprit de la vieille louve t'a clairement dit que cet homme était le Râjâ ? Est-ce bien cela que tu m'apprends ? Maïcha t'a dit sans l'ombre d'un doute qu'il était celui que nous attendons depuis des siècles ?

– Non... pas aussi clairement, mais elle m'a bien dit qu'il était temps d'aller au lac afin d'unir la puissance de Börte Tchinö au sang des mortels...

– Mais cela ne signifie pas que ton Avatah soit le Râjâ, petite sotte! Tu es complètement aveuglée par ton désir de vengeance envers Hitovo! Je te connais et je sais que tu espères que cet Avatah lève une armée et venge ton honneur à Veliko Tarnovo, mais tu oublies que Börte Tchinö ne s'incarnera pas sur cette terre pour laver ton humiliation!

– Je sais que c'est lui que nous attendons, je sens que cet homme va changer les choses dans le monde! Je l'ai trouvé parmi les loups et il portait les trois pierres, les trois couleurs du Loup bleu…

– MAIS CELA NE VEUT RIEN DIRE! hurla la sage dactyle. Plus tôt dans la journée, j'ai sondé le cœur de ton Avatah pendant que tu étais occupée à chercher des plantes dans les bois. Ton Râjâ vit actuellement une très douloureuse peine. Il est perdu, confus et paralysé par le découragement…

– Ridicule, mère! s'exclama la dactyle en éclatant de rire. L'âge vous égare… Vous ne voyez plus les signes, vous êtes aveugle! Non, je crois que vous refusez la réalité parce que c'est moi, et non pas vous, qui ferai éclore le Râjâ!

– Si tu savais un peu mieux lire dans les étoiles, tu aurais vu que la guerre est à nos portes et que ton Râjâ ne sauvera ni les hyrcanoï, ni les Byzantins, ni même le valeureux souverain de Veliko Tarnovo, ton cher Hitovo… Les choses sont plus compliquées qu'elles ne le paraissent!

– Quelle guerre? s'énerva Séléné. Il n'y a pas plus de guerre dans les étoiles que sur cette terre, mère! Retournez chez vous et ne me dérangez plus, j'ai une épuisante cérémonie à mener ce soir. Je suis fatiguée de vos incessants reproches et du déplaisant scepticisme dont vous faites preuve chaque fois que je prends des décisions ou que je préside des…

– TRÈS BIEN, petite prétentieuse, je pars!… la coupa la vieille femme, découragée par l'attitude de sa fille. Tu salueras Hitovo pour moi!

– Hitovo n'est plus ici, mère! répliqua Séléné, furieuse.

– En es-tu si certaine, ma petite? Il rôde autour de notre village comme un chien égaré qui hésite à revenir au bercail. Je sens sa présence et son odeur de putois! Attention à toi lorsque tu le croiseras, il pourrait bien te mordre!

– Pauvre femme…, murmura Séléné en hochant la tête, vous me faites pitié…

– On verra bien qui aura pitié de l'autre, lança la vieille femme en quittant la grotte.

Exaspérée par cette conversation avec sa mère, la dactyle continua ses préparatifs en vue de la cérémonie. Elle saisit un grand masque représentant les crocs menaçants et la bouche béante d'un loup, puis le posa délicatement sur son visage. L'objet lui allait à la perfection. Par la gueule ouverte de l'animal, elle pouvait voir tout autour d'elle et ainsi se déplacer avec facilité sans risque de tomber. Pour les dactyles, le masque cérémonial était de première importance dans les rituels. Il permettait à l'officiant de se fondre avec une plus grande facilité dans le monde des esprits.

– Viens avec moi, Avatah, nous devons maintenant partir…

Perdu dans ses questionnements, Avatah ne réagit pas et demeura prostré sur son lit. La dactyle dut s'approcher de lui et le saisir doucement par le bras afin qu'il accepte, machinalement, de se lever et de la suivre dans la forêt.

Ensemble, ils empruntèrent le chemin que Maïcha, la vieille louve, avait tant de fois parcouru. À la lumière d'une torche, ils entamèrent leur longue marche sur un sentier escarpé et parfois très périlleux qui les conduisit jusqu'au faîte d'une montagne où s'étendait un petit lac. Au milieu d'une minuscule éclaircie, le plan d'eau était entouré de longues herbes. Le paysage rappela brusquement à Avatah le rêve qu'il avait fait maintes fois. Dans ce cauchemar, il entendait les lamentations d'une louve en chaleur. Dévoré par l'envie de la saillir, il était incapable de bouger et demeurait prisonnier des roseaux. Le cœur battant et soudainement rempli de vie, Avatah commença à scruter les environs dans l'espoir d'y voir la femme qu'il aimait ou, du moins, de percevoir un indice de son passage.

– Mais que se passe-t-il, Avatah ? Tu sens quelque chose ? demanda Séléné, surprise par la subite agitation de son protégé. Tu comprends que le temps est venu, n'est-ce pas ?

Avatah huma l'air un bon coup, mais ne décela aucun parfum de femme, à part celui de sa mère louve. Guidé par son flair, il marcha dans les hautes herbes et découvrit bien vite de petits flotteurs rudimentaires faits de vieux bois et de roseaux.

– Viens ici, Avatah, lui demanda la dactyle en faisant un large geste pour être sûre de se faire comprendre.

Comme un chien bien dressé, l'ancien esclave retourna auprès d'elle. Il avait retrouvé toute sa vivacité.

– Je vais essayer de t'expliquer ce que nous faisons ici, commença la dactyle dans un mélange de grec et de thrace.

Avatah comprit quelques mots, puis, curieux, lui présenta son oreille droite. Dans le langage des loups, cette posture démontrait une attitude favorable à l'écoute.

– Très bien, fit Séléné qui connaissait ce mouvement pour avoir souvent vu la vieille Maïcha le faire. Ce lac, juste ici, est la création du Loup bleu... Le Loup bleu, qu'on appelle aussi Börte Tchinö, est l'esprit du loup, l'âme qui unit tous les loups... C'est la déesse des loups. Tu comprends ? On dit qu'un jour, Börte Tchinö a envoyé une boule de feu sur la terre, et que cette boule de feu sacré a créé ce lac en touchant le sol... Depuis ce jour, une partie de la force du loup se trouve ici, dans ce lac... Tu comprends ce que je dis ?

Avatah fit un léger signe de tête en signe d'approbation.

– Donc..., continua la dactyle, soulagée de se faire un peu comprendre, depuis ce jour, tous les humains qui entrent dans ce lac en ressortent transformés en loups... C'est la magie de Börte Tchinö. Dans ce lac, les hommes deviennent des loups, et les loups, des hommes... Les hyrcanoï ont souvent utilisé ce lac pour transformer des guerriers en loups... Nous ne le faisons plus maintenant, car nous ne sommes plus en guerre. Nous avons arrêté complètement de le faire depuis très, très longtemps... Mais, aujourd'hui, tu vas le faire pour moi. Tu vas nager dans le lac et te transformer en loup !

L'ancien esclave eut un mouvement de recul et regarda le lac d'un air confus. Avait-il bien entendu ? Ce lac le transformerait-il réellement en loup ?

– Écoute-moi, Avatah... Les légendes racontent que Börte Tchinö, le Loup bleu, viendra un jour sur terre sous la forme d'un humain, mi-loup, mi-homme. Et je crois que c'est toi... Tu es celui que le grand dieu des loups a choisi... Ce lac te transformera complètement et tu deviendras le plus puissant et le plus craint de tous les rois de ce monde ! Tu deviendras un…

Déjà, Avatah n'écoutait plus. Lui qui avait tant souhaité être un loup regardait le lac avec une étrange sensation d'exaltation entremêlée de peur. Si la femme aux longs cheveux disait vrai, il pourrait enfin se lancer très rapidement à la poursuite de la jeune fille qu'il aimait. Une fois qu'il l'aurait retrouvée, il n'aurait plus qu'à revenir ici et à reprendre sa forme humaine.

– … un puissant… Avatah, tu m'écoutes ?

L'ancien esclave tourna la tête vers la dactyle. Il haletait d'excitation, fébrile à l'idée de devenir un authentique loup.

– C'est pour bientôt, Avatah, ne sois pas impatient, continua la dactyle en essayant de le calmer. Écoute bien, écoute ! Une fois ta transformation terminée, nous lèverons ensemble une grande armée et nous marcherons sur Veliko Tarnovo afin de nous emparer des richesses du royaume. Rien ne pourra nous arrêter ! Les hommes te verront comme un dieu, comme l'incarnation divine de Börte Tchinö, et tous voudront te servir… Tu comprends, Avatah ? Tu vois les enjeux ?

Mais Avatah n'était plus en état de saisir le sens des paroles de la dactyle. Il ne comprenait d'ailleurs absolument rien au discours de la femme, se contentant d'observer intensément le lac. Dans le reflet de l'eau, l'œil du loup bienveillant, qu'il avait tant de fois admiré dans la pierre bleue du Mâj Gayak, se matérialisa lentement. Le jeune homme en eut le souffle coupé !

– Dans quelques heures, la lune sera rouge, dit Séléné en cherchant du regard un bon endroit pour accomplir le rituel, et c'est là que je devrai commencer la cérémonie. Tu demeureras à mes côtés, juste ici… Regarde-moi, Avatah, quand je te parle… Tu restes ici… Ne bouge pas de là pendant le rituel… Tu comprends ? Tu ne bouges pas…

Ce fut le moment que choisit Avatah, incapable de se retenir davantage, pour courir et bondir dans l'eau.

– NON ! NE FAIS PAS ÇA ! hurla la dactyle. PAS TOUT DE SUITE ! NON !

Avatah, qui ne savait pas nager, se laissa couler vers le fond sans lutter. Le bouillonnement enveloppant de l'eau lui procura un nouveau sentiment de sécurité et de paix.

Dès qu'il fut complètement immergé, Avatah sentit son corps devenir plus dur et ses muscles, plus solides. Sans qu'il éprouve la moindre souffrance, sa tête s'allongea en un grand museau, et de puissants crocs lui envahirent la bouche. Ses os se brisèrent un à un pour ensuite se reformer en un squelette animal. Sa colonne vertébrale s'étira en une longue queue qui se para presque immédiatement d'une épaisse fourrure. Des poils jaillirent de ses membres pour lui recouvrir tout le corps. Des griffes au bout de ses doigts, des coussinets dans la paume de ses mains et de nouveaux yeux, beaucoup plus efficaces dans le noir, complétèrent sa transformation.

Cette mutation, qui ne dura que quelques secondes, apparut à Avatah comme une longue gestation de plusieurs semaines dans le ventre d'une mère louve. Flottant dans le liquide chaud du ventre de Börte Tchinö, il se sentit pour la première fois de sa vie plein de confiance. Rien de mal ne pouvait plus lui arriver, car l'être supérieur veillait désormais sur lui.

Avatah sortit la tête de l'eau comme un enfant sort du ventre de sa mère. Il venait de naître pour la seconde fois. Mais, aujourd'hui, ce n'était plus en tant qu'homme, mais plutôt en tant qu'animal. Il était devenu ce qu'il avait toujours souhaité être : un magnifique loup.

– NON, NON, NON ! cria la dactyle. Tu es en train de tout faire rater ! Sors immédiatement de l'eau et retournes-y ensuite ! Tu dois attendre la lune de sang pour t'immerger ! Avatah ! AVATAH !

Les oreilles baissées et le nez à peine sorti de l'eau, Avatah nagea jusqu'à la rive. Il s'extirpa du lac, puis se secoua les poils.

– Je te jure, Avatah, lança la dactyle en colère, que si tu ne retournes pas immédiatement dans l'eau, je mettrai tout en œuvre pour te le faire regretter ! Écoute-moi ! Retourne dans le lac. Le moment n'est pas encore venu… AVATAH ! RETOURNE DANS LE LAC !

Avatah se retourna vers Séléné et l'observa quelques secondes. Il se dit que cette femme avait l'air plutôt ridicule dans son accoutrement de cérémonie. Elle ne ressemblait pas du tout à un loup, mais plutôt à une grotesque caricature.

– Plonge, vite ! Allez, plonge !

La dactyle aurait beau crier et le menacer, jamais Avatah ne retournerait dans ce lac à moins d'éprouver réellement le besoin de redevenir un homme. En tant qu'humain, il avait été fouetté, mal nourri, privé de sa liberté, forcé à réaliser des exploits dans un stade et, finalement, écarté de la femme qu'il aimait. Sous sa nouvelle forme, une liberté toute neuve se présentait à lui et aucune menace, sanction ou avertissement n'allait plus maintenant l'empêcher d'être un loup.

Sans se soucier de ce que disait la dactyle, en deux bonds Avatah disparut dans la forêt.

– Eh bien, quel salaud, celui-là ! s'exclama la dactyle, furieuse. C'est ainsi que tu le prends ? Tu ne vaux pas mieux que ton stupide frère et tu paieras, toi aussi, pour m'avoir trompée !

Sur ces mots, Séléné se lança à son tour dans le lac, et la transformation s'opéra encore une fois. Tout comme Avatah, elle en ressortit sous la forme d'un gigantesque loup. Son pelage roux comme ses anciens cheveux et sa rage décuplée par son instinct animal, la dactyle renifla le sol et se lança à la poursuite du fugitif.

XIII

Depuis son arrivée à Veliko Tarnovo, la princesse de Byzance n'arrêtait pas de se plaindre. Que ce soit à propos de la qualité de la nourriture, de l'état de ses appartements, de l'odeur de chien mouillé qui imprégnait les murs du palais ou du peu d'égards que le souverain Hitovo avait pour elle, la jeune femme capricieuse ne cessait de clamer son mécontentement. À chacune de ses crises, maintenant quotidiennes, le mystagogue venait la voir pour essayer de la calmer.

Cette fois encore, il prit un air détaché et se rendit auprès d'Électra qui réclamait de toute urgence sa présence.

– Que puis-je faire pour vous, ma reine? demanda-t-il patiemment en pénétrant dans la chambre d'Électra.

– Si je dois me marier ici, dans ce trou à rats que vous appelez ville, j'aimerais bien savoir avec qui et quand. Voilà bien trois semaines que je suis prisonnière de ces murs, sans aucun divertissement pour m'aider à passer le temps, et je m'ennuie mortellement!

– Votre dame de compagnie, cette chère Phoebe, ne peut-elle pas vous proposer des jeux ou vous entretenir de sa charmante conversation?

– Phoebe ne va pas très bien, l'informa Électra. Elle se meurt d'amour pour mon oncle, Héraclès, qu'elle n'a pas vu depuis que nous avons quitté Byzance. La pauvre a une grosse peine d'amour, mais cela lui passera… Pour l'instant, je n'ai plus personne pour me tenir compagnie, et les journées en vos murs sont d'une infinie tristesse.

– Je vois… je vois…, répondit le mystagogue, embêté.

– Pourrais-je sortir pour me promener en ville?

– C'est hors de question... pas avant que vous n'ayez été présentée officiellement au peuple, mentit le jeune homme en sachant très bien qu'Hitovo reviendrait peut-être avec une nouvelle reine. C'est une coutume ici... C'est même une question religieuse!

– Religieuse?

– Oui, oui..., dit le mystagogue qui venait d'inventer la chose. Connaissez-vous le culte d'Orphée?

– Le culte de qui?

– Je vous explique... Dans l'orphisme, il est dit qu'une future reine se doit, comme une fleur au printemps, de s'épanouir devant son peuple avant de monter sur le trône!

– Et comment vais-je m'épanouir devant eux?

– Hum..., fit l'homme qui hésita une seconde avant d'ajouter: Eh bien, en recevant de somptueux cadeaux...

– Des cadeaux, dit Électra, soudainement très intéressée.

– De l'or et des tissus venus des lointaines contrées de l'est, enchaîna le mystagogue, satisfait de son mensonge. Des bijoux en pagaille et des plats fins et délicats... enfin, de somptueux présents que le peuple vous prépare en cachette.

– Oh! que c'est charmant! Quelle belle attention!

– Imaginez que vous vous promeniez en ville et que, au détour d'une rue, vous arriviez face à face avec un artisan en train de travailler sur votre présent! Quelle déception pour lui! Et quel chagrin pour toute sa famille dont la surprise serait, pour ainsi dire, éventée!

– Très bien, je comprends..., répondit Électra, maintenant calmée. J'attendrai ici et, le moment venu, je recevrai dignement ces présents...

Content de lui, le mystagogue réfléchit quelques secondes à l'isolement forcé de la jeune femme. S'il voulait avoir la paix dans les prochains jours, il se devait de lui trouver une occupation amusante. Après tout, la pauvre avait un peu raison de se plaindre, car il n'y avait rien de très intéressant à faire entre ces quatre murs.

– Aimez-vous la chasse? demanda-t-il à la princesse de Byzance.

– La chasse?! répéta-t-elle, surprise. N'est-ce pas là une activité réservée aux hommes?

– Ailleurs peut-être, mais ici, pas du tout ! Les femmes thraces sont d'aussi bonnes chasseuses que les hommes.

– Elles sont comme Artémis ?

– Tout comme Artémis la chasseresse, en effet !

– Elle est ma déesse protectrice et… et c'est grâce à elle si je suis ici. Une nuit, je l'ai priée avec ferveur afin qu'elle me fasse sortir de Byzance et m'accorde un peu de liberté… Après quelques mois d'attente, je me dirigeais vers votre cité…

– Qui sera bientôt la vôtre aussi…, continua le mystagogue, ravi d'avoir trouvé une activité capable de divertir Électra. Mais, pour revenir à la chasse, nous avons de fameux archers qui vous apprendront l'art du tir en très peu de temps. Je présume que vous savez monter à cheval ?

– Depuis mon plus jeune âge…

– Ainsi, vous serez libre de seller votre cheval et de partir dans les bois. Vous pourrez aller où bon vous semble !

– Libre ? Je serai complètement libre ?

– Je mettrai tout d'abord à votre disposition une petite troupe de mes meilleurs chasseurs afin de vous apprendre à reconnaître les pistes et à traquer une proie. Ils vous aideront aussi à vous orienter sur le territoire et à éviter les zones dangereuses… enfin, pour ce qu'il reste d'endroits un peu plus dangereux, puisque Hitovo a chassé de ses terres toutes les tribus barbares qui s'y étaient installées.

– Vous laisseriez une reine partir seule à cheval dans les bois ?

– Non, pas une reine ! Mais une chasseresse aguerrie, oui ! Je connais bien Hitovo et je sais que jamais il ne s'opposera à une telle chose… Bien entendu, pour le peuple, nous tiendrons cette affaire secrète…

– Libre, sur un cheval…, dit Électra, rêveuse, armée de mon arc et galopant dans la forêt… enfin libre… libre comme Artémis ?

– Libre comme le vent !

La jeune femme ferma les yeux et s'imagina portant arc et flèches, habillée, tout comme Artémis, d'une armure de cuir pour la protéger des bêtes féroces. Elle se voyait déjà galopant dans sa forêt à la recherche d'un cerf à abattre.

« S'il y a des cyclopes sur ce territoire, pensa-t-elle avec fébrilité, peut-être m'offriront-ils, tout comme ils l'ont fait pour Artémis, un arc si puissant que ses flèches pourront traverser des troncs d'arbres entiers. »

Dans ce songe éveillé, Électra était une sauvageonne insoumise. Sa fierté n'avait d'égale que son habileté à se fondre dans la nature et à faire corps avec son environnement. Les animaux sauvages la vénéraient aussi comme une reine, et même les prédateurs les plus dangereux se prosternaient devant sa force et sa beauté.

– Hum... hum..., fit le mystagogue pour sortir la princesse de ses rêveries. Il semblerait que l'idée de la chasse vous plaise ?

– Oui... je peux toujours essayer, répondit Électra sur un ton faussement détaché. Le temps est si long ici, aussi bien m'occuper à quelque chose d'utile.

– Très bien ! s'exclama le mystagogue, enchanté, mais surtout soulagé à l'idée de ne plus l'avoir constamment sur le dos. Et si nous procédions tout de suite ?

– Que voulez-vous dire par « tout de suite » ?

– Je veux dire : dès maintenant ! Suivez-moi dans notre armurerie, nous vous trouverons un costume adéquat.

– C'est bien pour vous faire plaisir..., soupira Électra en ne laissant rien paraître de son emballement.

Sous le palais, au bout d'un grand escalier s'enfonçant au cœur de la montagne sur laquelle Veliko Tarnovo trônait depuis des siècles, se trouvait la plus impressionnante armurerie des royaumes thraces. Trois forges coulaient jour et nuit des épées et des armures, des pointes de lances et des haches de guerre. Un bruit terrible et une chaleur étouffante y régnaient en permanence. Seules quelques longues fenêtres taillées dans la pierre de la montagne laissaient sortir l'air chaud et permettaient à la lumière de pénétrer dans la fabrique.

– Nous sommes les premiers fournisseurs d'armes de toute la Thrace, dit le mystagogue à la jeune princesse. Plusieurs de nos alliés, sur différents fronts, sont actuellement en guerre et c'est ici, dans les forges d'Hitovo, qu'ils se procurent leurs armes. Nous avons les meilleurs forgerons du pays et les plus extraordinaires tanneurs de cuir. Il va sans dire qu'ils sont là parce que nous les payons grassement ! En fait, tout ce qu'il y a de mieux dans le monde se fait ici, à Veliko Tarnovo…

– C'est… c'est épatant ! lança Électra en oubliant son personnage de princesse blasée. Il y a des centaines… des milliers d'épées ! Et toutes ces armures… C'est incroyable ! Aucun hoplite de Byzance n'est aussi bien armé !

– Remarquez les pommeaux des épées, lui indiqua le mystagogue, ils sont tous différents…

– Mais pourquoi vous donnez-vous tant de mal ?

– Parce qu'un guerrier qui possède une épée unique tisse avec elle un lien particulier. Ainsi, il s'entraîne avec plus de zèle. Il devient rapidement un meilleur soldat, et sa motivation pour le combat s'en trouve décuplée. C'est l'un des grands secrets de la puissance des armées de Thrace.

– Aurai-je aussi un arc de chasse unique ?

– Bien entendu ! Vous aurez même une armure unique ! Suivez-moi, c'est juste ici.

Le mystagogue et son invitée s'éloignèrent du bruit de la forge pour traverser un gigantesque entrepôt d'armes et d'armures. Creusé lui aussi dans le cœur de la montagne, un long passage les conduisit vers les ateliers des tanneurs de cuir et, enfin, dans une pièce fermée à double tour qui abritait les armures royales. Le mystagogue alluma quelques torches, puis se tourna vers Électra.

– Voici les modèles royaux frappés du sceau de Veliko Tarnovo. Vous remarquerez sur toutes les armures une forte prédominance du blanc, la couleur d'Orphée, notre guide. Je vous envoie immédiatement nos meilleures habilleuses. Vous n'aurez qu'à choisir les modèles qui vous plaisent le plus, et nous les ferons monter à votre chambre afin que vous soyez à l'aise pour les essayer. De mon côté, je m'occupe de vous trouver un arc digne de la chasseresse que vous deviendrez.

– Mystagogue ! l'appela Électra, déjà éblouie par tout ce luxe. Je tiens à vous remercier de votre patience avec moi… Je sais que, parfois, mon comportement peut être exaspérant pour certains… et, malgré cela, vous êtes toujours demeuré gentil avec moi.

– Je ne le fais pas par devoir, répondit le jeune homme, sincèrement touché, mais bien par plaisir…

– J'espère qu'Hitovo sera aussi gentil que vous…

– Il le sera plus encore, ne vous en faites pas.

Le mystagogue se retira. Comme il le lui avait promis, des habilleuses se présentèrent pour conseiller la future reine. Cette dernière choisit une bonne dizaine de costumes de chasse et quelques très élégantes robes que des serviteurs montèrent dans ses appartements. Aussitôt, des couturières se joignirent aux habilleuses et, ensemble, elles ramenèrent Électra des caves à sa chambre pour l'essayage.

Alors que tout se déroulait à merveille et que la princesse, au comble de la joie devant ses servantes, se voyait déjà reniflant la piste d'un cerf, Phoebe entra dans la pièce et demanda qu'on la laisse seule avec elle. La grosse gouvernante était complètement paniquée.

– Vite, princesse, il faut partir d'ici ! lança-t-elle, à bout de souffle.

– Mais que se passe-t-il, Phoebe ? Ne vois-tu pas que tu me déranges ?

– J'ai entendu des choses si horribles que vous n'en croirez pas vos oreilles ! Ces gens sont des barbares…

– Bien au contraire, répondit Électra. Je viens tout juste de visiter les caves du palais et je t'assure que les habitants de cette ville sont plus doués pour le commerce que les Byzantins, plus riches que les Perses et qu'ils possèdent un raffinement hors du commun. Je les avais bien mal jugés…

– Peut-être bien, mais il paraît que leur souverain, votre futur époux, est actuellement à la recherche d'une autre femme et que s'il la trouve, ils vous tueront !

– Mais où vas-tu chercher de pareils caquetages, pauvre Phoebe ? ! Tu es tout à fait ridicule !

– Je le sais parce que…, hésita Phoebe, un peu honteuse, parce que je me suis fait un copain qui fait partie de la garde personnelle d'Hitovo…

– Tu veux dire que tu as couché avec un soldat du roi ?

– Euh… oui… un grand blond bien musclé… pour oublier Héraclès et aussi, un peu, pour tuer le temps…

– Tu es trop légère, Phoebe ! Tu me dégoûtes…

– Là n'est pas la question ! Cet homme m'a confié que, depuis notre arrivée, Hitovo se cachait dans l'une des tours de la cité et que, depuis quelques jours, il est…

À ce moment, le mystagogue, qui, caché derrière la porte, avait tout entendu, entra dans la chambre, portant un arc en bois d'if magnifiquement sculpté.

– Hitovo est dans le royaume voisin où il conduit d'importantes affaires commerciales, déclara-t-il en interrompant la gouvernante. Il ne faut jamais croire ce que les soldats racontent, chère Phoebe. Lorsqu'ils ne sont pas en guerre, ce sont de vraies poules qui jacassent sans arrêt. Voilà votre arc, ma reine !

– Tu vois, Phoebe, dit la jeune princesse, toute réjouie, je serai bientôt la chasseresse la plus crainte de la contrée. Les cerfs et les sangliers n'ont qu'à bien se tenir…

– Mais… mais vous ne pouvez pas ! s'énerva la gouvernante. Une femme ne peut pas… ne doit pas… chasser !

– Pas ici, Phoebe ! s'exclama le mystagogue. Dans ce royaume, les femmes sont libres de chasser, votre nouveau copain ne vous l'a pas dit ? Hum… attendez, laissez-moi voir… un grand blond musclé qui aime les femmes bien enrobées… hum… il s'agit bien d'Ion, n'est-ce pas ? C'est lui, votre nouvelle flamme, non ?

Phoebe ne répondit pas et se contenta de baisser la tête.

– Ion, oui, c'est bien ce que je pensais…, fit le mystagogue. Un type tout à fait charmant ! Bon choix, Phoebe ! Alors, laissez-nous maintenant, notre Électra doit se préparer pour sa première leçon de chasse. En sortant, faites entrer les couturières et les habilleuses qui attendent dans le couloir, nous avons encore besoin d'elles.

La gouvernante hésita quelques secondes avant de se diriger vers la porte.

– Allez, Phoebe, partez rejoindre votre beau soldat pendant que nous nous occupons du bien-être de notre future reine !

Folle d'inquiétude pour Électra, la grosse femme quitta la pièce, descendit rapidement un étage et se dirigea vers la cour du palais pour y prendre l'air. Par la fenêtre des appartements de la princesse de Byzance, le mystagogue vit la gouvernante s'installer sur l'herbe à l'ombre d'un gros chêne. Il s'empressa alors de prendre congé d'Électra et alla voir le capitaine de la garde. Ancien hyrcanoï comme son maître, cet homme était d'une parfaite loyauté envers son souverain et, par extension, envers son premier conseiller, le mystagogue.

– D'ici ce soir, capitaine, je veux qu'Ion soit exécuté et que son corps soit jeté dans la rivière. Ensuite, vous enfermerez discrètement la grosse gouvernante d'Électra dans l'un des cachots de la tour sud. La version officielle sera que les deux amants se sont enfuis afin d'entreprendre ensemble une nouvelle vie.

– Ce sera fait, répondit le capitaine. Avant la tombée de la nuit, tout sera réglé. Vous voulez qu'on oublie de nourrir la grosse ?

– Non, pas pour l'instant… Elle me sera peut-être encore utile.

XIV

Depuis quelques jours, Hitovo rôdait dans les environs du village des hyrcanoï. Pour y avoir été élevé, il connaissait cette contrée comme le fond de sa poche et savait où s'installer pour éviter d'être repéré. Ses anciens compagnons d'armes étaient de bons pisteurs, mais ils ne s'aventuraient jamais au-delà d'une certaine limite du territoire. Et c'est précisément sur cette frontière invisible et approximative qu'Hitovo avait installé son bivouac.

Quel bonheur pour lui, trop souvent enfermé dans son palais, de respirer la terre humide des bois ! Les arbres portaient encore le parfum de son enfance, et les ruisseaux d'eau claire et froide chantaient toujours le même air, celui qu'il avait tant de fois entendu. De plus, il retrouvait le calme de la forêt, cette sérénité que jamais il n'arrivait à atteindre complètement à l'intérieur des murs de sa cité. Dans la nature, la vie simple et douce suivait le rythme du vent alors que, entre les murs de Veliko Tarnovo, c'était le protocole qui dictait à l'existence sa cadence. Heureusement, les derniers jours, le roi s'était réellement ressourcé. Il avait troqué ses problèmes administratifs contre de longues heures de pêche et ses responsabilités quotidiennes contre de grands moments de vagabondage. Malgré sa liberté retrouvée, Séléné occupait toutes ses pensées. Il était revenu pour elle, mais craignait sa réaction.

Tous les soirs, autour de son feu de camp, Hitovo faisait les cent pas en espérant trouver les bons mots pour se faire pardonner. Accompagné de sa bande de chiens, il pensait à la meilleure façon d'approcher Séléné et de lui demander de le suivre. La dactyle était une femme de caractère dont la fierté écorchée n'avait peut-être pas encore cicatrisé. Pour réussir à lui faire accepter son projet, il devrait être persuasif.

– Séléné, je t'aime et malgré ma... mon départ et mon éloignement... Non, ça ne va pas du tout! grogna Hitovo qui répétait encore ce soir-là devant ses chiens. Je dois être plus tendre, plus honnête dans mes sentiments... Quelque chose comme: « Tu sais, ma belle Séléné, depuis mon départ je meurs un peu plus chaque jour de ton absence et... » Non, comme je la connais, elle me rira au nez...

Deux chiens de la bande, qui regardaient en sommeillant l'étrange spectacle que leur donnait leur maître, levèrent soudainement la tête en dressant les oreilles. Un bruit lointain venait d'attirer leur attention.

– Calmez-vous, mes bêtes! ordonna Hitovo, maintenant déconcentré. Jamais je n'arriverai à trouver les bons mots si vous me dérangez ainsi... Allez, je recommence... « Séléné, je suis... »

Avant qu'il ne termine sa phrase, tous les chiens étaient sur leurs pattes. Les crocs sortis et les yeux fixés sur la forêt, ils avaient bel et bien senti quelque chose.

– Je n'arriverai jamais à trouver les bons mots, répéta le roi en soupirant. Du moins, tant et aussi longtemps que je serai dérangé.

Calmement, il banda son arc et y encocha une flèche. La bête qui rôdait autour de son campement n'aurait aucune chance contre sa meute de chiens, et encore moins contre la pointe acérée de sa flèche.

– Chut! cessez ces grognements, que je l'entende arriver.

Le bruit, qui faisait penser à celui d'un animal en fuite, se rapprochait rapidement. Habitués à tendre des embuscades à leurs proies, les chiens obéirent au commandement d'Hitovo et s'accroupirent en position d'attaque.

L'homme banda son arc et pointa son projectile vers la forêt. Quelques secondes s'écoulèrent avant qu'une énorme créature ne bondisse subitement des bois et ne vienne le heurter de plein fouet. Hitovo, surpris, poussa un cri avant de mordre violemment la poussière. La collision avait été si forte qu'il avait bien failli casser son arc en tombant.

– Mais qu'est-ce ?! Les chiens ! À l'attaque, mes chiens ! hurla-t-il, encore secoué.

Un énorme loup au pelage gris, aussi large qu'un homme et animé d'une fougue sans pareille, venait de lui tomber dessus à l'improviste. Aussitôt, les chiens se ruèrent sur l'animal avec la ferme intention de le réduire en bouillie.

Rapide comme l'éclair, le loup évita la première attaque d'un chien. Surpris de se retrouver ainsi entouré de bêtes féroces, il essaya de bondir hors de portée de la meute enragée, mais fut stoppé dans son élan par un molosse aux canines bien pointues. Le chien le plaqua contre un arbre afin de l'immobiliser. Heureusement pour le loup, le tronc pourri céda sous la pression, l'obligeant à faire une spectaculaire roulade avant de reprendre sa course.

– Saloperie de bête ! ragea Hitovo en se remettant sur ses pieds. Allez, mes chiens, rapportez-moi ce tas de poils !

Encouragés par leur maître, les molosses se lancèrent à la poursuite du loup.

– Très bien ! lança le roi en mettant une seconde flèche dans son arc. Amenez-le par ici que je m'en fasse un chapeau !

Quelques aboiements s'élevèrent alors dans la forêt. L'ordre avait été entendu et, comme à leur habitude, les chiens rabattaient la proie vers leur maître afin que celui-ci la transperce d'une flèche. C'était toujours ainsi que se déroulaient les chasses aux barbares et aux tribus d'insoumis que le souverain avait fait disparaître de son territoire. Mais cette fois, au lieu de traquer un homme, il s'agissait d'un loup. Les chiens ne faisaient pas la différence entre l'humain et l'animal ; l'important pour eux, c'était de se soumettre à la volonté du maître.

Seulement cette fois, la stratégie ne donna pas les résultats prévus, et les aboiements des chiens furent soudainement interrompus par un hurlement, mi-humain, mi-animal, qui glaça Hitovo d'effroi. Un grognement d'une intensité à faire trembler le sol retentit par la suite dans la forêt.

– Mes chiens ?!

Quelques jappements de peur, comme des supplications, parvinrent jusqu'à lui. Ce fut ensuite un concert de branches cassées et d'aboiements paniqués, puis un lourd silence retomba sur la forêt.

– Mes chiens ?! cria le maître, inquiet. Allez, mes bêtes, ramenez-moi ce loup ! Allez, à l'attaque !

Une chouette, hululant au loin, brisa le silence.

– Répondez, mes... mes chiens ! lança Hitovo en abandonnant son arc.

Comme unique réponse à ses appels, le corps du plus gros des molosses de la meute tomba du ciel et vint atterrir lourdement à ses pieds. Le chien avait la gorge ouverte et une de ses pattes arrière avait été arrachée.

– Mais qu'as-tu fait à ma meute, sale loup ?! s'écria Hitovo en colère. Viens, que je t'ouvre la gorge !

Il n'y avait plus que lui et le son des pas de la bête qui s'approchait lentement du bivouac. La meute de molosses semblait avoir été décimée.

– Tu as eu mes chiens, sale bête, ragea Hitovo en dégainant son épée, mais tu ne goûteras pas mon sang... Allez, viens, que je te donne une leçon... Montre-toi si tu as du courage...

Avatah, sous sa forme animale, sortit lentement de la forêt et se présenta calmement devant Hitovo. L'ancien esclave avait deux fois la taille normale d'un loup. Son pelage était couvert de sang. Autour de sa gueule pendaient des morceaux de chair et il avait encore une oreille de chien entre ses crocs.

– Approche-toi..., lui dit froidement Hitovo en levant son épée. Allez, saute vers moi que je te tranche en deux...

Mais, au lieu d'attaquer, Avatah laissa tomber l'oreille du chien et s'assit, le dos droit et les oreilles dressées, pour observer son double. Pas de doute, il avait bien devant lui l'homme qui se trouvait dans la pierre de lune rouge ! C'était bien lui, son frère, son jumeau, qui le menaçait d'une épée.

– Mais pourquoi me regardes-tu ainsi ? Allez ! ATTAQUE ! fulmina Hitovo, un peu déconcerté par l'attitude de la bête. Tu veux que je baisse ma garde afin de mieux me surprendre ? Tu es malin, pour une bête, mais je n'en ferai rien...

Si Avatah avait pu sourire, c'est à cet instant qu'il l'aurait fait. Il avait devant les yeux une copie exacte de lui, en plus musclé peut-être, qui s'agitait comme une marionnette en l'invitant à se battre. Pour lui signifier qu'il n'avait rien à craindre, Avatah se gratta l'oreille avec sa patte de derrière. Ce signe, qu'Hitovo avait maintes fois vu les loups faire dans sa petite enfance, le rassura tout de suite. D'instinct, il comprit que l'animal n'avait aucune intention de se battre. Intrigué, il baissa son arme et regarda le loup droit dans les yeux.

Généralement, aucun animal sauvage ne supporte longtemps le regard dominateur d'un humain, mais celui-là ne baissa pas la tête. Il avait quelque chose de plus dans les yeux, une lumière différente.

– Mais qui es-tu ? Et d'où viens-tu ? demanda Hitovo en se rappelant les légendes que lui racontait Séléné à propos des loups. Me comprends-tu lorsque je te parle ?

Avatah ne bougea pas et se contenta de soutenir son regard. Les deux frères ne parlaient pas la même langue, et même si le dialecte des Thraces se rapprochait du grec parlé à Byzance, les mots résonnaient dans la tête d'Avatah sans qu'il puisse y donner un sens.

Alors qu'il allait tenter une approche afin de caresser le nez de l'animal, Hitovo entendit un bruit de pas derrière lui.

« Quel idiot je fais !… pensa-t-il en se mordant les lèvres. J'avais oublié que les loups chassent en meute. De toute évidence, celui-là tente de m'amadouer alors que les autres m'encerclent lentement… C'est cousu de fil blanc… Je suis tombé dans leur piège comme un vulgaire amateur, mais heureusement je me réveille à temps. »

Dans un rapide mouvement d'une fluidité et d'une adresse dignes des plus grands guerriers, Hitovo planta son épée dans le sol, puis, d'un geste assuré, saisit son arc. Il se retourna en y encochant une flèche, prêt au combat. Quelle ne fut pas sa surprise de découvrir derrière lui un second loup, tout aussi gros que le premier, mais dont le pelage roux paraissait danser dans la lumière de son feu de camp ! Alors que l'animal croisa le regard de l'homme, ses yeux rouges parurent tout à coup s'animer d'une haine profonde. Sans hésiter, Hitovo décocha une première flèche qui s'enfonça dans le poitrail de la bête, puis une deuxième qui vint se loger dans sa cuisse arrière. Une troisième ne tarda pas à pénétrer directement dans son bassin.

De peur que le premier loup lui bondisse dans le dos, Hitovo fit voler son arc et saisit son épée. Prêt à trancher la tête du meurtrier de ses chiens, il exécuta un mouvement parfait en direction de la bête, mais sa lame fendit l'air. Le loup avait disparu.

En voyant s'abattre les flèches d'Hitovo sur sa poursuivante, Avatah avait préféré s'enfuir et continuer son chemin. Après tout, c'était par pur hasard qu'il avait trouvé sur sa route le bivouac de son frère, et il ne désirait pas se battre avec lui. Il avait mieux à faire, il avait une femme à retrouver.

– Eh bien, j'aurai au moins le plaisir de peler la peau de celui-là ! lança le souverain en avançant, l'épée levée, vers l'animal roux qui gisait sur le sol.

Comme il allait frapper la bête pour lui trancher la tête, Hitovo assista à un spectacle aussi terrifiant que fascinant. Le loup au pelage roux commença à perdre tout son poil par touffes, puis, en quelques instants, son ossature se reforma afin de dessiner des cuisses, des épaules et bientôt le corps entier d'une femme qui avait une flèche plantée dans les côtes, une autre près du genou et finalement une troisième dans le cou, près de la clavicule. Hitovo reconnut tout de suite celle pour qui il avait quitté son royaume, sa femme Séléné.

– Vas-y, sale traître et mari infidèle…, dit la dactyle en respirant difficilement, termine ce que tu as commencé et achève-moi…

– Non, ce n'est pas possible ! s'exclama Hitovo, en proie à une soudaine panique. Ce n'est pas possible, je dois rêver !

– ALLEZ ! cria Séléné, ensanglantée, dans une rage non contenue. SOIS UN HOMME ET ASSASSINE LA FEMME QUI T'AIMAIT… QUI T'AIMAIT PLUS QUE TOUT AU MONDE… TRANCHE-MOI LA TÊTE, TU POURRAS T'EN FAIRE UN TROPHÉE… VAS-Y, LÂCHE… PEUREUX… VERMINE…

– Mais, c'est impossible… Ça y est, je perds la tête…, fit Hitovo, bouleversé par la vision. Mais c'est impossible… Je deviens fou !

– ACHÈVE-MOI, SALE PORC !

Comme un enfant apeuré, Hitovo laissa tomber son arme et s'enfuit à toutes jambes dans la forêt.

– C'est ça, poltron, sauve-toi encore une fois..., murmura la dactyle, à bout de forces. Sauve ta peau et laisse-moi mourir seule... Laisse-moi seule... Laisse-moi...

Avant de fermer les yeux, Séléné regarda une dernière fois la lune. Elle y vit passer la silhouette d'un grand corbeau.

– C'est la mort qui arrive... la mort qui me délivre.

XV

Guidé par son intuition, le grand roi Assurbanipal de Babylone donna carte blanche à Nosor Al Shaytan. Il mit à la disposition de son nouveau prophète trois cents belles jeunes femmes qui furent préparées afin d'accomplir le très long voyage vers Byzance.

Pendant ce temps, Nosor fit égorger secrètement un chameau et recueillit tout son sang dans une grande cuve de bois qu'il abandonna des jours entiers sous les chauds rayons du soleil. Le sang caillé devenu noir, durci par la chaleur sur le dessus, infecté par les mouches et visqueux comme la peau d'un serpent, fut versé dans trois cents flacons qu'on distribua aux femmes avec la consigne de ne pas les ouvrir avant la fin du voyage. Puis, une fois les préparatifs terminés, le cortège des belles de Nosor se mit en route. Derrière, à quelques jours de marche, des milliers de soldats de l'armée perse allaient eux aussi monter vers Byzance pour les y rejoindre.

– Je ne comprends pas ton plan, Nosor ! dit le chef du cortège. Nous avons trois cents femmes et seulement vingt-cinq hommes pour les protéger. Comment peut-on prendre une cité ainsi, sans armée ?

– Ce n'est pas nous qui prendrons la ville, répondit Nosor, ce sont les armées de notre roi Assurbanipal qui feront ce travail. Nous les précédons uniquement pour préparer le terrain.

– Je ne comprends pas, prophète, explique-toi !

– As-tu déjà mangé une pomme ?

– Tu évites ma question…

– Non, j'y réponds précisément, fit Nosor, amusé. Alors, tu dois savoir qu'une pomme pourrit toujours par le cœur et qu'il est impossible de savoir si le fruit est bon avant d'y planter les dents. Eh bien, c'est un peu ce que nous allons faire à Byzance. Nous allons dégrader son cœur afin que les armées de notre roi puissent s'emparer plus facilement du fruit...

– Je ne comprends toujours pas comment tu arriveras à tes fins avec un cortège de femmes ! C'est ridicule !

– C'est parce que tu ne connais pas l'histoire du démon et de son épouse...

– Non, tu as raison, je ne la connais pas. Éclaire-moi.

– Eh bien, ce sera un privilège de te faire ce récit. Je le tiens pour authentique, car j'ai bien connu l'homme à qui l'aventure est arrivée. Il s'agit de l'histoire malheureuse d'un pauvre marchand qui se perdit un jour dans le désert aride des plaines de Sûo, bien à l'est de Babylone...

– Oui, oui, je connais les plaines de Sûo. N'est-ce pas là que résident les djinns ?

– Exactement ! s'exclama Nosor, content de voir que son interlocuteur savait de quoi il parlait. Depuis l'aube des temps, les Perses croyaient que les djinns, ces esprits de la nature qui habitaient dans les endroits déserts ou près des oasis, avaient le pouvoir de s'emparer du corps d'un homme et de le posséder. Mi-démons, mi-spectres, les djinns étaient trop souvent la cause de grands tourments pour les voyageurs. Les légendes racontent que ces êtres immatériels, capables de s'incarner en bêtes et doués d'une intelligence supérieure, adoraient abuser de la naïveté des humains. Une rencontre avec un djinn était considérée comme un très mauvais présage. Alors donc, continua Nosor, ce pauvre marchand s'arrêta pour se désaltérer non loin d'une oasis et décida d'y passer la nuit. À sa grande surprise, il y découvrit une splendide femme qui marchait nonchalamment sur les rives en ramassant des fleurs de nénuphars. Celle-ci lui fit signe de s'approcher d'elle, ce que le marchand s'empressa de faire. Sans préambule ni explication, la belle l'embrassa et lui demanda à l'oreille s'il avait envie de lui faire l'amour. L'homme accepta tout de suite la proposition et, ensemble, ils disparurent sous l'ombre des palmiers. C'est alors qu'un gigantesque djinn à l'allure patibulaire émergea de l'eau. Entre ses mains, il tenait un coffre entouré de solides chaînes et d'un cadenas. D'une voix caverneuse, il appela sa femme.

– C'était la belle de l'oasis, c'est ça?

– Celle-là même qui, cachée derrière les palmiers, faisait l'amour avec le marchand!

– Hou là là! fit le chef du cortège, stupéfait. Hou là là!

– La femme demanda alors à son amant de ne pas bouger et lui promit de revenir bientôt. Elle se rhabilla en vitesse et, le plus innocemment du monde, marcha d'un pas nonchalant vers le djinn. Brutal, il ordonna à son épouse d'entrer immédiatement dans la boîte. En s'exécutant, la belle le remercia pour cet instant de liberté qui lui avait fait tant de bien. Le djinn referma le couvercle et cadenassa la boîte. Ils disparurent ensuite tous les deux au fond de l'oasis.

– Cette femme était bien malchanceuse d'avoir un djinn pour époux! s'écria le chef du cortège. Ils sont reconnus pour être jaloux et envieux...

– Mais mon histoire ne se termine pas là, poursuivit Nosor. Le marchand attendit patiemment sous son palmier, mais il se dit que l'épouse du djinn n'arriverait jamais à s'extraire des griffes de ce dernier. Connaissant les pouvoirs et la réputation de ces démons, il pensait que ce tour de force était impossible. Comme il allait s'endormir, ses yeux s'écarquillèrent en voyant la femme du djinn sortir de l'eau et venir vers lui d'une démarche légère. Avant de lui faire une seconde fois l'amour, le marchand, émerveillé, lui demanda comment elle avait fait pour tromper la vigilance de son mari.

– Mais oui, comment avait-elle fait?

– Elle lui expliqua que, de retour dans leur demeure sous l'oasis, elle était sortie de sa boîte et avait préparé au djinn une tisane de fleurs de nénuphars qui, grâce à leurs propriétés soporifiques, avaient le pouvoir de le plonger dans un profond sommeil. C'est ainsi que, toutes les nuits, la femme pouvait s'évader et vivre ses aventures amoureuses avec les voyageurs qui s'arrêtaient à l'oasis. Elle profitait de la sécurité et de la stabilité de son mariage tout en ayant la liberté d'accumuler les amants.

– Cette femme était vraiment plus intelligente que son djinn de mari!

– Les femmes ne sont pas plus intelligentes que les djinns ou même que les hommes, elles sont plus rusées, c'est tout. Voilà pourquoi les hommes sages doivent toujours se méfier des femmes...

– Et à Byzance, les hommes ne possèdent pas cette sagesse ?

– À Byzance, répondit Nosor, les hommes pensent comme des hommes et agissent comme des hommes. Voilà pourquoi nous les tromperons facilement avec notre cortège de belles du désert. Autant de charme et de volupté feront tomber leur vigilance, et c'est à ce moment que nos houris de Babylone agiront...

– Mais je ne comprends pas ! s'exclama le chef. Ce ne sont pas des guerrières, prophète ! Même épuisé par une nuit torride entre les bras d'une femme, un bon soldat réussira toujours à la maîtriser ! Nos femmes ne savent pas combattre...

Nosor sourit en montrant ses belles dents dorées.

– Chacune d'entre elles porte un flacon de sang caillé, expliqua-t-il. Quelques gouttes dans les amphores de vin, les puits et les réserves d'eau royale, et tous les habitants de la ville tomberont très rapidement malades. Alors, pendant que les soldats byzantins vomiront leurs tripes, nous enverrons un émissaire dire aux troupes d'Assurbanipal de lancer une première attaque sur la ville.

– Nous allons les empoisonner, c'est bien ça ? Hou là là ! Je comprends maintenant... Un guerrier malade n'a pas envie de se battre.

– Et Byzance tombera plus rapidement qu'un palmier sec dans une tempête de sable ! L'étape la plus difficile sera de faire croire au roi que nous sommes les émissaires du grand Assurbanipal et que ces femmes sont un cadeau de lui. Si l'homme avale cette couleuvre, nous aurons bien vite la cité à nos pieds.

– Et pourquoi notre souverain enverrait-il soudainement un tel présent à Byzance ?

– Pour célébrer les grands Jeux qui se déroulent cette année dans la cité, répondit Nosor. C'est une tradition dans la culture grecque...

En fait, le plan de Nosor consistait à se faire passer pour un ambassadeur et à demander officiellement, au nom d'Assurbanipal, la participation de la Perse aux prochains Jeux. Le nomade espérait ainsi se voir bien reçu afin de mettre son plan à exécution. Sachant que les Grecs étaient de fameux libertins et que le roi et ses conseillers ne pourraient résister aux charmes du harem qu'il transportait avec lui, il avait un passeport en or pour se venger de ceux qui avaient exterminé son clan. Les nobles de Byzance garderaient pour eux les plus belles femmes, et le roi offrirait les autres aux capitaines et aux commandants des armées. Les trois cents femmes, ainsi dispersées dans toute la ville, auraient tôt fait d'intoxiquer toute la population. Mêlé au vin ou à l'eau, le sang caillé avait la particularité de provoquer de puissants troubles intestinaux. La fièvre, les vomissements et la diarrhée ne tarderaient pas à paralyser complètement la cité.

Nosor Al Shaytan avait aussi une vengeance personnelle à accomplir et profiterait de son passage à Byzance pour tenter de retrouver Varka afin de l'assassiner. La plaie qu'avait laissée la lame de son ancien esclave dans sa chair s'était refermée, mais la blessure qu'il avait infligée à son orgueil était encore vive. Il lui fallait laver son honneur dans le sang et, pour cela, il ratisserait la ville entière à sa recherche.

– Dis-moi, prophète, qu'est-il arrivé au marchand une fois qu'il a eu terminé de faire l'amour avec la femme du djinn ? demanda le chef du cortège. Il est rentré chez lui rejoindre sa famille ou il a tenté de voler la belle au mauvais esprit ?

– Alors qu'il se levait pour quitter l'oasis et reprendre son chemin, continua Nosor, il se ravisa et s'installa au bord de l'oasis. Il lança des cailloux dans l'eau jusqu'à ce que le djinn, agacé par le bruit, se présente devant lui. C'est alors que le marchand avoua son aventure amoureuse de la nuit passée et révéla au djinn que sa femme le trompait depuis des années avec tous les voyageurs qui s'arrêtaient en ces lieux. Pour se venger, le djinn obligea sa femme à porter un voile pour y dissimuler ses charmes et l'enferma dans sa boîte, bien cadenassée, pour le reste de ses jours.

– Et le marchand, prophète… qu'est-il arrivé au marchand ?

– Il reprit sa route avec la conviction qu'il ne ferait plus jamais confiance aux femmes… Encore aujourd'hui, cette certitude n'a pas changé.

– Mais attends, prophète, qui est cet homme que tu dis connaître et qui aurait vécu cette histoire ? Il est toujours vivant ?

– Aussi vivant que les scorpions du désert.

– Et où est ce marchand aujourd'hui ?

– Il est à côté de toi. C'est à lui que tu parles, mon ami…

XVI

Accompagnée des trois meilleurs chasseurs du royaume, Électra quitta la cité de Veliko Tarnovo sur le dos d'un magnifique cheval noir. Prête pour sa première leçon de tir à l'arc, elle était aussi fébrile que le jour de son premier baiser. Cette fois, elle n'embrasserait pas le joli garçon un peu efféminé d'un notable de la ville, mais se donnerait tout entière à Artémis. Elle plongerait corps et âme dans cette nouvelle vie que lui offrait la déesse et se gaverait de liberté, de chasses et de promenades dans la forêt. Elle qui avait eu si peur de sa nouvelle vie dans le royaume des Thraces ne se voyait plus maintenant vivre ailleurs. Tant pis si son futur mari, Hitovo, était un homme qui préférait la compagnie de ses chiens à celle des humains. Elle, sa nouvelle épouse, préférerait sa liberté à ses obligations de reine. Ils auraient deux vies différentes et opposées, et, pendant quelques heures par semaine, ils se retrouveraient entre les mêmes draps afin de concevoir un héritier.

Électra galopait avec le sentiment de ne jamais avoir été aussi belle de sa vie. Ses robes de princesse un peu légères avaient été remplacées par de hautes bottes de cuir dont la texture rappelait celle de l'écorce, une jolie cotte de mailles de parade dont chaque anneau représentait une feuille de chêne, une longue cape de fourrure bordée d'une étroite bande blanche et un casque de cuir à plumes qui lui donnait l'impression d'être un faucon. Avec les ceintures de cuir qui ajustaient la cotte de mailles à sa taille, le long couteau qui pendait sur sa hanche et une bonne réserve de flèches accrochées dans son dos, rien ne pouvait plus l'empêcher de devenir celle à qui elle rêvait depuis toujours de ressembler, sa divine Artémis.

En quelques heures, Électra fit un grand tour des terres qui entouraient Veliko Tarnovo. On lui montra les forêts, les plaines et les vallées où elle pourrait venir se promener en toute sécurité. En ces lieux, les patrouilles de soldats étaient nombreuses et les attaques de barbares, autrefois légion, n'étaient plus maintenant que des légendes. Par contre, ces contrées sécuritaires étaient peu giboyeuses, car trop souvent fréquentées par les humains. Pour faire une bonne chasse et revenir avec une bête digne de ce nom, il fallait s'enfoncer beaucoup plus loin dans les terres.

– Êtes-vous bien certaine de vouloir vous rendre dans les bois ? demanda un chasseur à la princesse. Il se fait déjà tard et nous pourrions utiliser ce temps pour vous enseigner l'art du tir à l'arc !

– Si vous le permettez, j'aimerais mieux faire aujourd'hui une bonne reconnaissance du terrain, répondit Électra. J'apprendrai le maniement de l'arc un autre jour…

– Les augures pensent qu'il pleuvra demain, dit un autre chasseur. Si tel est le désir de la princesse, profitons du magnifique temps que nous avons aujourd'hui pour explorer les terres et, demain, nous lui enseignerons le maniement de l'arc sous le grand toit du pavillon sud.

– Excellent ! s'écria Électra, satisfaite. Aujourd'hui le cheval, demain les flèches et après-demain la chasse ! Ce programme me convient parfaitement !

– Alors, allons-y ! lança le premier chasseur en dirigeant son animal vers la forêt. Faites bien attention à votre tête, les chemins sont très étroits et les branches, solides. Enfin, plus solides que votre casque !

– Je garderai l'œil ouvert ! répondit Électra, emballée par l'aventure.

En pénétrant dans les bois, la jeune femme fut saisie par la forte odeur de terre qui lui bondit aux narines. Des parfums de champignons sauvages et de mousse humide laissèrent vite place aux envoûtantes émanations des pins altiers. Chaque courbe, chaque détour dans les bois présentait une variation de senteurs allant du poivre frais au romarin. Les fougères bordant les clairières exhalaient le basilic haché, et l'écorce de certains arbres sentait même carrément la viande grillée.

– Est-ce que la forêt sent toujours aussi bon ? demanda Électra, complètement charmée par sa première balade.

– Non, répondit un chasseur, d'habitude il y a une forte odeur d'humidité et de moisissure, mais aujourd'hui on dirait qu'elle s'est parfumée pour votre visite.

– Toute une forêt qui se pare pour me recevoir, c'est plutôt flatteur ! s'exclama la jeune femme, toute joyeuse.

Les chevaux, qui avançaient à la queue leu leu sur le sentier, s'arrêtèrent brusquement. L'homme qui guidait le petit cortège avait arrêté sa monture afin d'observer une piste de loup bien marquée dans la boue. Bondissant sur le sol, il invita ses collègues à venir y jeter un coup d'œil.

– Mon Dieu ! fit l'un d'eux. Cette bête est énorme !

– Ce n'est pas un loup ordinaire…, ajouta un autre. Regardez comme ses pattes se sont enfoncées dans la vase, il doit peser le poids d'un homme !

– Je ne pense pas me tromper en affirmant qu'il est passé ici hier matin, très tôt, pendant l'orage…

– Je suis d'accord avec toi, pas de pluie, pas de traces ! En tout cas, pas à cet endroit, sur cette terre sèche.

Électra s'étira un peu le cou et vit, par-dessus l'épaule d'un chasseur, les traces de la bête. On pouvait très bien voir l'empreinte des énormes coussinets, ainsi que celle des très longues griffes du loup. Même pour l'œil inexpérimenté d'une jeune princesse de Byzance, c'était surprenant.

– Vous croyez que cette bête rôde encore dans les parages ? demanda Électra, un peu inquiète. Je n'aimerais pas beaucoup croiser sa route !

– Ce qui me surprend, dit un homme qui ne prêta pas attention aux paroles de la jeune femme, c'est que ce loup se déplace seul. J'ai beau regarder tout autour, je ne vois rien qui puisse révéler le passage d'une meute.

– Tu crois que c'est un exclu ? demanda son voisin, devenu aussi plus nerveux. Si c'est le cas, il faudra vite prévenir les bergers afin qu'ils se préparent au pire. Je ne voudrais pas voir se répéter l'incident d'il y a trois ans.

– Que s'était-il passé ? demanda Électra.

– Un loup particulièrement intelligent a réussi à tuer deux cent trente bêtes avant que nous le capturions ! Nous l'avons cherché pendant des jours et des jours dans la forêt, mais l'animal ne laissait que très peu de traces. Impossible de le suivre ! Nous l'avons finalement retrouvé, un peu par hasard, non pas dans les bois, mais en plein centre d'un village où il avait trouvé refuge dans une vieille maison abandonnée. Le jour, il y dormait tranquillement sans faire de bruit et, la nuit, il ravageait les troupeaux des villageois. Imaginez s'il s'était attaqué aux enfants...

– Mais cette fois, l'interrompit un de ses confrères, ce sera bien différent, car ce loup dont nous contemplons les traces est une bête dominante qui n'a pas peur des humains.

– Et comment peux-tu savoir cela ? l'interrogea l'autre, intrigué.

– Parce qu'il est assis à deux jets de pierre derrière nous, sur une petite butte, et qu'il nous observe beaucoup trop calmement.

Par habitude, les trois chasseurs s'immobilisèrent en ne tournant que leurs yeux vers le loup. Seule Électra, surprise par la révélation, fit pivoter tout son corps et sa tête en direction de la bête. Devant l'apparition, elle poussa un petit cri de surprise. Et pour cause, le loup était beaucoup plus costaud qu'une bête ordinaire. Sa très large cage thoracique et ses longues pattes lui conféraient un air un peu grotesque, mais sa tête au front plat, aux longues oreilles et à la gueule démesurément grande ôtait aux spectateurs toute envie de se moquer de lui.

Patient, le loup semblait analyser les humains.

– Mais... mais..., balbutia Électra, c'est un animal énorme ! On dirait presque un homme...

– Tu crois que c'est un hyrcanoï? murmura l'un des chasseurs à son voisin.

– Non... Les hyrcanoï sont des créatures de légendes... On n'a jamais vu un homme se transformer en loup...

– Pourtant, il a bien l'allure d'une créature de légende..., dit le troisième en encochant discrètement une flèche à son arc. Il doit bien se douter que nous l'avons vu... Que fait-il maintenant ?

– Il nous observe encore... Décidément, nous ne l'impressionnons pas le moins du monde. Bon... une stratégie ?

– Ma flèche est prête… Je l'attaque en premier, vous suivez avec deux autres salves… À trois, nous devrions au moins le blesser. Ensuite, nous le finirons à l'épée. Vous êtes prêts ?

Ses compagnons acquiescèrent d'un signe de tête et lancèrent leur attaque. La première flèche fendit l'air. Mais, au moment où elle allait percer son thorax, le loup la saisit d'un coup de gueule et la pulvérisa entre ses dents. D'un petit mouvement d'épaule, il évita le deuxième projectile, puis fit un léger bond en arrière afin que la troisième flèche se plante à ses pieds. Comme si rien n'était arrivé, l'animal reprit sa position et continua son observation passive des humains.

– Vous avez vu ça ? fit l'un des chasseurs, renversé. Il a attrapé ma flèche comme un vulgaire bout de bois… Non, ce n'est pas une bête ordinaire…

– Nous devrions peut-être décamper au plus vite et avertir la garde de Veliko Tarnovo, proposa son collègue. Cette chose-là dépasse la compétence d'un chasseur… Ce n'est pas un animal ordinaire…

– Non, c'est de toute évidence une créature ensorcelée ou quelque chose du genre… Vite, déguerpissons…

Pendant que les chasseurs discutaient entre eux, Électra remarqua que le loup avait les yeux fixés non pas sur le groupe, mais exclusivement sur elle. Il la regardait des pieds à la tête, comme si elle était une apparition divine, et il semblait hypnotisé d'admiration. La jeune femme pouvait sentir ce regard la toucher, lui caresser les épaules, les bras, puis les cuisses jusqu'aux mollets. Ce regard de convoitise et de désir, elle l'avait maintes fois vu dans les yeux des hommes qu'elle avait côtoyés. Même son oncle, Héraclès de Byzance, la regardait parfois de cette façon lorsque, enfant, elle jouait nue dans les thermes. Mais un tel regard de la part d'un animal était troublant.

De son côté, Avatah, sous sa forme animale, regardait avec délectation la femme de ses rêves. Après avoir admiré son image dans la pierre de lune verte, puis à Byzance alors qu'il était prisonnier d'Héraclès au stade, il la voyait enfin devant lui, bien réelle et si belle ! Quelle chance de la retrouver ainsi, dans les bois, alors qu'il essayait de flairer sa trace ! Il pouvait maintenant l'admirer dans toute sa splendeur et s'enivrer du doux parfum de sa peau.

– Montez à cheval, Électra, nous devons vite partir d'ici ! lui ordonna l'un des chasseurs qui était déjà en selle.

– Mais il n'a pas l'air très méchant, lui répondit la princesse, toujours troublée. Nous devrions peut-être essayer de l'approcher...

– Ce n'est pas une bête normale, répondit brusquement l'homme en la secouant par le bras. Nous devons quitter immédiatement cette forêt.

– Très bien, très bien, dit-elle docilement en enfourchant son cheval. Regardez... il n'est plus là ! On dirait qu'il a disparu...

– VITE ! SORTONS DE CETTE FORÊT, cria le plus sage des chasseurs. LA BÊTE EST EN MOUVEMENT ET NOUS SOMMES LES PROIES !

Les chevaux déguerpirent au grand galop en direction des vastes plaines entourant Veliko Tarnovo.

– Tant que nous sommes dans les bois, lança l'un des hommes, le loup peut nous rattraper, mais, dans les plaines, il ne sera pas de taille contre nos chevaux.

– Regardez, il est là ! s'exclama Électra en pointant du doigt une ombre qui se déplaçait à grande vitesse entre les arbres. Regardez-le, on dirait qu'il vole...

– Concentrez-vous sur la bride et ne tournez pas la tête ! lui ordonna un autre chasseur. Vous risquez de l'exciter ou de le provoquer !

Après quelques minutes de chevauchée qui lui semblèrent des heures, le premier chasseur aperçut au loin la plaine.

« Ça y est, pensa-t-il, nous sommes sauvés... »

Mais, au moment où l'homme commençait à se détendre, le gigantesque loup bondit d'un épais buisson et vint le désarçonner d'un coup de gueule. Le cavalier fit une chute spectaculaire qui le projeta contre le tronc d'un chêne, sur lequel il se défonça le thorax. Devant ce spectacle, Électra poussa un cri hystérique et tomba de son cheval. Elle heurta violemment le sol et roula dans les feuilles mortes. Des deux autres chasseurs, un seul réussit à gagner la plaine et à s'enfuir. L'autre termina sa vie le cou broyé dans la gueule du loup.

Lorsqu'elle recouvra ses esprits, la princesse vit, quelques pas devant elle, le gigantesque loup. Il était paisiblement assis, la gueule ensanglantée, et semblait attendre son réveil. Ses yeux, toujours aussi intensément fixés sur elle, ne laissaient paraître aucune hostilité.

– Laisse-moi tranquille ! Va-t'en ! cria Électra, encore étourdie par sa chute, mais surtout paniquée de se retrouver sans la protection de ses chasseurs. Ne me fais pas de mal… je t'en prie… Va-t'en…

Devant les larmes et les cris stridents de la jeune femme, Avatah comprit qu'elle avait peur de lui. Pour lui signifier qu'elle n'avait rien à craindre, il se coucha sur le sol, la queue basse et les oreilles baissées. Aussitôt, Électra gagna un peu de confiance et recommença à respirer plus normalement.

– Mais qui es-tu et que me veux-tu ? demanda-t-elle dans l'espoir que la bête lui adresserait la parole. Tu n'es pas une bête ordinaire, toi !

Au lieu d'ouvrir la bouche pour lui expliquer qu'elle n'avait rien à craindre, le loup rampa lentement vers elle. En se tortillant comme un jeune chien qui réclame une caresse à son maître, il s'approcha le plus possible de son pied et lécha sa botte.

– Tu n'es pas méchant… n'est-ce pas ?

Avec une précaution extrême, Électra avança très lentement la main vers la tête de l'animal et lui caressa les oreilles du bout des doigts. Ce premier contact avec la femme qu'il aimait fit frissonner Avatah de la tête aux pieds. Une sensation de paix et d'harmonie souleva son âme jusqu'aux étoiles. Enchanté par ce bonheur, le loup s'avança un peu plus vers elle et posa la tête sur sa cuisse.

Impressionnée par ce mouvement d'affection, Électra pensa tout de suite à profiter de la situation pour terrasser la bête. Elle voulut discrètement s'emparer du poignard qu'elle portait à la ceinture, mais se rendit vite compte qu'elle était incapable de bouger son bras gauche. Sa violente chute avait dû lui disloquer l'épaule. Alors qu'elle aurait dû hurler de douleur, elle ne ressentait curieusement aucun mal. La tension provoquée par la peur de se faire dévorer vivante avait sans nul doute inhibé sa souffrance.

« Je ne me tirerai de cette situation que si je réussis à me lier d'amitié avec cette bête, pensa-t-elle. Je dois prendre sur moi et affronter cette épreuve... »

Soudainement, tout devint clair dans l'esprit de la jeune femme. Elle n'avait plus rien à craindre, car ce loup devait être un cadeau d'Artémis qui lui offrait généreusement ce gardien. L'animal était un présent de sa divinité protectrice... Cette bête était un don du ciel !

– Tu viens de la part d'Artémis, n'est-ce pas ? demanda doucement Électra à l'oreille du loup. Tu es mon protecteur, mon nouveau compagnon de chasse, c'est bien cela ? La déesse a commencé ses chasses auprès d'Orion, ce géant d'une beauté insaisissable, presque sauvage... et aujourd'hui je commencerai les miennes avec toi ! Tu seras mon Orion.

Incapable de répondre à Électra, mais surtout complètement subjugué par ses caresses, son odeur et ses douces paroles, Avatah tourna la tête vers elle et lui lécha le nez en signe de soumission. La princesse, rassurée, eut aussitôt un rire cristallin. Elle venait d'avoir sa réponse. Soulagée de constater qu'elle ne serait pas le prochain repas du loup, elle versa des larmes de joie et adressa ensuite quelques prières à la grande déesse Artémis, celle qui veillait si bien sur elle.

Pendant qu'elle priait, Avatah passa son long museau dans les cheveux d'Électra et s'enivra du parfum si doux émanant de sa peau. Depuis qu'il avait la forme d'un loup, tout réussissait à l'ancien esclave. Il était libre comme l'air et amoureux d'une vraie femme qui semblait l'aimer tout autant. Jamais il n'avait été aussi heureux, jamais il n'avait été aussi bien dans sa peau.

Sa hantise s'étant complètement dissipée, Électra commença à ressentir une douleur intense dans tout le côté gauche de son corps.

– Laisse-moi un peu, dit-elle à son nouveau protecteur, je dois me lever... Ma jambe... j'ai des fourmis dans la jambe gauche... et j'ai mal...

Au ton larmoyant de sa bien-aimée, Avatah se rendit compte qu'elle souffrait. Aussitôt, il bondit sur ses pattes et examina son corps. Il détecta rapidement l'odeur du sang et remarqua deux blessures ouvertes, l'une au genou et l'autre au mollet. De plus, la pauvre semblait incapable de bouger le haut de son corps. Faisant ce rapide constat, le loup comprit que son amour ne survivrait pas très longtemps à de telles blessures.

– Il faudrait que tu ailles chercher de l'aide, mon protecteur, lui demanda Électra qui respirait maintenant difficilement. Je me sens faible… et j'ai l'impression que tout s'écroule à l'intérieur de moi… Si je pouvais me lever, peut-être que… que je pourrais retrouver un de nos chevaux… Il y a un village, non loin d'ici…

Avatah se glissa près d'Électra afin qu'elle puisse s'appuyer contre son corps. En déployant des efforts considérables, la princesse réussit à monter sur le dos de la bête, mais elle ne parvint pas à se remettre sur ses pieds. Étendue de tout son long sur le dos du loup, elle passa les mains autour de son cou et découvrit, à son grand étonnement, une corde. Ce solide cordon, fabriqué dans l'un des cachots de Veliko Tarnovo des mains mêmes de la mère humaine d'Avatah, servait à tenir le pendentif où était inscrit le nom de ce dernier. Sans se poser de questions, la jeune femme blessée s'y agrippa afin de garder son équilibre et laissa mollement pendre ses jambes des deux côtés du loup. Ainsi collée contre le corps de l'animal, elle ne risquait pas de tomber et d'aggraver ses blessures.

– Va vite au village, dit-elle à l'oreille de la bête. J'ai besoin d'aide… Amène-moi vers le village… Allez, je t'en prie…

Pour Avatah, il n'était pas question de retourner chez les humains. Ils auraient tôt fait d'essayer de s'emparer de lui pour le mettre dans une cage. Il choisit donc de ne pas écouter les supplications d'Électra et de s'enfoncer dans la forêt.

– Non, ne va pas par là… C'est de l'autre côté… Tu dois aller vers la plaine…

Avatah refusa de se plier à cette requête. Il entreprit plutôt une très longue escalade dans la montagne qui dura plusieurs heures et qui épuisa complètement les forces d'Électra. Tout d'abord frustrée par la conduite de son protecteur qui refusait de l'écouter, elle finit par s'abandonner tout entière à sa sagesse. Après tout, si Artémis lui avait envoyé cette bête afin qu'elle veille sur elle, c'était la moindre des choses de faire confiance à l'animal. Le corps bien calé et bien au chaud contre le dos d'Avatah, elle ferma les yeux en essayant d'oublier les douleurs à son épaule et à sa jambe.

Lorsqu'elle ouvrit les yeux, la princesse se trouvait sur les rives d'un tout petit lac que la lune éclairait de ses blancs rayons. De grandes herbes ceinturaient l'étendue d'eau qui, tel un miroir, reflétait toutes les étoiles du ciel.

– Que faisons-nous ici ?... demanda la jeune femme fiévreuse à son animal. C'est... c'est le repaire d'un guérisseur ? Tu as trouvé quelqu'un pour... pour me venir en aide ?

D'un mouvement brusque, Avatah se cabra comme un cheval et utilisa la force de son mouvement pour projeter sa cavalière par-dessus ses épaules. Électra vola quelques secondes dans les airs avant de retomber mollement dans l'eau. Surprise, paniquée et certaine que sa dernière heure était venue, elle coula sans pouvoir nager jusqu'au fond du lac.

« Accueille-moi, Artémis, je vais bientôt te rejoindre... », pensa-t-elle en avalant une première gorgée d'eau.

XVII

Lorsqu'il se présenta aux portes de Veliko Tarnovo, Hitovo était agité, confus et très agressif. Il hurla de son cheval qu'on ouvre la herse de l'entrée principale et pénétra dans la ville en bousculant deux de ses gardes. Sans se préoccuper des passants, des étals du marché et des commerçants qui avaient installé des présentoirs devant leurs boutiques, il renversa tout sur son passage en semant la panique dans la population.

– JE SUIS LE ROI ! LAISSEZ-MOI PASSER, BANDE DE PARASITES ! DÉGAGEZ LA VOIE ! hurla-t-il avant d'atteindre son palais et de s'enfermer à double tour dans sa salle d'audience.

Le cœur battant, couvert de sueur froide, le souverain se dirigea vers un baril, le défonça d'un coup de poing et avala quatre ou cinq grandes rasades de vin. Même si les lois de l'orphisme interdisaient à tous ses adeptes de boire de l'alcool en grande quantité, il s'en remplit la panse comme un ivrogne contraint depuis des semaines à la sobriété. Une fois repu, Hitovo s'écroula sur la table du conseil et essaya de chasser les images de Séléné transpercée de ses flèches.

– Ce n'était pas elle, c'était un loup…, se répéta-t-il encore, comme il l'avait fait des milliers de fois durant sa démente chevauchée. C'était un loup… juste un loup… J'ai imaginé toute la scène… Non ! C'était un rêve… un cauchemar… Ce n'était pas Séléné…

Maintenant ivre et en colère, l'homme poussa un cri de rage et se remit sur ses jambes. D'un coup de pied, il fit voler la table en éclats et fracassa deux chaises en les lançant de toutes ses forces sur le mur. Animé d'une fièvre destructrice, il arracha les tapisseries une à une, puis, dans un élan de folie, s'empara de son trône et le propulsa contre les gigantesques portes de la salle. Le fauteuil royal se cassa en plusieurs morceaux et, dans un bruit assourdissant, la partie supérieure du cadre de la porte s'effondra dans un nuage de poussière.

– Je vous ferai tous payer la mort de Séléné..., ragea le roi en titubant. C'est à cause de cette ville que je l'ai tuée... C'est la faute de mon père... TOUT LE MONDE DOIT MOURIR ! CETTE VILLE EST MAUDITE !

Hitovo s'empara d'un grand arc de guerre accroché au mur et d'une bonne trentaine de flèches. Il sortit ensuite d'un pas zigzaguant sur le balcon de la salle d'audience et commença à tirer des projectiles au hasard. Bien en hauteur, il avait la ville à ses pieds. Hurlant des insultes à sa population, il transperça l'épaule d'une servante de quatorze ans qui, par malheur, se promenait nonchalamment dans ses jardins, puis il commença à canarder le marché, beaucoup plus loin, ainsi que les tours de garde. La jeune servante fut rapidement prise en charge par le guérisseur du palais, et les flèches ne touchèrent plus rien d'autre que quelques fruits, deux ou trois affiches commerciales et plusieurs toits de maisons.

– VOILÀ, BANDE D'INFIDÈLES ! PEUPLE PERVERS ET DÉBAUCHÉ ! VOILÀ LA PUNITION DE VOTRE SOUVERAIN... LE CIEL VOUS TOMBE SUR LA TÊTE... C'EST LA FIN DU MONDE ! QU'ORPHÉE M'EN SOIT TÉMOIN, JE VOUS TUERAI TOUS ! TOUS AUTANT QUE VOUS ÊTES !

– Je vois que tu es revenu de ton voyage, dit soudainement une voix derrière le roi. Je te sens un peu agité, est-ce que je me trompe ?

– Crève, mystagogue ! Tu es un insecte insignifiant... une rognure infecte... Je vais te couper les couilles et te forcer à les manger...

– Hum... intéressant, fit le jeune homme, détaché. Je présume que les choses ne se sont pas passées aussi bien que tu le souhaitais. Raconte, je t'écoute...

Hitovo tira une dernière flèche, puis lança son arc en bas du balcon. Épuisé, mais surtout ivre, il trébucha et vint durement heurter le sol. Le mystagogue le regarda s'effondrer sans lui venir en aide. À la place, il ordonna à un serviteur qui passait dans la cour de faire monter quelques seaux d'eau. L'ordre fut rapidement exécuté, et le mystagogue aspergea Hitovo afin qu'il retrouve ses esprits. L'effet fut instantané et le souverain, encore embrumé, mais plus alerte, réussit à se relever et s'appuya sur la balustrade du balcon.

– J'ai besoin de savoir ce qui est arrivé…, déclara le mystagogue. Et ressaisis-toi !

– Je l'ai tuée…

– Séléné ? Tu as tué ta femme ?

– Oui… de trois flèches.

– En es-tu certain ?

– Oui… enfin, non, je ne suis plus sûr de rien… Je crois que j'ai perdu la raison…

Devant le regard interrogateur du mystagogue, Hitovo se mit à raconter :

– J'étais dans la forêt avec mes chiens lorsqu'un gigantesque loup nous a surpris… Il a tué toutes mes bêtes, puis il a voulu m'attaquer. C'est alors que j'ai entendu un mouvement derrière moi et qu'une seconde bête, rousse celle-là, est sortie de nulle part. Mon arc était prêt et j'ai tiré sur la bête… trois flèches, toutes bien placées… puis… c'est là que je l'ai vue…

– Qui as-tu vu ?

– Séléné…

– Le loup… c'était Séléné ?!

– Oui… j'ai vu de mes yeux la bête prendre une forme humaine… C'était elle ! J'en suis certain… Enfin, je suis peut-être devenu fou… Je…

– Entrons, nous devons parler sérieusement…

– Tu ne me crois pas, mystagogue, c'est cela ?

– Au contraire, répondit le jeune homme, car il semble que nous ayons un important problème avec les loups. Électra, ta promise, aurait été enlevée par une bête gigantesque. Selon les dires d'un de nos chasseurs, il s'agirait aussi d'un énorme loup.

– Donc, je ne suis pas fou… je n'ai pas imaginé tout cela ?!

– Non… il semblerait même que tu sois chanceux de t'en être tiré vivant.

Le mystagogue invita le roi à entrer et, ensemble, ils montèrent dans les appartements où la princesse de Byzance avait été installée. C'est là qu'il parla à Hitovo de l'idée qu'il avait eue d'envoyer Électra à la chasse afin de la désennuyer. Il lui raconta tout, même l'emprisonnement de la grosse gouvernante Phoebe et l'exécution de son amant. Puis, il lui relata le grand malheur qui s'était abattu sur les chasseurs et la princesse dans la forêt. Deux hommes étaient morts à la suite de l'attaque d'un gros loup, et la jeune femme avait disparu. Jusque-là, les recherches dans les bois avaient été vaines. On aurait dit qu'Électra s'était volatilisée sans laisser de traces.

– Alors, cher Hitovo, continua le mystagogue, cela veut dire que si tu as effectivement tué Séléné et que notre Électra s'est envolée, le royaume devra te trouver une autre reine pour lui offrir un héritier ! Il n'y a pas si longtemps, nous avions une paire de reines, mais il semble bien que nous les ayons perdues toutes les deux !

– Je n'ai jamais été doué en amour, fit Hitovo avec un demi-sourire de consternation. C'est peut-être mieux ainsi...

– Sans doute, mais cela ne nous explique pas la présence de ce loup sur nos terres ni même pourquoi Séléné avait pris l'apparence d'une bête ! Tu y comprends quelque chose, toi ?

– Lorsque j'étais chez les hyrcanoï, répondit Hitovo, on disait que les anciens guerriers de notre peuple pouvaient se transformer en loups... mais c'étaient des légendes, de vieilles histoires...

– Crois-tu vraiment que les humains peuvent se transformer en bêtes ?

– Je crois que si les dieux décident de changer un homme en cochon, eh bien, celui-ci pataugera vite dans la boue...

Le mystagogue soupira un bon coup. Les choses ne se passaient pas exactement comme il l'avait prévu.

– Que faisons-nous maintenant ? demanda-t-il, un peu embêté.

– Je ne sais pas, mystagogue. D'habitude, c'est toi qui as réponse à tout...

– Tu as vu deux loups, récapitula le mystagogue, dont un s'est révélé être ta femme Séléné, c'est bien cela ?

– En effet…

– Suivant cette logique, il faudrait alors que l'autre loup soit aussi un humain, non ?

– C'est peut-être un très puissant sorcier…

– Alors, il nous faut absolument abattre cette créature, et nous verrons ensuite si elle se transforme en humain, comme Séléné, ou si elle conserve sa forme animale. Je propose que nous organisions une grande chasse au loup. Celui qui rapportera la bête que nous cherchons gagnera le droit de se servir dans l'armurerie royale et recevra une pension à vie. Cela devrait motiver notre population.

– Et si nous ne le retrouvons pas ?

– Eh bien, il deviendra une légende tout comme tes hyrcanoï, et les vieux raconteront son histoire pour faire peur aux enfants.

– Et si les dieux étaient contre nous ? s'inquiéta Hitovo. Et si c'était Orphée qui désirait me punir pour ne pas avoir respecté mes engagements envers lui ?

– Je suis le représentant d'Orphée dans cette cité, et rien ne m'indique que cet événement soit un châtiment envers toi ou envers ce royaume.

– Qu'en sais-tu réellement ? rétorqua le roi. Tu lui parles tous les jours ? Je suppose que vous discutez régulièrement ensemble, tous les deux !

– Non, s'impatienta le mystagogue, mais je sais lire les signes du ciel et je sens sa présence… Je sens aussi sa volonté et…

– Tais-toi, tu divagues ! C'est toi qui m'as forcé à renier une partie de ma foi afin que je me marie et que je laisse un descendant à ce royaume. À cause de toi, j'ai renoncé à l'ascétisme qui m'avait permis de trouver la paix et, maintenant, regarde-moi ! Vois ce qui m'arrive ! J'ai tué ma femme… perdu mes chiens… et ma promise s'est volatilisée…

– Que veux-tu insinuer, Hitovo ?

– Qu'Orphée est actuellement en train de déjouer tes plans de conquête et de me punir pour avoir manqué à mes devoirs envers lui… Notre dieu est maintenant contre nous ! Son courroux ne fera que s'amplifier si nous nous entêtons dans cette voie !

– Tu réagis comme un enfant gâté qui n'a aucune idée de ce…

À ce moment, Hitovo s'élança et frappa durement le mystagogue d'un coup de poing en plein visage. Le choc fut si violent que ce dernier fit deux tours sur lui-même avant de s'effondrer sur le sol. Le visage couvert de sang, il tenta de reprendre ses esprits, mais Hitovo lui asséna un coup de pied dans les côtes qui lui fit perdre conscience.

« Plus personne ne m'éloignera de ma voie… », se dit-il en se dirigeant vers la porte.

– Gardes ! GARDES ! Prenez le mystagogue et jetez-le au cachot ! Je désire ne plus entendre parler de lui…

XVIII

Alors que ses poumons s'emplissaient d'eau, Électra s'étonna de sentir une très agréable sensation de chaleur envahir son corps. Elle qui avait cru, quelques secondes auparavant, vivre ses derniers instants dans ce monde constata que la douleur provoquée par ses blessures avait complètement disparu. Comme un enfant en gestation dans le ventre de sa mère, elle se fabriquait un nouveau corps, une nouvelle apparence. De ses orteils jusqu'au bout de son nez, elle perdit tout de sa forme humaine et se transforma en une magnifique jeune louve aux poils cendrés. Ce fut cet animal, incertain dans son nouveau corps et surpris d'être encore vivant, qu'Avatah vit sortir de l'eau.

À quelques détails près, cette louve était exactement comme celle de son rêve. Bien assis dans les hautes herbes, le loup prit quelques instants pour l'admirer. Elle était splendide à voir avec son regard apeuré et ses frêles petites cuisses qui expérimentaient pour la première fois la marche à quatre pattes. De son humanité, il ne restait plus qu'une lumière d'intelligence au fond de ses yeux, que la luminosité de son âme dans son regard.

« Je suis une louve… Je suis devenue une louve, pensa-t-elle en découvrant le monde autour d'elle. Mais comment cela se peut-il ? Par quel sortilège me voilà transformée en bête ? »

Alors qu'Électra essayait de comprendre ce qui venait de lui arriver, son odorat lui indiqua la présence d'un autre animal, non loin de là. Rapidement, elle se retourna et aperçut son protecteur qui, le dos bien droit et le torse bombé, la regardait tendrement. La tête légèrement penchée sur la gauche, il semblait à l'affût d'un signe indiquant qu'elle se portait mieux. Ses nouvelles perceptions animales aidant, Électra trouva ce loup d'une beauté à couper le souffle. Avec ses grandes oreilles pointées vers le ciel et sa fourrure étincelant sous les rayons de la lune, il avait l'élégance d'un grand prince.

Afin qu'elle ne le craigne pas, Avatah baissa les yeux et poussa un petit cri de joie. Aussitôt la louve, impressionnée, recula de quelques pas, mais elle comprit vite qu'il ne s'agissait que d'une marque de politesse à son égard. Curieuse, elle se rapprocha un peu plus de lui et fut ravie par la forte odeur de musc se dégageant de son corps. Il y avait quelque chose de terriblement envoûtant, mais aussi de rassurant dans ce parfum. Des effluves de poivre et de terre, de mousse humide, mais aussi de jeunes pousses de fougères ainsi que de sang séché formaient une combinaison des plus agréables pour son nouvel odorat. Rapidement, Électra comprit que cette reconnaissance olfactive était propre aux animaux. Amusée, elle essaya de respirer sa propre odeur, mais elle n'y parvint pas.

Avatah regardait avec délectation sa bien-aimée découvrir ses sens. Il savait depuis bien longtemps déjà que les loups sont insensibles à leur propre odeur, mais qu'ils peuvent sentir celle d'un autre membre de leur meute à plusieurs lieues à la ronde. Elle-même, qui, sous sa forme humaine, sentait le lait de chèvre, la marjolaine et la lavande, avait maintenant sa propre empreinte olfactive animale. Sa fourrure sentait le sapin et l'écorce de bouleau, et dans cet arôme se détachaient des notes de chanterelle et même de truffe. Rien de plus ravissant et étourdissant pour les narines frémissantes d'un loup amoureux !

« J'aimerais te poser tant de questions, mon beau loup..., pensa l'ancienne jeune femme en plongeant ses yeux dans ceux de la bête. Mais je devrai me contenter du mystère dans lequel Artémis m'a plongée. Je voulais être libre et je le suis... Prisonnière de Byzance, je souhaitais courir affranchie comme une louve dans la forêt, et cette chose est maintenant possible. La déesse m'a écoutée... »

Avatah avança lentement la tête vers celle de sa bien-aimée, puis lui lécha tendrement le bout du nez. Électra lui rendit la pareille, ce qui enflamma son cœur. Cette marque d'affection lui fit croire qu'il avait bien trouvé celle à qui il allait s'unir pour la vie. À l'image des membres de la meute qui l'avaient élevé, Avatah ne voulait s'unir qu'à une seule et unique louve afin de la chérir jusqu'à la fin de ses jours. De nombreuses fois, il avait ressenti toute la tendresse que ces animaux pouvaient avoir les uns envers les autres. Contrairement aux humains qui étaient trop souvent infidèles et menteurs, les sentiments d'un loup envers sa partenaire étaient d'une pureté absolue. Si, d'aventure, un loup était blessé, il pouvait compter sur sa compagne pour lécher ses plaies et chasser pour lui jusqu'à son plein rétablissement. Jamais Avatah n'avait vu un loup reculer devant le danger afin de protéger sa famille, car il y avait chez ces bêtes un sens aigu du devoir.

Soudainement inquiet, Avatah regarda nerveusement autour de lui. Il venait de se rappeler que, dans ses cauchemars, une autre bête venait lui ravir la louve tant convoitée. Paralysé dans les hautes herbes, il avait vu un mâle s'approcher de sa belle et la saillir devant ses yeux. Après quelques reniflements qui lui permirent de détecter un brin de parfum humain dans l'air, il déduisit à tort qu'il s'agissait probablement d'un résidu de son premier passage au lac en compagnie de Séléné. Rassuré, Avatah se calma et replongea son regard dans celui de sa bien-aimée. Aujourd'hui, la réalité avait fait mieux que le rêve, car la louve était désormais entièrement à lui.

Électra mordilla doucement le cou de son protecteur qui lui rendit cette caresse en lui léchant les oreilles. Avec une infinie tendresse, la louve continua de le mordiller, puis se frotta langoureusement contre lui. Jamais la princesse de Byzance n'avait désiré un être autant que celui-là. De son côté, Avatah savourait chaque seconde du plus infime frôlement. Lui qui avait plus souvent goûté au fouet qu'à l'amour s'en trouvait chaviré.

Le rituel d'accouplement, ce moment magique où un loup et une louve se choisissent mutuellement pour la vie, se prolongea pendant de longues heures. Chacun observant l'autre, se délectant de caresses, de jeux et de baisers, ils vivaient ensemble des moments parfaits. Sur les bords du lac, où le regard bienveillant de Börte Tchinö s'était posé pour les observer, les loups aiguisaient leur désir tout en se découvrant des affinités.

Mais Börte Tchinö, le Loup bleu, n'était pas la seule à observer la scène. Bien cachée dans les bois, la vieille dactyle, la mère de Séléné, épiait les ébats amoureux des jeunes amants. C'était son odeur qu'Avatah avait détectée plus tôt, mais il l'avait confondue avec une autre.

« Nous voici enfin arrivés au jour tant attendu de la venue sur terre du premier des Râjâ, pensa-t-elle avec émotion. L'union sacrée, celle qui apportera dans le monde l'enfant roi, aura bientôt lieu. Dommage que Séléné ne m'ait pas écoutée... Le moment que nous attendions depuis des siècles va enfin arriver, la prophétie va se réaliser sans elle... Moi qui croyais lui avoir enseigné la patience et la rigueur... »

Les loups faisaient à présent des cabrioles dans l'herbe et jouaient à se chamailler.

« Ils se découvrent, s'apprivoisent et se jaugent..., se dit la dactyle. Ô, Börte Tchinö, grand Loup bleu, j'ai vu ton avatar porter une femme sur son dos et la lancer ensuite dans le lac des étoiles. J'ai vu la femme ressortir sous la forme d'une louve et maintenant je la vois s'amuser avec ton envoyé... Bientôt, je devrai agir... Ce sera bientôt à moi de jouer mon rôle dans ton ballet cosmique. »

La vieille femme sortit deux flèches de son sac ainsi qu'un petit pot de terre contenant une substance verdâtre et très pâteuse. Elle examina soigneusement le premier projectile et s'assura que la pointe de métal, composée de plusieurs dents, y était solidement fixée.

« La prophétie des anciens était claire, et tout se déroule comme je l'ai vu dans les symboles et dans les runes, pensa la dactyle, heureuse d'accomplir sa mission. Dommage que Séléné ne soit pas avec moi... J'aurais aimé partager ce moment avec elle. Pauvre petite qui croyait que le lac allait lui donner son Râjâ... Quelle déception elle a dû vivre ! »

Avec la même minutie, elle déposa près d'elle la première flèche et inspecta la seconde. Sa pointe, tout à fait différente, était beaucoup plus petite que l'autre et elle était couverte de minuscules entailles destinées à retenir le poison dont on pouvait l'enduire. La vieille dactyle la badigeonna de son produit vert, puis referma le pot.

Les loups, heureux dans la nature et inconscients du danger qui les guettait, cessèrent leurs jeux et se rapprochèrent affectueusement l'un de l'autre. La louve était prête à se donner, et le loup ne voulait plus qu'une chose, la prendre. La femelle présenta son bassin et le mâle grimpa sur elle. L'accouplement tant souhaité se produisit enfin.

– Et voilà que le dieu ensemence la mortelle afin que naisse son descendant sur terre…, chuchota cérémonieusement la vieille dactyle. Et voici que l'union entre les forces du ciel et celles de la terre se réalise enfin… Et voici que la gardienne du lac doit agir et renvoyer l'avatar à son dieu…

Tandis qu'ils étaient prisonniers l'un de l'autre dans le plaisir enivrant de leur union, Avatah poussa un petit cri de bonheur et se déversa dans sa bien-aimée. Aussitôt, Électra répondit à son cri par un gémissement. Alors que la vie se propageait en elle, la louve espéra de tout son cœur concevoir un enfant.

– Le temps est venu d'agir…, soupira la dactyle en appelant d'un petit geste un guerrier hyrcanoï qui se tenait caché juste derrière un arbre, tout près d'elle. Tu sais ce que j'attends de toi. Tu es notre meilleur archer et, ce soir, tu ne peux pas rater ta cible… Il est important que tout se déroule comme les écrits l'indiquent. Si tu avais le malheur de manquer ton tir, l'avatar de Börte Tchinö nous réduirait en pièces… C'est une bête trop puissante pour notre monde, et elle doit retourner dans les étoiles.

La femme tendit au guerrier la flèche à la pointe encochée.

– Voici le trait qui renverra l'avatar de Börte Tchinö dans les étoiles, voici le projectile qui redonnera au Loup bleu sa position céleste, récita la femme comme une prière. Voici que ma mission commence… Voici le jour que des générations de dactyles ont souhaité voir… Voici le moment tant attendu…

Confiant dans son talent, le guerrier encocha la flèche de la dactyle dans la corde de son arc.

– Tant qu'ils sont unis l'un à l'autre, lui commanda la femme, ne tire pas ! Attends mon signal. Nous ne devons pas les interrompre pendant la conception.

L'homme lui confirma d'un léger mouvement de tête qu'il avait bien compris. Quelques longues minutes furent nécessaires aux loups pour terminer l'accouplement. La femelle, débordante d'amour et maintenant prête à se blottir dans la chaleur de son amant pour savourer son nouveau bonheur, se retourna vers lui afin de lui mordiller la joue. C'est à ce moment qu'une flèche venue de nulle part atteignit violemment le loup et se planta dans sa gorge. Comme dans un rêve qui se transforme soudainement en cauchemar, Électra fut aspergée du sang de son amoureux. Paniquée, elle grogna en regardant autour d'elle.

– Maintenant que le dieu est parti, afin de préserver l'enfant et de l'élever comme un hyrcanoï, il est temps que la mère s'endorme..., dit la dactyle en présentant la seconde flèche à son archer. Vise bien et ne la tue pas, elle est maintenant devenue le plus beau des joyaux que le monde ait jamais porté.

C'est à peine si la louve eut le temps de voir son compagnon cesser de respirer qu'un deuxième projectile jaillit de la forêt et vint s'enfoncer dans sa cuisse. Elle voulut fuir, mais le poison dont la vieille femme avait enduit le bout de la flèche commençait déjà à faire effet. Une brume se leva devant les yeux de la louve qui tituba en essayant de partir. Électra hurla une prière de supplication à Artémis, mais n'eut pas le temps de la terminer.

– C'étaient deux excellents tirs ! s'exclama la dactyle en se retournant vers le guerrier hyrcanoï. Lorsqu'elle se sera endormie, tu la prendras, descendras de cette montagne et l'installeras dans le cachot de la grotte. Si elle nous fait des problèmes, nous pourrons mieux la contrôler... De mon côté, je m'occuperai de l'avatar avant de redescendre.

Comme l'avait souhaité la dactyle, le guerrier chargea la louve sur son épaule et entama sa descente vers le village. La vieille se contenta pour sa part de pousser le corps de l'animal mort dans le lac et de le regarder lentement sombrer vers le fond. Jamais elle ne sut que le loup qu'elle venait de tuer était non pas l'incarnation d'un dieu, mais plutôt l'homme qu'elle avait vu chez Séléné, le frère jumeau d'Hitovo. Elle ne remarqua pas non plus que, sous l'eau, le corps du loup reprenait sa forme humaine.

– Voici la chair du Loup bleu qui retourne vers les étoiles afin de reprendre sa place auprès de sa maîtresse ! lança-t-elle avec le sentiment du devoir accompli. La semence est maintenant dans le ventre de la louve, et son fils, le Râjâ, sera notre nouveau roi. Retourne dans le ciel, brave bête, et sois louée à jamais pour la noble tâche que tu viens d'accomplir. Ta vie aura été courte, mais pour des siècles nous raconterons la légende de ta venue sur terre. Repose-toi bien…

C'est ainsi que celui que sa mère avait nommé Avatah, qui avait été élevé par les loups, qui avait été vendu comme esclave en Perse et qui avait réussi à revenir parmi les siens, quitta notre monde. Lui qui avait l'étoffe d'un grand athlète olympique ne connaîtrait jamais l'exaltation des stades ni le pouvoir que procure le titre de champion. L'esclave qu'on appelait Varka aurait au moins réussi à s'affranchir des chaînes et du fouet pour vivre quelque temps librement dans les bois. Sous sa forme animale, il aurait malgré tout connu le bonheur et l'amour.

Au moment de sa mort, s'il avait pu parler, ses derniers mots auraient certainement été pour Électra. Il l'aurait remerciée de toute son âme pour ce bref moment de tendresse et d'amour qu'elle lui avait procuré. Plus habitué aux ordres qu'aux caresses, il quittait la vie avec un souvenir magnifique de son existence, car cette unique rencontre justifiait pleinement ses années de misères et de souffrances. Électra avait donné un sens à sa vie, et il emportait ce précieux cadeau avec lui.

XIX

Les armées du grand Assurbanipal avaient traversé le détroit du Bosphore et s'entassaient sur la rive dans un terrible remue-ménage. Des bateaux remplis de machines de guerre, de troupes d'infanterie et de cavaliers déversaient hommes et armes sur les rives byzantines. Une centaine d'éléphants, recouverts de solides armures les protégeant des projectiles, étaient fin prêts à défoncer les portes ennemies. Les prêtres avaient déjà allumé quelques feux pour brûler les offrandes au grand Ahura Mazda pendant que les troupes d'assaut astiquaient leurs lances et leurs boucliers. Selon les plans de Nosor Al Shaytan, l'attaque aurait lieu sous le chaud soleil de midi afin de forcer les troupes de Byzance à boire davantage de son eau empoisonnée. Si tout se déroulait comme le faux prophète l'avait prévu, la ville serait aux Perses avant la tombée de la nuit.

Pour permettre ce débarquement, quelques assassins de grand talent, accompagnés de leurs mercenaires, avaient en premier lieu éliminé toutes les sentinelles susceptibles d'avertir les habitants de la ville. Les stratèges perses avaient aussi ordonné à leurs meilleurs cavaliers de ratisser les environs de la cité afin de se débarrasser de toutes les patrouilles qu'ils rencontreraient. Le travail avait été bien fait, car, dans la ville, les festivités entourant l'ouverture des olympiades allaient bon train et les Byzantins étaient loin de se douter qu'à quelques lieues de là, trente mille soldats, soit un dixième de la gigantesque armée perse, débarquaient avec la malicieuse intention de les envahir.

Nosor s'était également bien acquitté de sa tâche, et les femmes avaient été très favorablement accueillies par le gouvernement de Byzance. L'élite de la ville, heureuse de constater que les Perses souhaitaient conserver des rapports cordiaux avec les Grecs, s'était empressée d'oublier les accusations entourant la disparition de Varka. Devant la beauté, l'élégance et les généreuses courbes de ce cadeau d'Assurbanipal, on oublia l'affront qu'Héraclès leur avait faussement imputé afin d'éviter le lynchage. Tout en imaginant les nouveaux plaisirs que procureraient ces tigresses d'Orient aux différents gouverneurs, ambassadeurs, généraux et riches commerçants de la cité, on avait magnanimement remercié Nosor et ses gardes en les installant dans un grand pavillon luxueux qui se trouvait près de la mer, hors des murs de la ville. Ce lieu, largement au-dessus des attentes de l'ancien chef de clan, était un endroit parfait pour organiser et orchestrer le siège de Byzance.

C'est ainsi que les femmes de Babylone, en plus d'occuper les hommes avec leurs danses exotiques et leurs savantes caresses, avaient empoisonné jour après jour le vin, les puits et les réserves d'eau potable de la ville. Rapidement, une fièvre contagieuse provoquant des maux de ventre, des nausées et des diarrhées se propagea dans toutes les couches de la société. Comme cette nouvelle affection n'était pas mortelle, les docteurs n'avaient pas jugé nécessaire de déclarer une quarantaine. C'est ainsi que, le jour du débarquement des Perses, le tiers de l'armée byzantine était au lit alors qu'un autre tiers, gravement affaibli, se remettait lentement sur pied. Le vin empoisonné coulait encore à flots alors qu'on fêtait l'ouverture des Jeux, et les vaillants soldats qui étaient encore debout en buvaient jusqu'à plus soif.

« Les poissons pourrissent toujours par la tête », avait souvent répété Nosor au capitaine de sa garde. Ce vieux dicton, laissant entendre que la chute d'un royaume commence inévitablement par la détérioration de ses élites, s'appliquait parfaitement au royaume de Byzance. L'administration plus que chaotique des affaires de l'État, la nonchalance du souverain envers ses armées et le manque de discipline au sein des troupes avaient déjà largement émoussé la capacité des guerriers à protéger leur ville. La maladie ajoutée à cela, Byzance ne tiendrait pas très longtemps devant la précision des troupes de Babylone qui, préparées depuis des semaines, savaient exactement où frapper afin d'envahir rapidement la cité.

Ainsi, par une belle journée ensoleillée où la mer bleue faisait danser ses grandes vagues sous un bon vent du large, Nosor monta sur son cheval et galopa vers le lieu du débarquement des troupes. Bien avant d'arriver aux rives du Bosphore, il fut intercepté par une patrouille de cavaliers perses lourdement armés. Le nomade déclina rapidement son identité et il fut amené, comme il le souhaitait, à l'un des trois baivarapatis responsables de l'attaque. Chacun de ces généraux dirigeait dix mille hommes. Leurs ordres étaient relayés jusqu'au simple soldat par dix hazarapatis, chacun en charge de mille guerriers. Les hazarapatis faisaient passer le mot à leurs satapatis. Ces derniers commandaient cent hommes qui, à leur tour, informaient les dathapatis, le dernier maillon de la chaîne hiérarchique.

– C'est lui, notre espion ? demanda le baivarapatis lorsqu'on lui annonça la visite de Nosor. Qu'il vienne, j'ai justement quelques questions à lui poser…

Le nomade aux dents dorées fut autorisé à monter sur l'un des bateaux de commandement.

– Je vous salue, baivarapatis, lança-t-il en faisant une révérence. Je voulais vous informer de vive voix que Byzance est prête à être cueillie. Comme prévu, les Grecs fêtent, boivent et s'empoisonnent…

– Excellent travail ! s'exclama le Perse avec un grand sourire. Qu'en est-il du fameux guerrier, ce Varka dont tu semblais, espion, tant te soucier à Babylone ?

– Je ne sais pas…, avoua Nosor, un peu troublé par la question. J'ai fait des recherches, mais je n'ai rien trouvé à son sujet… Enfin, oui… on dit qu'il a été enlevé et tué par nous, les Perses… Personne n'a vraiment été très précis dans son récit.

– Quelle rumeur idiote ! fit le baivarapatis, toujours amusé. Mais comment aurions-nous pu faire une telle chose ?

– À vrai dire, je n'en sais rien, répondit Nosor. Comme je ne parle pas la langue des Byzantins et que mon interprète avait un peu de mal à saisir les subtilités de mon dialecte, je n'ai pas pu en apprendre beaucoup à ce sujet.

– Mais dis-moi, as-tu déjà vu ce guerrier combattre ou ne s'agit-il que d'une légende ?

– Je l'ai vu, baivarapatis, et il est d'une vitesse et d'une adresse exceptionnelles ! Il court aussi vite qu'un jaguar et sa force dépasse largement celle de dix hommes. Ce Varka est un phénomène, mais il semblerait bien que les Byzantins l'aient perdu !

– Hum... un problème de moins, alors ? C'est une excellente nouvelle ! Et même si ce Varka se cachait dans la cité, un homme seul ne peut pas vaincre une armée entière, n'est-ce pas ?

– Non... à moins qu'il soit le fils d'un dieu...

– Le fils d'un dieu, répéta le baivarapatis, perplexe. Et si c'était un nouveau Gilgamesh ?

– Connais-tu l'histoire du lièvre qui, un jour, reçut un gland sur la tête ? demanda Nosor avec son air malicieux.

– Non, je ne la connais pas...

– Eh bien, le lièvre qui avait reçu un gland sur la tête s'enfuit et croisa le hérisson à qui il dit avoir reçu une branche sur la tête. Le hérisson rapporta la nouvelle à la gerboise en lui assurant que les arbres de la forêt étaient en train de tomber un à un. Ce fut ensuite au tour de la gerboise d'annoncer à la gazelle qu'elle ne devait pas rester sous le couvert des arbres si elle ne voulait pas que les troncs s'abattent sur ses petits. La rumeur se répandit si bien que tous les animaux se ruèrent dans le désert où ils moururent de soif !

– Je ne vois pas où tu veux en venir.

– Peu importe si une déclaration est vraie ou fausse, expliqua Nosor, l'important, c'est que les gens la croient. Les Byzantins pensent que nous avons enlevé Varka, eh bien, laissons-les croire que nous le détenons vraiment et faisons-le combattre à nos côtés ! Le moral de nos ennemis en souffrira gravement.

– L'idée est séduisante.

– En outre, nos hommes seront encore plus motivés à l'idée de combattre aux côtés d'un grand guerrier...

– Oui... excellente idée... Nous habillerons un faux Varka et ferons circuler la rumeur qu'il est un arrière-petit-fils du grand Gilgamesh... Très bien, je m'occupe de tout ! Va, espion, nous nous retrouverons sur le champ de bataille.

Après avoir pris congé du baivarapatis, Nosor fut reconduit à terre, monta sur son cheval et reprit la route de Byzance. Avec ses mensonges répétés, il avait fait de son ancien esclave un grand héros qui maintenant inspirerait l'armée perse. Mais une question demeurait présente dans son esprit : Où était le véritable Varka ? Où pouvait bien se cacher cet homme qui avait tenté de l'assassiner ? Pour le nomade, Varka était à lui et à personne d'autre. Comme l'esclave n'avait pas été affranchi, il demeurait toujours sa propriété et s'il n'était pas mort, Nosor le poursuivrait jusqu'au bout du monde pour assouvir sa vengeance. Mais, avant cela, il fallait prendre Byzance, et c'était précisément ce que l'armée du roi Assurbanipal, déjà en mouvement, allait s'efforcer de faire.

Quand les premières pierres tombèrent sur la ville, les gens crurent d'abord qu'il s'agissait d'une mise en scène orchestrée dans le cadre des célébrations olympiques. Mais ils ne tardèrent pas à comprendre que ce spectacle était une gracieuseté des Perses et que l'heure n'était plus à la rigolade. Rapidement, les gardes grimpèrent sur leurs perchoirs en haut des murs d'enceinte et aperçurent une armée de trente mille hommes, armés et préparés, qui bombardaient la cité avec de gigantesques machines de guerre. Promptement, les vigies sonnèrent l'alerte, et les grandes portes furent fermées.

Aussitôt, les archers byzantins se mirent en position afin de répliquer, mais leurs flèches, pour la plupart trafiquées par les empoisonneuses perses dans les armureries royales, ne volèrent pas très loin. Bon nombre d'encoches avaient été endommagées et les empennes, tordues. Certains traits n'avaient même plus de pointe alors que d'autres avaient carrément été coupés en deux. Cette riposte ratée permit aux Perses de s'approcher des murs afin de décocher leurs projectiles. Une pluie de flèches s'abattit sur les archers byzantins. Avec ces hommes malades et mal préparés, ainsi qu'avec les actes de sabotage qu'avaient accomplis, ici et là, les femmes de Nosor, il parut vite évident que la cité ne résisterait pas à l'assaut des Perses.

C'est ainsi qu'Héraclès de Byzance, frère cadet du roi et responsable des Jeux, décida de fuir les lieux pour sauver sa peau. Lui qui connaissait bien les thermes et le système souterrain d'évacuation des eaux emprunta à quatre pattes une canalisation et réussit de cette façon à se glisser à l'extérieur des fortifications. En sueur et paniqué, il arriva juste à côté du port et se laissa tomber dans la mer. Avec la prudence d'une souris entourée de chats, il réussit à nager sans se faire voir entre les navires ennemis et ressortit de l'eau sur une petite plage ceinte d'énormes rochers. De peur de se faire prendre, il y attendit la nuit et se sauva en direction du nord.

Sage fut la décision d'Héraclès, car son frère, le roi, mourut empalé. Une fois Byzance aux mains des Perses, toute la famille royale connut un sort horrible. Les femmes de la noblesse furent violées et assassinées alors que les hommes du gouvernement, après avoir été pour la plupart émasculés et torturés, se virent transformés en cibles d'entraînement pour les archers perses. On creva les yeux aux proches conseillers du souverain avant de les abandonner aux rapaces du désert. Les hauts gradés de l'armée byzantine furent attachés à de grosses pierres et noyés dans la mer ; leurs soldats furent décapités. La population, quant à elle, se plia rapidement aux ordres des nouveaux maîtres et souffrit peu de la présence des envahisseurs.

Comme l'avait prédit Nosor, quelques heures avaient suffi aux armées d'Assurbanipal pour prendre la ville. Une fois aux commandes de la cité, le baivarapatis s'empressa d'envoyer un messager à Babylone afin d'annoncer la grande nouvelle à son roi. Il reçut ensuite Nosor Al Shaytan afin de le féliciter de son plan.

– Nous voilà maîtres de Byzance, lança-t-il avec un large sourire. Grâce à toi, jamais je n'ai mené une aussi courte et aussi facile bataille. Cette ville que je croyais imprenable me tombe aujourd'hui entre les mains…

– Que grand bien vous fasse ! C'est que vous la méritez, cette cité !

– Que veux-tu comme récompense ?

– Continuer à servir Assurbanipal de mon mieux, répondit Nosor qui savait comment plaire aux puissants.

– Excellent ! Les mercenaires demandent de l'argent ou des femmes, les hommes d'honneur, jamais. À partir de ce jour et tant que je serai en poste à Byzance, tu seras mon premier conseiller.

– Je vous servirai avec dévotion, conclut Nosor en saluant profondément le baivarapatis.

Troisième partie

La lune rouge

I

Depuis une semaine, Électra vivait dans un cachot poisseux, au fond d'une grotte obscure. Toute la journée, elle marchait de long en large en grinçant des dents. Ses cris de détresse n'avaient attiré personne, et le geôlier qui glissait tous les matins des vivres entre les barreaux refusait de lui parler. La princesse de Byzance ne savait pas pourquoi elle était prisonnière ni comment elle s'était retrouvée dans cette situation. Impétueuse de nature, elle commençait à perdre patience.

« Si je sors d'ici vivante, grognait-elle à chaque heure de sa captivité, je les assassine tous autant qu'ils sont. Je vais me venger de ces mécréants. On n'enferme pas ainsi la future reine de Veliko Tarnovo… On ne séquestre pas Électra la chasseresse. Artémis m'en soit témoin, ils subiront mon courroux ! »

Électra s'était réveillée dans cette prison rudimentaire sous sa forme humaine, les pieds dans la boue et vêtue d'une vieille robe sale de paysanne. Elle se rappelait tous les événements l'ayant conduite au lac de la montagne, ainsi que sa transformation en louve et sa torride relation avec son protecteur. Chaque seconde de ces moments bénis lui remontait constamment à la mémoire, jusqu'à l'horreur de la mort du grand loup qu'elle avait aimé. Pendant un bref instant, elle et lui n'avaient fait qu'un, et cette union était maintenant inscrite dans ses gènes. Électra portait en elle une nouvelle vie. Dans son ventre, l'enfant se formait rapidement.

– Comment se porte la future maman ? demanda soudainement dans le dialecte byzantin la voix d'une femme âgée, de l'autre côté de la cellule.

Aussitôt, Électra bondit vers elle et tenta de lui agripper le visage entre les barreaux. La femme eut tout juste le temps de reculer alors que les ongles de la prisonnière dansaient devant ses yeux.

– Oh ! s'exclama-t-elle, surprise par la vitesse de la captive. Tu es bien agressive, toi ! Je t'imaginais plus douce !

– Sors-moi de là, vieille harpie, ou je te réduis en bouillie ! rugit la princesse en montrant les dents.

– Tu es surprenante, ma fille, je ne m'attendais pas à cela…

Elle-même surprise par sa soudaine agressivité, Électra fit quelques pas en arrière. Son corps était comme un volcan prêt à exploser. La rage lui brûlait la peau, et l'envie de hurler avant de tout casser la faisait trembler de tous ses membres.

– Explique-moi… vieille femme… ce que… je fais… ici… dans cette cage, lança-t-elle en appuyant sur chacun de ses mots.

– Tu es l'élue choisie par Börte Tchinö, lui révéla la femme, et tu donneras dans huit semaines naissance au plus grand roi que le monde ait porté. Je suis une dactyle, une chamane si tu préfères, et c'est moi qui devrai élever et éduquer ton enfant. Lorsque ton bébé naîtra, je te le prendrai et tu pourras partir librement. C'est tout.

– Je porte l'enfant d'un loup, vieille femme ! Le savais-tu ?

– J'étais là lors de la conception, ma jolie, et je t'ai vue copuler avec lui. C'est d'ailleurs ce qui rendra ton enfant si spécial. Créé avec la semence d'un loup et porté dans le flanc d'une femme, il sera l'union parfaite entre les deux races.

– Et qu'est-il arrivé à la bête qui m'a engrossée ? Où est le père de mon enfant ?

– L'un de mes archers l'a tué avant de te lancer une flèche empoisonnée et de t'amener dans cette prison. Ne cherche plus cet animal, car il n'avait pas d'importance dans cette histoire. Il n'était que le porteur de la semence divine.

Cette révélation bouleversa Électra qui ressentit une brûlante déchirure dans son ventre. Cette douleur dans ses entrailles et dans son âme lui fit serrer les poings. Pendant un court instant, elle avait aimé ce loup et pensait encore à lui avec une infinie tendresse. Le mépris dont cette femme faisait preuve à son égard lui hérissait les poils.

– Vous êtes laide, méprisante et vulgaire, dit posément la princesse. Je vous donnerai bientôt une correction que vous n'oublierez pas de sitôt. Non, je vous tuerai plutôt afin de venger la mort de mon protecteur.

– Tu es comme ma fille, jeune sotte ! répondit la dactyle en riant. Tu fais de grandes prédictions qui jamais ne se réaliseront. Mais si cela te plaît de penser que tu régleras un jour mon compte, eh bien, soit, amuse-toi à délirer ! Tu portes le premier des Râjâ, ma jolie, et rien ne pourra m'empêcher d'accomplir ma destinée qui est, je te le rappelle, d'élever cet enfant dans la pure tradition des hyrcanoï.

Pendant que la vieille dactyle monologuait, Électra s'adossa à la paroi rocheuse de la grotte. Les mains derrière le dos, elle tenta de détacher un morceau de roche assez gros pour lui servir de projectile.

– Et qui sont les hyrcanoï ? demanda-t-elle pour gagner du temps.

– Jeune, stupide et inculte, voilà ce que tu es ! se moqua la dactyle. Tu n'as jamais entendu parler des gens de mon peuple ?

– Mais non ! mentit Électra qui venait de trouver ce qu'elle cherchait. Une bande de singes, je suppose ! J'en ai vu plusieurs fois dans des cirques à Byzance…

– Eh bien, laisse-moi t'enseigner qui sont les hyrcanoï, et tu t'endormiras moins niaise ce soir. Depuis l'aube des temps, les gens de ma race vouent un culte aux loups et particulièrement à Börte Tchinö. Autrefois, nous utilisions le lac sacré où tu t'es baignée pour nous transformer en loups afin de soumettre nos ennemis… Puis, un jour, les Grecs et les Thraces sont venus et nous ont presque tous éliminés…

– Quel dommage ! ironisa la princesse, une grosse pierre entre les mains, derrière son dos. Si j'avais vécu en ces temps reculés, moi aussi j'aurais bien aimé participer à votre extinction !

– Tu participeras plutôt à notre résurrection, idiote ! Tu portes en toi le Râjâ. Il est notre avenir et notre renaissance. Grâce à lui, nous regagnerons notre ancien royaume et lèverons une grande armée ! Mais à quoi bon discuter avec toi ? Tu ne connais pas la prophétie… Allez ! je te revois lors de ton accouchement, dans huit semaines !

– Une chose encore…, fit Électra.

– Quoi ? soupira la vieille femme.

– Vous jouez à la balle ?

– Non, je ne joue jamais.

– DOMMAGE ! cria Électra en projetant de toutes ses forces la pierre dans sa direction.

Le projectile fendit l'air à toute vitesse, passa entre les barreaux rudimentaires de la cellule et alla frapper directement la dactyle en plein front. Le choc fut si violent que la pierre lui fracassa le crâne et demeura logée dans son arcade sourcilière. La femme s'effondra sur le sol comme un pantin désarticulé. Une mare de sang commença à se former autour d'elle.

– Prends ça ! grommela la fille du roi de Byzance, ravie de son lancer. Personne ne touchera à mon enfant... pas plus toi que tes hyrcanoï, personne.

Jamais Électra ne s'était sentie aussi forte et solide. Tout son corps lui semblait plus dur et ses muscles, infiniment plus puissants. Auparavant, elle aurait pleuré comme une fillette dans sa cellule en espérant qu'on vienne la sauver alors que, maintenant, une rage extraordinaire coulait tel un torrent de feu dans ses veines. Était-ce l'enfant qu'elle portait qui lui donnait cette force ou simplement son instinct maternel qui s'était brutalement éveillé ? Peu importe, car, pour la première fois de sa vie, Électra était en pleine possession de tous ses moyens et savait exactement ce qu'elle devait faire.

– Premièrement, dit-elle en s'élançant contre les barreaux de bois de sa prison, je sors d'ici !

Le choc faillit lui casser l'épaule, mais elle réussit à faire trembler la structure de la porte.

– Deuxièmement, je rentre à Veliko Tarnovo ! clama-t-elle en prenant de nouveau son élan.

Ce second coup brisa l'armature de la porte.

– TROISIÈMEMENT, JE DEVIENS REINE ! cria-t-elle dans une nouvelle charge qui lui mit l'épaule en charpie. Puis, finalement, je donne naissance au plus grand de tous les rois !

En disant ces derniers mots, elle avait donné un quatrième assaut qui fit s'écrouler la porte et les barreaux de sa prison. Dans un nuage de poussière, Électra poussa un terrible cri de douleur. Son bras et plusieurs os de son épaule étaient fracturés.

– ALLEZ, DEBOUT ! DEBOUT ! vociféra-t-elle pour dompter sa douleur. Je dois sortir ! Je dois quitter cet endroit maudit !

Mais, déjà, deux gardiens hyrcanoï armés de longs couteaux lui bloquaient le passage. Les hommes, de forte taille, la sommèrent dans leur dialecte de rester là où elle était. Électra songea à se soumettre et à abandonner ses espoirs d'évasion, mais une pulsion aussi forte que soudaine la poussa à se ruer sur eux. Malgré la douleur qui lui paralysait la moitié du corps, elle saisit au passage le poignard accroché à la ceinture de la vieille dactyle et le planta dans la gorge du premier gardien. L'homme, devenu une fontaine de sang, s'effondra aussitôt. Profitant de ce moment, l'autre gardien, plus rapide que son collègue, asséna à la jeune femme un grand coup de poing qui lui défonça deux côtes. Électra fut violemment projetée sur le sol.

– Sale putain ! fit l'hyrcanoï en baissant les loques qui lui servaient de pantalon. Je vais te prendre comme une chienne !

Avec l'intention manifeste de la violer, il la releva en la tirant par les cheveux et la plaqua face contre la paroi rocheuse. Écrasée entre le roc et son agresseur qui tentait de s'introduire en elle, Électra pensa à se laisser faire et à subir en silence. Elle avait trop mal pour se battre et se sentait incapable de renverser la situation à sa faveur. Mais, encore une fois, une énergie nouvelle s'empara de son âme et, animée de la fureur d'une tigresse enragée, elle attrapa d'une main les testicules de son agresseur et les lui arracha d'un coup sec. Le gardien, tétanisé par la douleur, tomba à genoux sans pouvoir émettre le moindre son.

La princesse empoigna alors sa tête et la frappa avec frénésie contre la paroi de la grotte. Elle ne le relâcha qu'une fois sa figure en bouillie.

– Ça t'apprendra à vouloir violer les jeunes femmes, butor ! fit-elle en lui crachant dessus. Je dois sortir d'ici... vite... Je dois rapidement sortir d'ici...

Essoufflée, couverte de sang et gravement blessée, Électra emprunta un couloir qui la mena directement à l'extérieur. La lumière du soleil l'aveugla et lui fit perdre l'équilibre. Ses yeux, plus sensibles que jamais, la brûlaient comme deux tisons ardents. Tant bien que mal, la fugitive réussit à voir qu'elle était entourée de grands arbres et de buissons. Les bruits familiers d'un village, avec ses cris d'enfants, lui parvinrent tout de suite aux oreilles. Dans la direction opposée, Électra entendit le bouillonnement des eaux d'une rivière. D'instinct, elle s'enfonça dans la forêt.

« Je devrais plutôt me rendre au village pour chercher de l'aide…, pensa-t-elle en s'appuyant sur les arbres. Mais, au lieu de ça, je me dirige vers la rivière… C'est stupide… »

Plus fort que la raison, son instinct la poussait maintenant à fuir la présence des humains. Son salut se trouvait droit devant elle, plus loin dans les bois, à l'écart de toute agglomération.

« Je vais mourir, songea Électra qui avait maintenant du mal à respirer. Je marche vers la mort comme un soldat qui sait que la bataille est perdue d'avance. Bientôt, je tomberai dans les ronces pour ne plus jamais me relever. Je suis en miettes… Je suis une morte vivante… Artémis, pourquoi m'avoir conduite dans cet enfer ? Pourquoi me faire tant souffrir ? »

À peine eut-elle le temps de voir devant elle la rivière qu'elle tomba mollement dans ses flots tumultueux. La froidure de l'eau la ressaisit juste assez pour lui donner la force de se retourner afin de flotter sur le dos.

« Voilà, c'est la fin… c'est ainsi que je meurs, soupira la princesse de Byzance. Dommage, car je me rends compte que j'ai oublié de vivre… J'aurais aimé connaître l'enfant qui se forme en moi… mon fils… le Râjâ. »

Électra regarda une dernière fois défiler le paysage. Les rayons du soleil à travers le feuillage des arbres furent la dernière belle image qu'elle put contempler avant de fermer les yeux.

II

Le long voyage de Sénosiris tirait à sa fin. Toujours entouré de son troupeau de chèvres, il avait fait fructifier ses possessions et voyageait maintenant avec quelques poules, deux moutons, un autre mulet et plusieurs plantes en pot qui, à l'occasion, lui donnaient des fruits. Sa charrette avait bien changé, elle aussi. Depuis son départ des terres fertiles du Nil, elle avait été dotée d'un toit de toile, de roues plus grandes, d'un confortable lit de paille, ainsi que d'un dispositif permettant de recueillir l'eau de pluie. La route avait rendu le jeune Égyptien beaucoup plus débrouillard. Impossible à surprendre, il connaissait tous les aléas d'un long voyage en pays étranger.

Après une bonne demi-journée de voyage, Sénosiris arriva au bord d'une jolie rivière au courant rapide qui coulait entre de grands arbres au feuillage abondant.

– Arrêtons-nous ici, Kheper ! ordonna-t-il. L'endroit me semble parfait pour faire boire les bêtes.

C'était ainsi que le garçon avait prénommé son âne. Lui qui, au départ des plaines du Nil, voyait son mulet comme un simple animal de trait, avait changé d'idée à son sujet. Au fil des jours et des misères, il en était venu à le considérer comme un véritable compagnon de voyage. Voilà pourquoi il avait un jour décidé de lui donner un nom bien à lui. Kheper lui était alors venu à l'esprit. Sénosiris s'était rappelé la vieille histoire du dieu Khépri, une divinité scarabée qui poussait devant lui une boule d'excréments d'où naissait la vie. Comme l'âne avait une fâcheuse tendance à évacuer des gaz très malodorants, ce nom lui allait comme un gant.

– Je vais me laver, Kheper ! Et, selon moi, tu devrais en faire autant… Si tu savais comme tu pues !

L'âne se contenta de lever la tête en lâchant une de ses fameuses bombes nauséabondes en signe de provocation.

– Je n'insiste pas ! Après tout, c'est ton odeur ! Mais ne t'étonne pas si personne ne veut plus s'approcher de toi.

Dès qu'il mit le pied dans l'eau, le garçon fut surpris par sa température. Elle était glaciale ! Lui qui avait connu les chauds courants du Nil, puis la douceur de la grande mer ainsi que la fraîcheur de certains lacs plus au sud, renonça à y plonger d'un coup.

« Cette rivière prend certainement sa source dans les montagnes du Nord, pensa-t-il en glissant lentement son autre pied dans l'onde. Je sens à peine mes orteils… Décidément, il faudra que je m'habitue à ces conditions. »

C'est alors que Sénosiris vit passer devant lui le corps d'une femme qui descendait la rivière. Inconsciente, elle flottait sur le dos au rythme du courant.

– Mais… mais… ! s'étonna le garçon. Vite, une corde, Kheper ! VITE !

L'âne, qui avait à peine l'intelligence de reconnaître son nom, ne bougea pas. Voyant cela, Sénosiris bondit vers la charrette et s'empara d'une longue corde dont il attacha un bout aux rayons de bois d'une roue. Rapidement, il noua l'autre extrémité autour de sa taille, puis s'élança dans la rivière.

Du mieux qu'il le put, il nagea jusqu'à la femme et réussit de justesse à lui agripper le poignet. Au bout de sa corde, il arriva tant bien que mal à nager en la menant jusqu'à la rive. Essoufflé et à moitié noyé, le garçon se pencha sur elle.

– Elle respire faiblement, remarqua-t-il. De plus, elle est gravement blessée… Rien n'est perdu ! Il faut faire vite !

D'un bond, Sénosiris retourna à sa charrette et rapporta une couverture et quelques remèdes traditionnels égyptiens. En bon guérisseur, il appuya sur son torse afin d'en faire sortir l'eau. L'effet fut immédiat, et la noyée restitua une partie de la rivière. Ensuite, il la dévêtit et lui frotta vigoureusement le corps avec une pommade composée d'herbes médicinales censées la réchauffer. Enfin, il l'enroula dans la couverture et alluma un feu de camp sur la rive, tout près d'elle.

– Voilà ! fit Sénosiris, content de lui. Il ne reste plus qu'à attendre de voir si son état s'améliore.

Sénosiris passa le reste de la journée et une partie de la nuit à veiller la femme. Ce ne fut qu'au matin, alors qu'il faisait chauffer de l'eau pour préparer une infusion, que celle-ci ouvrit les yeux. Tout d'abord, elle sembla surprise de se retrouver emmitouflée dans une couverture, puis son regard se posa sur le jeune Égyptien. Ce dernier s'approcha et lui offrit son grand sourire naïf en guise de bonjour.

– Tu m'as… tu m'as sauvé la vie ?

Le garçon lui fit signe d'attendre et lui apporta un grand bol d'eau. Électra y plongea le nez et but jusqu'à satiété.

« Jamais je n'aurais pensé avoir si soif…, se dit-elle en rendant le bol. J'ai le corps en charpie… J'ai si mal… »

Voyant que la rescapée souffrait, Sénosiris prépara un curieux breuvage aux herbes et au lait de chèvre. Il aurait aimé lui dire qu'on mettait normalement du miel dans cette mixture pour en atténuer l'amertume, mais il se contenta de lui faire signe de boire. Confiante, Électra obéit et fit une horrible grimace. Le garçon sourit en haussant les épaules.

Aussitôt le breuvage ingurgité, les muscles d'Électra se détendirent et sa douleur commença lentement à se dissiper.

– Ce truc est vraiment mauvais… mais… mais je respire mieux et… et j'ai moins mal, dit-elle à son jeune sauveur. Comment t'appelles-tu ?

– Vous êtes très belle, chère dame, et vous semblez apprécier mes soins, lui répondit Sénosiris dans sa langue. J'aimerais tellement comprendre ce que vous me dites !

– Mais quelle est cette… cette langue étrange ? demanda Électra. Je crois bien que c'est la première fois que je l'entends. Tu ne me comprends pas du tout, alors ? C'est bien ça ?

– Je vous ai vue flotter dans la rivière, enchaîna Sénosiris en faisant de grands signes. Si je ne vous avais pas sauvée, vous auriez été entraînée jusqu'à la mer… et peut-être même jusqu'à la vallée du Nil, mon pays !

Incapables de se comprendre mutuellement, le garçon et la femme eurent un fou rire qui s'interrompit brusquement lorsqu'il dégénéra pour Électra en quinte de toux. Sénosiris l'invita alors à boire un peu plus de sa mixture, ce qui l'aida à retrouver une respiration normale.

Une semaine s'écoula avant qu'Électra ait la force de se remettre à marcher. Malgré la gravité de ses blessures, elle guérissait à une vitesse phénoménale. Ses os cassés semblaient s'être déjà ressoudés et plus aucune contusion n'apparaissait sur sa peau. Quant à son ventre, il s'était encore arrondi. Comme le lui avait dit la vieille dactyle, la gestation du Râjâ se déroulait plus rapidement que celle d'un humain.

Durant cette période de convalescence, Électra et Sénosiris apprirent à se connaître davantage. Le garçon tenta de lui expliquer d'où il venait et pourquoi il se rendait dans le Nord, ce qu'elle ne comprit qu'à moitié. De son côté, Électra lui enseigna quelques mots de byzantin qui avaient les mêmes racines que ceux de la langue des Thraces. Doué d'une prodigieuse intelligence, le jeune Égyptien apprenait très rapidement. Une belle amitié naquit ainsi entre le jeune scribe et la future reine de Veliko Tarnovo. Si bien que cette dernière ne voulut plus quitter son nouvel ami et qu'elle lui demanda de la conduire dans la grande cité. Sénosiris accepta l'invitation avec plaisir et ils se mirent en route.

III

Depuis plus de deux semaines, le mystagogue et Phoebe croupissaient dans un cachot de Veliko Tarnovo. On les avait mis dans la même cellule, la seule encore en service depuis de nombreuses années. Ils avaient chacun un lit, un pot de chambre et quelques couvertures, mais, surtout, beaucoup de temps pour se demander ce qu'il adviendrait d'eux.

– Vous croyez qu'il va ordonner notre exécution ? demanda pour la centième fois Phoebe, angoissée.

– Je ne sais pas, Phoebe... Je vous répète encore une fois que je ne peux savoir ce qui se passe dans la tête d'Hitovo. Depuis son retour, il est instable et très impulsif.

– Et vous croyez qu'Électra s'est fait dévorer par ce loup... cette bête gigantesque que votre chasseur vous a décrite ?

– Je regrette de vous avoir parlé de ça... Il m'indiffère de vous épargner d'inutiles angoisses, mais me taire m'aurait permis de ménager ma patience ! Comme je vous l'ai dit, je n'en sais rien ! Mais j'imagine que si cet animal a tué deux de nos meilleurs chasseurs, il aura sûrement dévoré Électra comme dessert.

– C'est terrible ! Terrible ! ! !

– Non... ce qui est terrible, c'est de croupir ici sans savoir ce que l'avenir nous réserve.

– Il va nous faire décapiter, c'est ça ?

– Orphée, mais qu'ai-je fait pour mériter un tel sort ? ronchonna le mystagogue, épuisé par les incessantes questions de sa compagne de cellule. Vous arrive-t-il parfois de vous taire ?

– Très bien, fit la gouvernante, offensée, je ne parlerai plus.

– Merci beaucoup... Cela me donnera la possibilité de méditer un peu.

– Vous ne faites que cela, méditer ! C'est lassant à la fin !

– Taisez-vous.

– Oui, oui… je me tais… Mais quand même je dois dire que je m'estime chanceuse que vous ne soyez pas un terrible violeur capable de me faire subir les pires outrages ! s'exclama Phoebe d'un ton légèrement aguichant.

– Remerciez-en le ciel, alors, et priez.

– Après tout, vous êtes un homme, et on ne sait jamais avec vous, les hommes ! Vous êtes si imprévisibles avec les femmes… si brutaux que vous pourriez me prendre, juste là, comme une vulgaire bergère.

– Mais cela n'arrivera pas, grogna le mystagogue. Alors, taisez-vous maintenant.

– J'imagine nos corps suant l'un contre l'autre, et votre souffle chaud dans mon cou… Cela me répugne au plus haut point ! Mais… mais au fond de moi, je vous comprendrais de vouloir abuser de moi dans de telles circonstances… Après tout, nous… nous vivons peut-être notre dernière heure et…

– Vous voulez que je vous viole, c'est ça ?

– AH ! s'écria Phoebe sur un ton théâtral. Je savais depuis le début qu'on en viendrait là ! Vous, les hommes, vous ne pensez qu'à cela !

Profitant de ce moment, la gouvernante se jeta sur le mystagogue et lui mit ses énormes seins en plein visage.

– Non ! continua-t-elle en prenant des airs de vierge effarouchée. Je vous en prie ! Ne faites pas cela ! Ne me touchez pas, je suis une femme de grande vertu !

Plaqué contre le mur et étouffé par le gros corps de Phoebe, le mystagogue cherchait davantage à respirer qu'à lui enlever ses vêtements. Les bras en l'air et la panique au cœur, il entendit quelqu'un tirer le verrou de la porte et entrer dans le cachot. C'était un garde.

– Mon sauveur ! s'exclama Phoebe en s'éloignant du mystagogue. Vous êtes arrivé à temps, car cet homme allait me violer !

– Le souverain aimerait vous voir…, répondit le garde, surpris par le spectacle. J'ai reçu l'ordre de vous amener jusqu'à la salle du trône.

– Ne croyez pas cette femme, c'est une folle..., dit le mystagogue en replaçant ses vêtements. C'est plutôt moi que vous avez sauvé de la honte et du dégoût!

– Sale menteur! lança Phoebe, elle aussi occupée à se rendre présentable. Une seconde de plus, et vous me mangiez toute crue!

– Garde, je vous en prie, sortez-moi d'ici, je n'en peux plus...

– Suivez-moi! trancha le soldat.

Dans la salle du trône, Hitovo, en costume d'apparat, attendait le mystagogue et Phoebe. Barbe rasée et cheveux propres, il était assis aux côtés d'Électra. La princesse de Byzance avait l'air d'une grande reine dans sa magnifique robe verte à large col. Son ventre, bien apparent, laissait clairement voir qu'elle attendait un enfant. Derrière elle, un jeune garçon à la peau très brune et aux cheveux noirs comme jais souriait à pleines dents. Lui aussi était vêtu comme un prince.

– Mais... que... que se passe-t-il ici? bafouilla le mystagogue, ahuri. Je ne comprends pas... Hitovo, je ne t'ai jamais vu aussi bien paré... Et Électra... vous avez survécu?

– Que les dieux soient loués! ÉLECTRA! hurla Phoebe en se précipitant sur elle.

– Tu poses trop de questions, mon cher mystagogue! déclara Hitovo qui se délectait à voir la figure stupéfaite de son ami. Je te laisse une heure pour te remettre de tes émotions! Tu viendras ensuite célébrer mon mariage avec la charmante Électra de Byzance.

– Mais vous êtes enceinte! s'écria la gouvernante en touchant le ventre de sa protégée. Mais comment cela est-il possible? Et qui est ce jeune garçon derrière vous?

– Je t'expliquerai plus tard, Phoebe, répliqua la future reine d'un ton assuré. Laisse parler Hitovo.

– Merci, belle Électra, fit Hitovo, manifestement sous le charme de sa future épouse. Orphée est grand, mon cher mystagogue, et il a tout arrangé pour que je puisse avoir une femme et un descendant tout en respectant mon serment d'ascétisme.

– Explique-moi, Hitovo, je suis tout oreilles! Je t'écoute...

– Eh bien, commença le souverain, il y a quelques jours de cela, Électra est revenue de son expédition dans la forêt en portant un enfant que les dieux eux-mêmes ont déposé en son sein. Elle était accompagnée de ce jeune garçon, un berger d'un pays lointain qui parle à peine notre langue. C'est grâce à lui qu'elle a pu survivre si longtemps sur les terres sauvages qui nous entourent. Nous avons longuement discuté et... et j'ai compris qu'elle serait une reine parfaite pour Veliko Tarnovo !

– Et Séléné ? demanda prudemment le mystagogue. La dernière fois que nous avons discuté, tu disais l'avoir tuée et...

– C'est mieux ainsi ! Je le vois bien maintenant... J'en ai parlé franchement à Électra qui m'a ouvert les yeux sur mes véritables sentiments. Je l'ai tuée par accident... un bête accident.

Le mystagogue jeta un coup d'œil à la future reine et constata qu'il y avait quelque chose de changé en elle. Ce n'était plus la jeune princesse capricieuse qu'il avait connue, mais plutôt une femme envoûtante au charisme bouleversant. Elle avait dans les yeux une force et une assurance à toute épreuve. Même ses traits avaient changé ! Autrefois potelé, son visage était maintenant allongé et son menton, plus proéminent. Ses cheveux, encore plus noirs, lui tombaient sur les épaules comme un voile, et ses mains, couvertes de bagues et de bracelets, avaient presque l'allure de serres de faucon. Hitovo, si fort et si fier, avait désormais l'air d'un gamin à ses côtés. Seul le jeune garçon derrière elle ne semblait pas sous l'emprise de son magnétisme.

– Je vois, dit posément le mystagogue. Les dieux ont déposé en vous un enfant, chère Électra ? Est-ce bien ce que j'ai entendu ?

– En effet, mystagogue. C'est Artémis, par le biais de son protecteur, qui l'a fait.

– Son protecteur, vous dites ?

– Oui... il s'agit de l'énorme loup que j'ai croisé avec vos chasseurs le jour de ma disparition. La conception divine fait que l'enfant croît en moi beaucoup plus rapidement. D'ici un mois, il sera parmi nous...

– Je suis béni des dieux ! s'écria Hitovo. J'aurai un fils d'une force exceptionnelle ! Ce sera le plus grand des rois !

Manifestement, Hitovo n'avait plus sa tête, et toutes ses défenses étaient tombées devant sa future femme. Depuis qu'il était revenu de ce voyage durant lequel il avait perdu ses chiens et assassiné Séléné, quelque chose s'était brisé en lui. Malgré ses excès et ses excentricités d'autrefois, il était demeuré stable et ferme tout au long de son règne, mais voilà à présent qu'il paraissait petit et incertain. Alors qu'il avait auparavant une volonté si affirmée, il semblait maintenant attendre qu'on lui indique une direction à suivre. Contrairement à Électra, il avait le regard fuyant et bougeait compulsivement le pied ou les doigts. Les épaules voûtées, il avait l'air plus fragile et plus vieux.

– N'est-ce pas une bonne nouvelle, mystagogue ? insista Hitovo.

– C'est une excellente nouvelle, et je suis heureux de ton bonheur ! La cérémonie doit avoir lieu dans une heure, c'est bien cela ?

– Oui, et... et encore une chose, mystagogue..., fit Hitovo. Électra a insisté auprès de moi pour que je m'excuse de t'avoir envoyé au cachot. Je crois que tu ne méritais pas un tel traitement...

« Hitovo le Chien qui s'excuse..., pensa le mystagogue. Décidément, ce n'est pas l'homme que j'ai connu. »

– C'est bien, Hitovo, le félicita Électra d'un ton maternel.

– Et moi, déclara le mystagogue, j'en profite pour m'excuser auprès de Phoebe, votre gouvernante, de l'avoir pour ma part envoyée en détention.

– Je suis certaine qu'elle acceptera vos excuses, n'est-ce pas, Phoebe ?

La grosse gouvernante était fascinée par le ventre de sa maîtresse et n'avait cessé de le regarder depuis qu'elle était entrée dans la pièce, si bien qu'elle n'avait rien entendu de la conversation. En réponse à la question d'Électra, elle se contenta de faire un petit signe de la tête et reporta son attention sur l'abdomen de la future reine.

– Puis-je vous voir en privé avant la cérémonie, mystagogue ? demanda Électra.

– Je me ferai un plaisir de vous recevoir dans mes appartements. À plus tard, donc. Je vais me préparer.

Troublé par la nouvelle personnalité d'Électra, le jeune mystagogue se rendit au temple d'Orphée. Rien n'avait changé durant ces semaines d'emprisonnement, et ses serviteurs furent enchantés de le revoir. Il les salua poliment, puis leur demanda de lui préparer un bain en vitesse et alla choisir ses habits de cérémonie. Lui aussi était bien content de retrouver ses gens et ses affaires après tout ce temps passé dans une cellule crasseuse.

« Me voilà chez moi ! se dit-il en riant. Jamais je n'ai vraiment pensé m'en sortir à si bon compte... »

D'un pas léger, il descendit au bain et profita un long moment des bienfaits de l'eau chaude sur son corps. Une fois bien nettoyé de la tête aux pieds, le mystagogue ordonna à ses serviteurs de le sécher, puis de l'habiller. C'est à ce moment qu'on lui annonça la présence au temple d'une visiteuse accompagnée d'un jeune garçon, qui demandait à le voir.

Le son langoureux d'un cor de guerre plana au même instant sur la ville. C'était la façon qu'avait trouvée Hitovo de réunir le peuple au palais. Il appelait sans doute ses sujets pour le mariage.

– Je vous trouve meilleure mine, mystagogue ! dit Électra en guise d'introduction. J'ai réclamé audience auprès de vous afin de vous présenter mon jeune sauveur, Sénosiris que voici !

– Enchanté, fit le mystagogue.

– Bonne journée, répondit le garçon avec un accent à trancher au couteau. Je... me... nomme... Sénosiris ! Je... suis... de... un... loin... pays.

– Bravo ! s'exclama la future reine. Il apprend très vite ! Ce garçon est étonnant...

– Mais oui... je n'en doute pas, déclara le mystagogue en souriant pour être poli. Maintenant que les présentations sont faites, j'aimerais avoir un peu de temps pour me préparer. Au revoir donc, et...

– JE N'AI PAS TERMINÉ ! grogna Électra d'une voix caverneuse qui semblait irréelle. JE VOUS PRIERAIS DE RESTER.

En entendant la requête, le mystagogue fut saisi d'une forte douleur à la poitrine, comme si la volonté d'Électra l'avait plaqué au mur et exerçait sur lui une pression démesurée. Vidé de son air et incapable de respirer, il acquiesça d'un mouvement de tête. Aussitôt, l'étranglement cessa et il put de nouveau emplir ses poumons.

– Merci de nous accorder ce temps précieux, continua la future reine comme si rien ne s'était passé. J'aimerais que vous enseigniez à Sénosiris tout ce que vous savez sur les dieux, la géographie et la langue de notre pays. Ce garçon a besoin d'un bon professeur, et je vous ai choisi pour être son mentor.

– Voilà un grand honneur, affirma le mystagogue à contrecœur. Je me ferai un plaisir de lui enseigner tout ce que je sais…

– Je n'en attendais pas moins de vous, cher mystagogue ! se réjouit Électra. Il habitera donc ici, au temple, afin d'être plus près de vous. J'aimerais aussi que soit aménagée une petite ferme où Sénosiris pourra laisser son âne Kheper et ses autres animaux vivre en toute quiétude. Est-ce trop demander ?

– Non… ce sera… un plaisir ! fit le mystagogue en serrant les dents.

– Je prendrai moi-même des nouvelles de son apprentissage à vos côtés…

– Très bien…

– J'ai déjà choisi l'endroit où nous l'installerons dans le temple ! poursuivit la jeune femme. Sa chambre prendra la place de votre salle d'étude, si vous n'y voyez pas d'inconvénient, bien entendu !

– Aucun…

– Hitovo sera ravi de l'entendre ! J'ai tout arrangé pour que les serviteurs l'installent dès la cérémonie terminée… Mille fois merci, le ciel vous en sera reconnaissant !

Sur ces mots, Électra tourna les talons et se dirigea, suivie par Sénosiris, vers la porte de sortie. Le mystagogue demeura immobile en les regardant s'éloigner. La future reine de Veliko Tarnovo venait de placer brutalement un espion chez lui. Le jeune Sénosiris aurait accès à tout le savoir du royaume et aux secrets les mieux gardés de l'orphisme. Une fois qu'il aurait appris la langue des Thraces, personne ne pourrait l'empêcher d'écouter aux portes et de tout rapporter à la reine.

– Tu es une belle harpie, Électra de Byzance…, murmura le mystagogue une fois la porte du temple refermée.

La porte se rouvrit aussitôt.

– Et j'ai également l'oreille très fine, mystagogue ! lança la princesse d'une voix incisive.

Surpris, le jeune homme recula d'un pas.

– Il faut que vous changiez d'attitude si vous souhaitez avoir un avenir dans cette ville, reprit Électra. Les choses vont bientôt changer de façon radicale et peut-être plus rapidement que vous ne le pensez… Si vous refusez de coopérer avec moi, mystagogue, je vous tuerai de mes propres mains ! Ne jouez pas avec la patience d'une louve qui prépare sa tanière…

– C'est clair, ma reine ! se soumit le mystagogue en baissant la tête. Je sais maintenant qui dirige ce royaume.

– Très bien ! Dépêchez-vous maintenant, vous avez un mariage à célébrer !

IV

Héraclès de Byzance, auparavant grand patron du stade et des Jeux, regardait, depuis une petite colline boisée, sa ville tomber aux mains des Perses. En passant par les canaux souterrains qui rejetaient l'eau des bains à la mer, il avait réussi à s'échapper de l'enceinte de la cité. Sans se faire voir des patrouilles ennemies, le gros gaillard avait couru le plus vite possible vers les bois pour y trouver refuge. Trempé de sueur, il était maintenant à l'abri et assistait à la déconfiture des troupes de son frère le roi.

« C'est la fin d'une époque…, pensa-t-il en essuyant une larme sur sa joue. Jamais plus je ne reverrai des Jeux… Terminé le pancrace et la belle vie ! Maudits Perses, quelle bande de rats ! »

Jamais Héraclès n'aurait pu se douter que c'était à cause de lui que Byzance était aujourd'hui la cible des serviteurs d'Assurbanipal, lui qui avait ordonné le massacre du clan de Nosor Al Shaytan et avait fait croire que les Perses étaient responsables de la disparition de Varka. Sans le savoir, il avait provoqué, par ses mensonges et son ardent désir de gloire et de reconnaissance, les événements qui se déroulaient en ce moment sous ses yeux. Si Varka n'avait pas été pris aux nomades, Byzance aurait fêté les Jeux au lieu d'agoniser sous la pression des troupes babyloniennes.

« À présent, je dois trouver refuge quelque part, réfléchit très sérieusement Héraclès, dans un endroit où mon rang sera respecté. »

Depuis son plus jeune âge, il était habitué à la vie facile que menaient les membres de la famille royale et aux faveurs qui leur étaient normalement accordées. Il n'avait jamais travaillé de ses mains pour gagner sa croûte et ne connaissait pas la disette. Toujours, il avait été nourri et vêtu, dorloté et servi. Maintenant que Byzance était conquise, pas question pour lui de se trouver une petite maison dans un village afin d'y gagner honorablement sa pitance. Il désirait plus que l'existence d'un simple paysan et n'envisageait même pas d'apprendre un jour un métier. Pour lui, c'était la vie de palais ou rien.

« Je ne vois qu'une seule solution, soupira le gros bonhomme devant l'inévitable. Je dois me rendre à Veliko Tarnovo et demander asile à Électra. Je dois faire ce voyage... et espérer être bien reçu. Après tout, je suis désormais tout ce qui lui reste de famille... »

Héraclès regarda vers le nord et essaya de se motiver à se mettre en route. Lui qui n'aimait pas beaucoup la marche allait devoir voyager sans eau ni nourriture. Avec ses seuls vêtements comme protection contre le froid, il risquait fort de tomber malade. Et c'était sans compter les animaux sauvages pour lesquels il ferait une proie idéale, bien dodue.

« Si je survis à ce voyage à travers le pays des Thraces, ronchonna-t-il intérieurement, j'aurai accompli un exploit digne de Phidippidès... Allez, et que les dieux soient avec moi ! »

Le frère du roi avait vu juste, car son voyage fut une suite ininterrompue d'épreuves et d'événements malheureux. De son premier pas jusqu'à son dernier aux portes de Veliko Tarnovo, il fut tourmenté par la faim et la soif. Toujours en quête d'une rivière à laquelle boire ou d'un être suffisamment généreux pour lui donner à manger, il perdit beaucoup de poids et fut tenté à plusieurs reprises de se laisser mourir. Incapable de faire du feu, il marcha des nuits entières avec la peur de se faire attaquer par les loups. Dormant du mieux qu'il pouvait le jour, il fut la proie des moustiques qui faillirent bien le rendre fou. Deux fois, il fut pris en chasse par des sangliers et subit même les foudres d'un ours brun qu'il avait dérangé durant son repas. De cette rencontre, Héraclès garda une blessure au torse et à la cuisse, ce qui eut pour effet de le ralentir. Afin de calmer sa faim, il mangea des feuilles d'arbres et des plantes qui le rendirent malade, mais trouva parfois de petits fruits sauvages qui réussirent à le sustenter un peu. Habitué qu'il était à l'abondance, cette abstinence fut pour lui terrible à supporter. Les Byzantins n'avaient pas la cote au pays des Thraces, et l'accent pointu de la noblesse du Sud ne pouvait qu'irriter les villageois à qui il demandait de l'aide. De peur d'être accusé d'avoir aidé un espion à survivre, on lui fermait les portes des maisons au nez et on lui donnait plus souvent des coups de bâton qu'un peu de compassion. Parfois, il arrivait qu'on lui lance au visage des légumes pourris qui, dans son état, avaient la douceur des plus grands festins servis, jadis, à la table de son frère. Poussé dans ses derniers retranchements, il pensa même manger le cadavre d'une femme rousse qu'il trouva sur son chemin, transpercé de trois flèches. N'eussent été l'odeur et les asticots, il l'aurait goûté.

« Voilà comment je vais finir, songea-t-il en voyant la femme ainsi exposée aux charognards. Je la rejoindrai bientôt, et les corbeaux pourront venir m'arracher les yeux. Ce voyage est la plus mauvaise idée que j'ai jamais eue… »

Sale, le chiton en lambeaux et la bouche aussi sèche que le désert, Héraclès persista à avancer vers le nord en espérant atteindre rapidement la capitale du royaume. Dans sa malchance, il prit la mauvaise route et marcha deux jours durant avant de se rendre compte qu'il se dirigeait non plus vers Veliko Tarnovo, mais plutôt vers l'ouest. Seul sur la route, il pleura alors comme un gamin ayant perdu son jouet préféré et dut revenir sur ses pas. Mais ses malheurs ne s'arrêtèrent pas là, car il fut en plus renversé par les chevaux de cavaliers thraces, marcha sur un nid de guêpes qui le prirent en chasse et faillit être frappé par la foudre. Il subit deux jours entiers d'orages à répétition, affronta le vent froid des montagnes et le soleil cuisant de certains après-midi particulièrement chauds. Mais sa plus grande surprise survint lorsqu'il entra dans Veliko Tarnovo. La ville était déserte !

Rampant pour qu'on lui vienne en aide et scandant le nom d'Électra afin qu'on lui ouvre les grandes portes, il se rendit vite compte que les gardes avaient déserté les fortifications de l'entrée et qu'une porte secondaire était restée ouverte. Il l'emprunta et ne vit personne de l'autre côté. Il trouva cependant quelques carafes contenant de la bière et ne se gêna pas pour les vider.

« C'est si bon…, se dit-il, les larmes aux yeux. Je n'ai jamais bu quelque chose d'aussi bon de toute ma vie… C'est doux comme un nuage… doux comme le corps chaud d'une femme soumise… Que c'est bon!… Que c'est bon! »

Des saucissons et du pain, un peu de fromage et du jambon salé attendaient patiemment le retour des gardes. Héraclès se rua sur la nourriture comme un fauve sur sa proie. Il avala tout dans un temps record, mastiquant à peine les aliments.

« Me voilà comblé… Je suis arrivé au ciel, pensa-t-il en avalant le dernier quignon de pain. Mais où sont les gardes? Où sont passés les habitants de la ville? »

Fortifié par la nourriture, Héraclès jeta sur son dos une cape portant l'emblème de Veliko Tarnovo, qui était accrochée derrière une porte, puis monta la pente en direction de la ville. À son profond étonnement, tous les commerces étaient eux aussi déserts et personne ne surveillait la marchandise. Sans vergogne, il en profita pour se servir et trouva de beaux vêtements à se mettre, ainsi qu'une solide paire de bottes en cuir. Lorsqu'il les enfila, l'ancien entraîneur eut la douce impression de glisser ses pieds dans des pantoufles.

Le son d'une flûte et d'un tambourin lui parvint alors aux oreilles.

« Il doit y avoir une fête, supposa-t-il en se levant péniblement du tabouret sur lequel il avait pris place pour chausser ses nouvelles bottes. Je ferais mieux d'y aller, je dois voir Électra et parler à son mari, le souverain… »

La bière commençait à faire son effet et, l'estomac plein, Héraclès n'avait plus qu'une seule envie: faire la sieste. Malgré tout, il réussit à rassembler ses forces et à marcher vers le palais où les célébrations du mariage d'Hitovo allaient bon train. Chemin faisant, il sentit un terrible élancement au milieu de la poitrine. Le mal fut si violent qu'il l'obligea à trouver un appui et à s'arrêter quelques instants. Lorsque le malaise fut passé, l'homme se remit en route, mais cette fois-ci la douleur se propagea de son bras gauche à son dos, puis glissa lentement vers son cou et sa mâchoire. De nouveau, une forte oppression thoracique le contraignit à faire une halte.

« Ne flanche pas, s'encouragea-t-il. Il ne faut pas que tu t'arrêtes… Ton avenir en dépend… Tu n'auras pas fait tout ce chemin pour rien… Électra va t'accueillir… et tout redeviendra comme avant… »

Lorsqu'il entra dans la cour du palais, Héraclès avait du mal à respirer et bavait comme un chien enragé.

– JE VEUX VOIR LA REINE ! hurla-t-il comme un dément. JE SUIS SON ONCLE… ET J'AR… ET J'ARRIVE DE BYZANCE !

La fête s'arrêta d'un coup et tous les regards se tournèrent vers le nouvel arrivant. Électra, assise à la droite d'Hitovo sur un trône plus modeste que le sien mais tout aussi remarquable, se leva et s'avança de quelques pas. Elle portait une magnifique robe de dentelle noire, une impressionnante couronne d'or et un anneau de mariage au doigt. La cérémonie venait à peine de se terminer.

– Héraclès ?! Est-ce bien toi ? demanda-t-elle sur le ton de la surprise.

– Oui… Électra… c'est moi… Héraclès, ton oncle…, balbutia-t-il en s'approchant de son trône. J'ai des mauvaises nouvelles… de terribles nouvelles…

– Vas-y, parle, je t'écoute !

– Byzance est tombée aux mains des Perses… et… et ton père est sûrement mort ! Ta mère, aussi d'ailleurs… je crois qu'ils ont assassiné toute la famille royale ! Il ne reste plus que toi… et… et moi.

Héraclès fut encore assailli par une douleur au thorax qui le força à poser un genou sur le sol. Électra se précipita alors sur lui et l'aida à se remettre debout. Elle le guida ensuite jusqu'à son trône où il s'affala en se lamentant.

– J'ai marché jusqu'ici pour te prévenir, ma petite Électra. J'ai failli mourir des dizaines de fois, mais… mais je devais réussir. Les Perses ont tout détruit et ils réduiront bientôt notre population… à l'esclavage… aux supplices… à la mort… Il faut intervenir ! Tu es la seule qui puisse venger notre sang…

– Mais pourquoi les Perses nous ont-ils attaqués ainsi, sans avertissement ? N'avions-nous pas signé un traité de paix avec eux ?

– Je ne sais pas, moi… Nous célébrions les olympiades, puis…

À ce moment, Héraclès se retourna vers Hitovo et sursauta. Son étonnement était tel qu'il en oublia la douleur dans sa poitrine.

– Varka ?! Mais que fais-tu ici, toi ? Tu es le roi… de… de Veliko Tarnovo ?!

– Pardon ?! Je me nomme Hitovo et non Varka, dit le souverain. Vous vous méprenez.

– ET TU PARLES ?! VARKA, MAIS TU PARLES ?! JE N'ARRIVE PAS À LE CROIRE ! C'EST FANTASTIQUE !…

Un murmure de stupéfaction se répandit dans la foule. Hitovo regarda Électra avec incompréhension et haussa les épaules. La reine n'y comprenait rien non plus !

– Mais tu as pris du poids, Varka ! Beaucoup de poids ! Tu ne me reconnais pas ? C'est moi… c'est moi… Héraclès, ton maître ! Je suis ton maître… Mais pourquoi es-tu parti du stade ?

– Vous divaguez, mon oncle. Hitovo n'a jamais eu de maître…, insista Électra.

Héraclès fut soudainement pris d'une quinte de toux qui le laissa sans voix pendant plusieurs minutes. Couvert de sueur, essoufflé et haletant comme un chien en course, il tenta de se lever de son siège afin de mieux respirer, mais s'écroula plutôt face contre terre.

– Va à Byzance, Varka ! Tu dois venger… ton peuple…, bafouilla Héraclès, les yeux révulsés. Sois le champion que le peuple… que le peuple attend… Ils t'aiment, Varka. Tout… tout le monde t'aime…

Se produisit alors l'arrêt cardiaque fatal qui se préparait depuis l'entrée d'Héraclès dans la ville. La trop grande fatigue, le surmenage et l'ingestion rapide de bière et de nourriture avaient eu raison de lui. Sous les exclamations de surprise de la foule, Héraclès de Byzance ferma les yeux pour de bon.

Le mystagogue se précipita sur lui et essaya de le ranimer, mais il ne réussit qu'à s'essouffler. Le gros gaillard était mort.

Très dignement, Électra mit fin aux réjouissances entourant son mariage et demanda que soient organisées de grandes funérailles pour son oncle. Ce n'est qu'à ce moment que Phoebe arriva sur les lieux et qu'elle aperçut le corps de son ancien amant. Trop occupée à découvrir les talents cachés d'un boulanger coquin, elle avait manqué l'arrivée d'Héraclès et sa spectaculaire fin.

– IL EST DÉCÉDÉ ! hurla-t-elle en jouant à la veuve martyre. L'homme de ma vie est mort !

Sur cette note discordante, les habitants de Veliko Tarnovo retournèrent à leur quotidien en regrettant de ne pas s'être amusés davantage. Depuis qu'Hitovo était monté sur le trône, les occasions de se divertir étaient plutôt rares, et ce mariage était arrivé à point pour permettre au peuple de faire la fête.

Le corps d'Héraclès fut amené au temple où il fut installé sur un autel. Électra accompagna les porteurs et demanda qu'on la laisse seule avec son oncle. N'ayant pas compris ses ordres, seul Sénosiris vint la rejoindre pour la consoler. La nouvelle reine ne s'en formalisa pas, au contraire, car elle appréciait grandement sa candeur.

– Tu connais… le… homme… mort ? lui demanda l'enfant en espérant ne pas la blesser.

– Oui, je le connais…, lui répondit Électra, un peu mélancolique. Je ne l'aimais pas beaucoup, mais il faisait partie de ma famille.

– Oh, famille ! releva Sénosiris.

– Il est venu m'annoncer que ma ville, Byzance, est tombée aux mains des Perses… Tu comprends ?

– Une… une…, dit le garçon, cherchant ses mots, c'est une guerre ?!

– Oui, une guerre que ma ville a perdue…

– Mon… cœur… triste… avec toi, Électra.

– Tu es gentil, Sénosiris.

– Toi… te battre ?

– Oui, je vais me battre, mon jeune ami, affirma Électra avec des braises dans les yeux. Je vais mettre à mort chaque soldat perse qui a osé pénétrer dans ma ville sans invitation. Ils seront déchiquetés vivants et hurleront de peur… Du premier au dernier, ils seront tous massacrés !

V

Le temps était à l'orage lorsqu'une douzaine de messagers partirent à cheval en direction des huit royaumes thraces et des quatre territoires alliés. Chacun portant dans son sac une pierre rouge arborant l'emblème de Veliko Tarnovo pour s'identifier, ils allaient demander de l'aide au nom du grand Hitovo le Chien. De cinq cents à mille soldats seraient sollicités auprès de chacun des souverains afin de mener une attaque contre Byzance.

– Ils viendront plus nombreux que tu ne le crois, ma douce Électra…, dit Hitovo en regardant ses émissaires s'éloigner. Jamais Veliko Tarnovo n'a ignoré un appel à l'aide. En plus d'avoir envoyé maintes fois nos hommes secourir d'autres royaumes en détresse, nous leur avons fourni quantité de matériel et de vivres… Tu verras, notre demande ne restera pas sans réponse.

Les semaines passèrent, et tous les messagers revinrent avec des réponses négatives. L'un des rois invoqua le mauvais état de santé de ses hommes, alors que plusieurs déclarèrent ne pas avoir assez de soldats sous la main. D'autres, encore moins coopératifs, firent savoir qu'ils ne faisaient pas confiance à un homme qui passait le plus clair de son temps avec des chiens. D'entre tous, un seul accepta d'envoyer une cinquantaine de ses guerriers les moins expérimentés.

Dans l'esprit des autres souverains, Veliko Tarnovo était non pas une puissance de guerre, mais plutôt un joyau imprenable qu'il valait mieux éviter d'engager dans des hostilités inutiles contre une ville aussi bien défendue que Byzance. Le projet leur semblait dément, car, loin des terres des Thraces, la cité serait impossible à garder si par chance elle était prise. En fait, si Veliko Tarnovo avait été menacée par de puissants ennemis, c'est toute la Thrace qui serait venue au secours d'Hitovo. Autrement, il n'était pas question d'encourager une guerre qui semblait perdue d'avance.

– Je suis content que les choses se passent ainsi, avoua le mystagogue alors qu'il s'entretenait avec Hitovo et Électra. D'ailleurs, une reine sur le point d'enfanter doit se concentrer sur son accouchement, pas sur une guerre.

Comme l'avait prédit la vieille dactyle, la mère de Séléné, dans la grotte où elle avait tenu Électra captive, la gestation du Râjâ allait frôler les huit semaines. Exactement le temps nécessaire à une mère louve pour concevoir une nouvelle portée. Le ventre bien arrondi, Électra sentait son enfant bouger en elle. Il lui donnait des coups de pied et des coups de poing, ce qui avait pour effet de la faire rire aux éclats. Seulement aujourd'hui, Électra était furieuse et ne pensait pas à rigoler.

– Je n'ai pas besoin de vos conseils sur la façon dont je dois mener ma grossesse, mystagogue ! Si j'ai envie de faire la guerre, de monter à cheval ou d'égorger un ennemi pendant mon accouchement, eh bien, je le ferai. Épargnez-moi votre condescendance de petit conseiller sans envergure…

– Calme-toi, Électra…, dit timidement Hitovo. Ce n'est pas sa faute si personne n'a répondu positivement à notre demande. Il vaut peut-être mieux demeurer sagement ici et laisser les Perses tranquilles…

– Sages paroles, Hitovo ! approuva le mystagogue.

– Tu m'avais promis que personne ne refuserait de nous venir en aide, grogna Électra en se retournant vers son mari. Belle promesse d'ivrogne ! Tu es bien le fils de Stamos le Libidineux, pauvre minable !

Cette réplique qui autrefois aurait valu à Électra un vol plané jusqu'en bas des murs de la cité ne souleva pas la colère d'Hitovo. L'homme baissa simplement la tête et soupira. Il avait perdu toute sa force et son audace. Comme un pantin manipulé par la reine, il se contenta d'ajouter d'un ton geignard :

– Je ne peux rien y faire, Électra… Vraiment, j'ai tout essayé.

– Si je puis me permettre, continua le mystagogue, il serait stupide de lancer notre propre armée, qui compte moins d'un millier d'hommes, dans une quête aussi farfelue. Sans l'aide de nos alliés, cette mission est impossible à accomplir.

– Je n'arrive pas à comprendre comment des hommes peuvent se montrer aussi peureux ! pesta Électra. Je vois bien qu'on m'avait raconté des âneries en me vantant les mérites des exceptionnels guerriers thraces. Des sauvages ! m'avait-on dit. À Byzance, on croit que vous êtes des brutes sanguinaires capables de soumettre n'importe quelle armée, et voilà que je constate votre faiblesse... Je suis devenue la reine d'une cité de petits garçons apeurés.

– Pensez ce que vous voulez, s'amusa le mystagogue, mais jamais nos soldats ne vous suivront dans cette guerre. Je comprends la frustration et le désir de vengeance qui vous animent, mais Byzance n'est pas la Thrace et nos hommes sont fidèles à Hitovo.

Électra éclata d'un grand rire bien sonore.

– C'est la meilleure que j'ai entendue depuis longtemps... Notre armée est prête à mourir pour moi. Exclusivement pour moi !

– Prétentieuse ! répliqua le mystagogue en se moquant.

– Vous sous-estimez ma force de persuasion et mon charisme, mystagogue. La grande majorité des êtres humains sont ainsi faits qu'ils ont besoin d'être menés par des gens forts qui savent inspirer de la noblesse et de la grandeur...

– Ne vous disputez pas ! les interrompit Hitovo. Cela me donne mal à la tête.

– Alors, va te reposer, mon chéri..., lui répondit Électra en lui montrant la porte. Nous reprendrons cette conversation plus tard.

Hitovo se leva et se dirigea d'un pas incertain vers la sortie de la salle.

– Je vais aller méditer sur le rocher des condamnés, dit-il avant de quitter la pièce. Si on me cherche, je serai là !

– Je vous quitte aussi, fit le mystagogue, j'ai du travail. Comme vous le savez, ma reine, je dois continuer mon enseignement auprès de votre protégé, Sénosiris, et me voici en retard.

– Grâce à vous, il fait de grands progrès...

– Il est très intelligent...

– C'est un garçon épatant, conclut Électra, prenez-en grand soin.

Le mystagogue quitta la pièce en serrant les dents.

Par la fenêtre du temple, Sénosiris le vit passer la porte. Son maître ne semblait pas de très bonne humeur. Le garçon avait remarqué que la reine et lui ne s'entendaient pas du tout, et plus les semaines passaient, moins la réconciliation semblait possible.

– Alors ? lança le mystagogue en entrant dans la pièce où l'attendait son élève. Où en étions-nous ?

Sénosiris se contenta de sourire et se rendit à son pupitre d'où il sortit un épais jeu de cartes. Des figures, toutes dessinées sur des bouts de papyrus renforcé, représentaient les dieux égyptiens, quelques constellations, des plantes et d'autres symboles incompréhensibles pour des non-initiés.

– Que fais-tu là ? l'interrogea le mystagogue, intrigué. Est-ce un jeu de ton pays ?

Le jeune Égyptien répondit d'un mouvement de tête affirmatif, puis retourna les cartes afin de cacher les images. Il les posa ensuite en rangées sur une table et fit signe au mystagogue d'en choisir une au hasard.

– Je prends celle-ci, dit le jeune homme en tirant une carte. On peut y voir une lune et un soleil partageant le même ciel.

– Le soleil… est mystagogue, expliqua Sénosiris. La lune… est Électra. Jamais le soleil… et jamais la lune… dans ciel en même temps. Conflit. Grave conflit.

– Oui…, répondit le mystagogue, peu impressionné. Il ne faut pas être un grand sage pour deviner la chose ! Si tu le veux, continuons notre apprentissage de la langue. Cela te sera plus utile et…

Sénosiris lui fit signe de prendre une autre carte. Le mystagogue hésita, mais l'obstination du garçon le décida à jouer le jeu.

– Bon, puisque tu insistes… alors, celle-là, déclara-t-il en retournant un deuxième morceau de papyrus. Il s'agit d'un homme noir aux longs cheveux et à la tête de chien… ou plutôt de chacal…

– Anubis ! s'exclama Sénosiris.

Dieu égyptien des morts, Anubis accompagnait ces derniers jusqu'au territoire des ombres. Les croyances lui attribuaient la nécropole de Memphis comme lieu de résidence, et son apparition dans le jeu était un très mauvais signe.

– Anu… quoi? demanda le mystagogue.

– Anubis, répéta le cartomancien. Il… est… dieu. Dieu de mort. La mort… regarde toi… la mort de toi bientôt…

Le conseiller du roi, surpris par cette révélation, eut besoin de quelques secondes pour réfléchir. De toute évidence, la reine n'allait pas endurer sa présence encore bien longtemps et elle n'hésiterait pas à le faire éliminer.

– Encore, lança Sénosiris en désignant les cartes. Encore une.

– Je choisis celle-là, fit le mystagogue, soudainement très intéressé par le jeu. Il s'agit d'une étoile filante. Quelle est sa signification?

– Vite… faire vite…

Le mystagogue leva la tête et vit par la fenêtre Électra, accompagnée d'une dizaine de gardes, qui marchaient rapidement vers le temple.

– Faire vite…, répéta Sénosiris. Vite… vite!

« En effet, il n'y a pas de temps à perdre », pensa le mystagogue en bondissant vers la porte.

Dans une course folle, il atteignit ses appartements, saisit un sac et il y déposa ses biens les plus précieux. En moins d'une minute, il disparut par une porte dérobée, située près du lit, en empruntant un minuscule escalier de bois. Pendant ce temps, Électra investissait le temple en ordonnant à ses hommes de fouiller les lieux et de lui ramener le mystagogue. Mais il était trop tard: celui-ci était déjà à l'extérieur et marchait d'un pas rapide vers les grandes portes de la ville.

Sénosiris rangeait calmement ses cartes lorsque Électra entra dans la pièce. La reine avait l'allure d'un animal sauvage prêt à mordre.

– As-tu vu le mystagogue? Je le cherche! demanda-t-elle à Sénosiris sur le ton de la retenue.

– Non! mentit franchement le garçon en la regardant droit dans les yeux.

– Mais il devait pourtant te faire la leçon aujourd'hui, n'est-ce pas ?

– Oui. Pas là.

Le jeune Égyptien avait remarqué qu'Électra percevait avec facilité les émotions contradictoires ou négatives chez les êtres humains. Seules les personnes qui avaient une confiance inébranlable en elles-mêmes pouvaient lui faire face sans risquer de tomber sous son charme. Ce curieux pouvoir de suggestion n'avait que rarement agi sur le mystagogue, car cet homme possédait une force et une assurance hors du commun. Même chose pour Sénosiris, alors que c'était tout le contraire avec Phoebe ou avec Hitovo.

– En es-tu bien certain ? le questionna Électra en essayant de sonder ses émotions.

Sénosiris se contenta de sourire.

– Tes yeux... colère... pas beaux ! Sans colère... plus belle !

– Petit charmeur, va ! fit la reine, un sourire au coin des lèvres. Et pourquoi me mentirais-tu, toi ? Après tout, tu es la seule personne ici en qui j'ai vraiment confiance. Si tu vois le mystagogue, peux-tu lui demander de venir immédiatement me voir ?

– Oui.

– Viendras-tu manger avec moi ce soir ?

– Oui.

– Très bien. À plus tard, alors ?

– Plus tard.

Électra quitta la pièce et le temple bredouille. Elle ordonna ensuite qu'on boucle la ville et qu'on la fouille de fond en comble. Des forges souterraines jusqu'au sommet des tourelles de garde, tout fut passé au peigne fin. On ne trouva aucune trace du mystagogue, et les gardes des grandes portes affirmèrent qu'ils ne l'avaient pas vu sortir.

La reine eut alors l'idée de se fier à ses sens pour le retrouver. Depuis le premier instant de sa grossesse, ses perceptions sensorielles croissaient de jour en jour. Les yeux fermés, elle se concentra sur son odorat et repéra rapidement l'odeur du mystagogue. Les effluves la guidèrent tout près de la grande porte, juste derrière une petite maison délabrée qui semblait abandonnée. À cet endroit, elle souleva une trappe de métal donnant sur un trou où des barreaux de métal avaient été fixés dans la pierre.

« C'est par là qu'il est sorti, pensa-t-elle en refermant la trappe. J'aurais dû savoir qu'il y avait une autre sortie à la tanière de ce renard. »

Puis, en retournant vers un de ses gardes, elle dit :

– Vous veillerez à ce que cette issue soit bloquée ! Et trouvez-moi à qui appartient cette maison… Je veux que tous les amis du mystagogue soient exécutés. Au travail !

Lorsqu'elle retourna au palais, Électra s'arrêta au rocher des condamnés où Hitovo avait l'habitude de méditer. Désireuse de lui expliquer que son premier conseiller, le mystagogue, avait fui la ville, elle découvrit le corps inerte de son mari. Il avait la gorge tranchée et gisait à plat ventre dans son sang.

VI

Depuis plusieurs semaines, Nosor Al Shaytan arpentait les rues de Byzance en se demandant où pouvait bien se trouver Varka. Il explorait les moindres recoins de chaque ruelle, ordonnait la fouille systématique de maisons choisies au hasard et se promenait même la nuit en espérant voir apparaître son ancien esclave à chaque coin de rue. Plus les jours passaient, plus il pensait à lui. Le nomade avait des comptes à régler, et cette pensée l'obsédait sans cesse.

« J'ai tout risqué pour rien, se disait-il avec amertume. J'ai risqué ma vie auprès d'Assurbanipal afin de le convaincre de conquérir Byzance, mais, sans la mort de Varka, ma vengeance ne sera jamais complète. »

Malgré les innombrables privilèges que la récente conquête lui avait procurés et tout le pouvoir dont il disposait maintenant, Nosor était profondément angoissé. Tant et aussi longtemps que Varka serait en vie, sa tâche demeurerait imparfaite. Il lui fallait le retrouver au plus vite et en finir rapidement. Mais où le dénicher ?

Après une journée harassante de recherches dans la ville, Nosor entra dans les thermes afin de s'y détendre un peu. Il avait bien besoin d'un bain brûlant et d'un massage. Alors qu'il trempait comme un crocodile dans une mare très chaude, le nomade se demanda soudain par où était évacuée l'eau sale. Il posa la question au Byzantin responsable de l'entretien des lieux. Celui-ci lui indiqua une petite porte qui donnait sur un canal d'évacuation des eaux, construit tout en pierre. L'homme lui expliqua aussi que c'était par un système d'écoulement de bassins du plus haut au plus bas qu'on arrivait à vider les bains et à acheminer l'eau jusqu'au déversoir. Mais ces renseignements étaient superflus, car Nosor descendait déjà la voie d'écoulement afin de voir où elle allait le mener.

À sa grande surprise, il déboucha dans la baie de Byzance.

– Je sais maintenant par où tu es sorti, Varka, clama-t-il en riant, tout gonflé de fierté. C'est par ici que tu m'as échappé ! Je savais que je réussirais à découvrir tes petites astuces...

Nosor entreprit ensuite d'examiner le terrain pour y découvrir un indice du passage de son esclave. Comme par magie, il vit la trace d'un pied bien formée dans de la boue séchée. Bien qu'il s'agît de l'empreinte du pied d'Héraclès et non de celui de Varka, Nosor poussa un grand cri de joie. Dans son esprit, il n'y avait aucun doute possible: la piste était bien celle de son ancien esclave.

– Je le savais ! cria-t-il en levant les bras en signe de victoire. Je savais bien que tu ne m'échapperais pas, fils de chienne ! C'est le début de ta fin qui commence ! Je vais me lancer à tes trousses et te retrouver ! Tu sentiras bientôt la lame froide de mon épée te transpercer le corps !

Excité comme une puce, Nosor emprunta de nouveau la voie d'écoulement pour revenir aux thermes, puis se rendit au palais. Il ordonna ensuite au palefrenier de seller son cheval, ramassa quelques affaires personnelles dont des armes et des provisions, puis quitta Byzance comme une flèche sans en informer personne. Il retrouva facilement l'embouchure du canal d'évacuation et commença son enquête. Voilà trop de temps qu'il cherchait une piste pour douter de celle qu'il venait de trouver !

« Il a marché vers cette colline qui se trouve là-bas..., pensa le nomade, habitué à pister les bêtes dans le désert. On n'échappe pas à la secte des adorateurs d'Iblis, Varka... On n'échappe pas à son destin. »

Nosor chevaucha jusqu'à la colline. Il y trouva de nouvelles pistes ainsi qu'un bout de tissu provenant d'un chiton.

« Il a observé la ville de cet endroit, conclut-il, enchanté par ses découvertes. Il est ensuite parti vers le nord... Je me demande bien pourquoi. Il y a peut-être un village plus loin ou une autre ville importante. Je le découvrirai bien... »

C'est ainsi que commença le voyage de Nosor Al Shaytan vers le pays des Thraces, à travers des contrées qu'il n'avait jamais vues, mais qu'il découvrit avec ravissement. Les paysages d'arbres centenaires, de lacs clairs et de rivières poissonneuses lui firent parfois croire qu'il chevauchait dans un autre monde. Accoutumé au temps sec du désert ainsi qu'aux plaines arides et rocailleuses de l'Anatolie, il voyait des vallées verdoyantes et des tapis de fougères grouillant de lièvres bien gras à se mettre sous la dent. Toutes les nuits, le chant des loups accompagnait son sommeil alors qu'au matin, des centaines d'oiseaux saluaient avec gaieté le lever du jour.

« Je comprends pourquoi tu es venu te cacher dans ces paysages, Varka… Tu désirais sans doute y trouver la paix. Ce pays est magnifique et peu peuplé, enchanteur et reposant. Profites-en bien, car ta fin est proche… »

La piste d'Héraclès qu'il croyait être celle de Varka ne fut pas facile à suivre. Même pour un chasseur aussi talentueux que Nosor, les indices furent difficiles à trouver. L'abondance de la végétation et le trajet erratique de sa proie compliquèrent son travail en le lançant souvent sur de mauvais sentiers ou sur des routes impraticables. Il dut régulièrement revenir sur ses pas, revoir certaines marques sur le sol et chercher d'autres indices pour établir la bonne direction à suivre.

Tout comme Héraclès, Nosor trouva sur son chemin le corps transpercé de flèches d'une femme rousse et s'étonna de constater qu'aucun charognard n'était venu se repaître de sa chair. Les asticots pouvaient se goinfrer en paix sans risquer de se faire déranger, car même les vautours refusaient de quitter leurs nuages.

Tout en se demandant pourquoi cette pauvre femme avait été assassinée de façon aussi violente, le nomade la regarda pendant un long moment. Il l'observa attentivement des pieds à la tête, puis retira les trois flèches de son corps. Les projectiles étaient marqués d'un sceau royal qu'il n'avait jamais vu. Curieux, il poussa ses recherches un peu plus loin et découvrit les cadavres de nombreux chiens, de même que de gigantesques empreintes de loup.

« Des chiens, un loup, trois flèches et une femme, énuméra Nosor. Je ne vois vraiment pas ce qui a pu se passer ici… Hum…

une marque de botte... puis une autre. Peut-être y avait-il un homme aussi. Le loup les aura certainement attaqués... »

L'ancien chef de clan eut un doute et voulut revoir le corps de la femme rousse. Durant ses premières observations, il n'avait pas vu de marques de morsure, mais il voulait en avoir le cœur net.

– Mais où est-elle ? demanda-t-il tout haut en cherchant le cadavre. Je suis certain qu'elle était là... Mais oui, elle ne peut pas être ailleurs qu'ici !

Il examina soigneusement les environs, mais ne retrouva pas les restes de la femme.

Les trois flèches toujours entre les mains, Nosor dégaina son épée et fit un tour complet sur lui-même. Il ne vit rien. Il ne perçut aucun bruit non plus. Les oiseaux et les grillons s'étaient tus, et le vent, qui une minute plus tôt faisait danser les feuilles des arbres, était tombé.

– Venge-moi..., chuchota une voix féminine tout près de son oreille.

Nosor se retourna et fendit l'air de son épée. Il n'y avait personne.

– Venge-moi..., souffla encore la voix.

Le nomade sursauta et donna un autre coup d'épée dans le vide. Haletant et terrorisé, il refit lentement un tour sur lui-même. Cette fois encore, il ne détecta aucune présence humaine.

– Venge-moi et je te donnerai ce qu'aucun mortel n'a jamais reçu..., fit la voix dans un murmure lointain.

– Qui es-tu ? Et pourquoi parles-tu si bien ma langue ? demanda Nosor, toujours aussi troublé.

– Je suis l'esprit d'une dactyle, et les spectres parlent toutes les langues, lui répondit la femme. Venge-moi et je te léguerai tous les secrets de ma science, tu recevras tout mon savoir...

– Te venger de qui ?

– De mon meurtrier... Venge-moi du roi de Veliko Tarnovo, mon meurtrier, et j'ouvrirai ton esprit à la connaissance et aux savoirs mystérieux du monde, lui promit la faible voix.

– J'accomplis déjà une quête que je dois d'abord terminer..., répondit Nosor. Je n'ai pas le temps de venger des fantômes...

– Tu trouveras ce que tu cherches là où je t'envoie. Tu trouveras dans la ville de Veliko Tarnovo l'objet de tes recherches… En vengeant ma mort, tu te libéreras de ta haine et tu vivras enfin en paix…

– Que me promets-tu en échange ? Quels sont ces pouvoirs ? demanda Nosor, de plus en plus intéressé.

– Tu connaîtras les pouvoirs secrets des éléments ainsi que la façon de les utiliser à ton avantage… De plus, les mystères de la nature et ceux des animaux te seront révélés. Plus jamais tu ne verras le monde du même œil… Il te sera possible d'interroger les dieux et de recevoir des réponses à tes questions… Tu deviendras l'un des plus grands magiciens de la terre…

– Pour cela, je n'ai qu'à tuer le souverain de… Velko Terno ?

– Veliko Tarnovo…, précisa la voix. Une fois qu'il sera mort, reviens ici et j'honorerai ma promesse…

– Et où se trouve cette ville ?

– Monte sur ton cheval et galope encore quelques jours vers le nord. Une longue route te mènera jusqu'à la capitale thrace… Mais gare à toi, les gens de ces contrées n'apprécient pas beaucoup les étrangers.

– J'irai, spectre… et j'accomplirai ta vengeance.

– Rapporte-moi son pendentif…, continua la voix avant de s'éteindre. Il porte un pendentif de bois orné de signes étranges… Je saurai qu'il est mort lorsque tu me le présenteras…

Le vent recommença à souffler dans les feuilles, et les oiseaux se remirent soudainement à chanter. Tout redevint si rapidement normal que Nosor se crut victime d'une hallucination. Il secoua la tête pour reprendre ses esprits et tenta de nouveau de retrouver le cadavre de la femme rousse. Malgré ses efforts, le corps demeura introuvable.

« Je suis peut-être en train de devenir fou, pensa le nomade en grimpant sur son cheval. Si c'est le cas, me voilà dans le pétrin. D'un autre côté, si cette femme est vraiment une sorcière, il est possible qu'elle puisse agir au-delà de la mort. Dans ce cas, un trésor fabuleux m'attend ici… Le jeu en vaut la chandelle. »

Au cours de sa vie, Nosor avait entendu plusieurs histoires de fantômes et de revenants, mais il avait toujours considéré les soi-disant témoins de ces manifestations étranges comme de bons conteurs. Ils avaient l'art de rendre ces récits plus vrais que nature et le talent de faire vivre à leur auditoire des sensations fortes. Mais de là à les croire ! Nosor savait mieux que quiconque qu'une bonne histoire de fantôme nécessitait un climat particulier et une ambiance propice au mystère. Dans les contes, les spectres ne sortaient pas en plein jour pour réclamer vengeance. Pourtant, c'était exactement ce qui venait de se produire, et le nomade avait grand-peine à le croire.

« Si j'avais à raconter l'histoire de cette rencontre, personne ne me croirait..., se dit Nosor en rigolant. Il n'y aurait pas assez de grincements de dents et de hurlements nocturnes pour séduire un auditoire. »

Un instant, il oublia Varka et suivit à la lettre les indications de l'esprit de la femme rousse. Il chevaucha vers le nord en évitant tout contact avec les habitants des villages qu'il trouva sur sa route. Comme prévu, il arriva aux collines de Tsarevets et comprit qu'il n'entrerait pas facilement dans la cité.

Nosor observa la forteresse royale et poussa un soupir de découragement. Perchée au-dessus d'une rivière, elle était protégée par de gigantesques murs rocheux. Avec ses tours de défense couronnant les murs et ses meurtrières couvrant tous les angles de tir, elle était surtout impossible à escalader.

« Jamais on ne me laissera passer par la grande porte, songea Nosor. Même sous un déguisement, je n'arriverai pas à me fondre dans la population. Ma peau, mes dents en or et ma figure auront vite fait d'alerter les gens qui me verront. »

Comme le nomade promenait son regard soucieux sur les murailles infranchissables, son attention fut attirée par la silhouette d'un homme qui lui sembla sortir d'entre les pierres. Tout en bas de la forteresse, il le vit s'extirper d'un trou dans la falaise, puis déguerpir à toute vitesse vers l'ouest. Ce que Nosor ne savait pas, c'est qu'il venait d'apercevoir le mystagogue, premier conseiller du souverain, en train de fuir la cité.

Curieux, Nosor attacha la bride de son cheval à un arbre et marcha avec précaution jusqu'au trou dans la falaise. Il découvrit un long tunnel menant à un couloir vertical où des barreaux de fer incrustés dans la roche faisaient office d'échelle rudimentaire.

« Les dieux sont avec moi », pensa le nomade en se hissant vers le haut.

Après une difficile montée, il se cogna la tête sur une trappe de métal qu'il ouvrit précautionneusement. Il aboutit dans la cour d'une petite maison délabrée.

« Me voici dans la ville, se dit-il en souriant. Finalement, cela n'aura pas été si difficile… Vite, maintenant, au boulot ! »

Le nomade s'extirpa du trou et referma la trappe sans faire de bruit. Il entreprit ensuite de changer son apparence et se couvrit la tête avec sa cape. En portant celle-ci à la manière d'un châle, il avait maintenant l'allure d'une vieille femme. Le dos voûté et la démarche claudicante, Nosor prit la direction du palais.

Comme il cherchait un moyen de pénétrer dans les lieux pour accomplir sa tâche, il croisa une femme enceinte, au port altier et d'une grande beauté, qui faillit le renverser. Escortée par de nombreux guerriers, elle avait le nez en l'air et semblait suivre une odeur. L'ancien chef de clan se cacha immédiatement le visage et tendit la main pour jouer les mendiantes. Personne ne fit attention à lui.

Toujours à la recherche d'une façon d'entrer dans le palais, Nosor se dirigea sans le savoir vers le rocher des condamnés. C'est à cet endroit, là où on jetait les malfaiteurs en bas des murs de la cité, qu'il eut la surprise de trouver Varka. Son esclave, magnifiquement habillé, méditait en regardant l'horizon. Une couronne d'or était posée à ses côtés. Les paroles du spectre revinrent alors à l'esprit du nomade : « Tu trouveras dans la ville de Veliko Tarnovo l'objet de tes recherches… En vengeant ma mort, tu te libéreras de ta haine et tu vivras enfin en paix… »

« Voilà qui me semble clair…, songea Nosor en dégainant son poignard. Varka, mon esclave, et le souverain de ce royaume sont en fait une seule et même personne. Je ne sais pas comment ce bougre d'imbécile a réussi son coup, mais si je n'avais pas à le tuer, je le féliciterais. Mon stupide adorateur de pierres de lune a fait bien du chemin depuis l'Anatolie. Dommage pour lui que sa vie doive s'achever… »

Silencieux comme un fauve s'apprêtant à attaquer sa proie, le nomade s'approcha lentement de sa victime, puis glissa habilement sa lame sous la gorge d'Hitovo. Le souverain, plongé dans ses pensées, ne sentit que la morsure du poignard et tomba face contre terre, étouffé dans son sang.

– Œil pour œil, dent pour dent ! lança Nosor en le regardant agoniser sur le sol. On n'échappe pas à la vengeance de la secte des adorateurs d'Iblis, Varka ! Le jour où tu m'as transpercé de ton épée, tu as scellé ton destin. Aujourd'hui, tu trouves la mort et, moi, je retrouve la paix !

Comme il allait revêtir son déguisement improvisé de vieille mendiante, Nosor vit la femme enceinte marcher vers lui. Ses gardes du corps la suivaient.

Le nomade regarda autour de lui afin de trouver un moyen de s'échapper, mais il constata rapidement qu'il n'y avait aucune issue. En fait, une seule possibilité se présentait à lui : un prodigieux bond d'une hauteur inimaginable suivi d'un atterrissage réussi dans la rivière. Une chance sur cent de survivre !

« Qu'Iblis me vienne en aide, se dit Nosor en s'emparant du pendentif d'Hitovo, comme le lui avait demandé le spectre. Jamais je ne sortirai d'ici vivant si l'on découvre que je suis l'assassin de Varka. Et je n'ai pas envie de connaître les instruments de torture que ces gens emploient pour faire expier les criminels… Alors, ce sera le grand saut. »

Pour mettre toutes les chances de son côté, Nosor Al Shaytan calcula rapidement la direction et la force du vent, puis s'éloigna le plus possible de la corniche afin de prendre son élan. Avant de sauter, il vérifia qu'il avait bien le pendentif de sa victime dans la poche – au cas où il survivrait à ce plongeon –, prit une longue inspiration et courut de toutes ses forces vers le précipice.

Le nomade se lança dans le vide et réussit contre toute attente à atteindre les flots de la rivière. Avant de toucher à son but, il vit défiler sa vie entière sous ses yeux, puis heurta violemment la surface de l'eau.

La rivière ne rendit que sa cape.

VII

Les jours qui suivirent la mort d'Hitovo furent une longue commémoration du défunt roi. Tous les habitants de la ville, du plus petit vendeur au plus riche marchand, défilèrent devant le cercueil de cet homme craint, mais aussi aimé de tous. Sans mystagogue pour présider la cérémonie, ce fut Électra elle-même qui consola son peuple et improvisa une célébration à la fois simple et chargée d'émotion. Sous le charme de leur nouvelle reine, les gens se laissèrent convaincre qu'elle pourrait à elle seule diriger la destinée de Veliko Tarnovo, et tous s'en trouvèrent rassurés. Les hommes, qui étaient subjugués par sa beauté, et les femmes, qui voyaient en elle un modèle de force et de réussite, ne purent qu'applaudir à cette idée. Hitovo les avait quittés en laissant derrière lui une reine charismatique et confiante ainsi qu'un héritier qui, un jour, reprendrait le trône de son père. L'avenir s'annonçait rayonnant.

– J'ai une révélation tragique à vous faire, annonça Électra devant son peuple rassemblé. J'ai de bonnes raisons de croire que le mystagogue est le meurtrier d'Hitovo.

Ses sujets demeurèrent sans voix.

– J'avais des soupçons envers lui, continua la reine qui manipulait à sa guise l'audience médusée. Cet homme était de mèche avec les Perses qui ont envahi Byzance et qui, j'en ai bien peur, lorgnent maintenant les richesses de notre cité. Si nous ne les arrêtons pas, ces barbares vous réserveront le même sort qu'à mon oncle Héraclès, que vous avez vu mourir sous vos yeux le jour de mon mariage.

Des murmures angoissés se répandirent dans l'assistance.

– Les autres royaumes thraces qu'Hitovo croyait être nos amis ont tous refusé de nous venir en aide. Nous sommes seuls devant la menace… et, maintenant, nous ne pouvons compter que sur nous-mêmes. C'est pourquoi, à partir de ce jour, Veliko Tarnovo se refermera comme une huître et gardera pour elle ses richesses. Nous tournerons le dos à ces faux amis…

Le peuple acclama cette nouvelle politique. Après tout, il ne servait à rien d'entretenir des liens avec d'égoïstes contrées prétendument alliées.

– D'ici peu, je dirigerai moi-même une expédition vers Byzance afin de repousser la menace des Perses et de bien leur faire comprendre qu'ils ne sont pas les bienvenus de ce côté du Bosphore. Je sais que les Perses seront plus nombreux que nous et que, sans machine de guerre, Byzance est imprenable. Mais j'ai un plan, et je vous demande de me faire confiance. Je n'obligerai personne à me suivre, car je veux faire ce voyage avec des hommes de cœur qui croient en moi. Les femmes seront aussi les bienvenues ! Que tous les volontaires soient dans la cour intérieure du palais dans trois jours exactement. Vous n'aurez pas besoin de vos armures ni de vos armes, car nous voyagerons léger. Ne prévoyez pas de chevaux non plus, ils seraient inutiles. Ne prenez avec vous que de la nourriture et de l'eau…

Électra termina abruptement son discours pour monter rapidement à sa chambre. Son ventre la faisait horriblement souffrir. C'était comme si son enfant lui déchirait l'intérieur avec ses griffes. Entre deux hurlements de douleur, elle envoya chercher Sénosiris.

Le jeune Égyptien sut exactement pourquoi Électra le réclamait et il arriva à son chevet avec une pâte composée d'herbes, de baies et de noix. Aussitôt, il étendit son étrange mélange sur le ventre de la reine. Celle-ci ressentit immédiatement un effet bénéfique et poussa un soupir de soulagement.

– Mais que ferais-je sans toi, Sénosiris ? dit-elle d'un air apaisé. Tu me sauves encore une fois la vie, jeune homme… Je t'en serai éternellement reconnaissante.

Sénosiris se contenta de sourire. Il était heureux de pouvoir être utile. D'autant plus qu'il avait remarqué, depuis son arrivée à Veliko Tarnovo, que les Thraces avaient une culture scientifique plutôt limitée. Ils ne connaissaient presque rien en astronomie ni en astrologie. Les médecins et les apothicaires n'étaient pas des plus compétents. Et puis, les mathématiques étaient presque inexistantes, tout comme l'écriture pictographique. Malgré son jeune âge, Sénosiris possédait plus de connaissances que tous les citoyens réunis.

– Il est pour moi… un plaisir de servir toi, répondit le garçon qui maniait de mieux en mieux la langue. Très important pour toi… de ne pas bouger… Le remède calme l'enfant… Le remède calme toi aussi, Électra.

– Mais comment sais-tu tout cela, toi, petit génie?

– Sans être pas poli… mon peuple est plus avancé… La science est un cadeau de Thot, le dieu… mais ici il n'y a pas Thot, alors pas de sciences… C'est normal alors que… que je… comment dire?… c'est normal je connais plus de connaissances… tu comprends?

– Je comprends très bien que nous sommes des idiots, si on nous compare à ton peuple, fit Électra, un peu maussade. Heureusement que ton peuple est loin, il ne ferait qu'une bouchée de nous!

– Mon peuple a une bonne armée, oui… mais rien à craindre… si mon peuple ici, mon peuple ami avec toi, comme moi. Mon peuple cherche ami… pas cherche ennemi! Ennemis déjà beaucoup! expliqua Sénosiris en rigolant.

– Ouf, c'est rassurant! répliqua Électra qui riait aussi. Après mon accouchement, tu pourrais enseigner ce que tu sais à mon peuple, ainsi qu'à mon fils… J'aimerais beaucoup que tu deviennes notre nouveau mystagogue.

– Je suis ici pour servir toi… et ceux que tu aimes… et ceux que tu crois besoin de savoir, d'apprendre connaissances que j'ai.

– Il faudra d'abord pratiquer un peu plus notre langue! s'amusa Électra.

– Oui… oui… je sais, approuva Sénosiris en appliquant une nouvelle couche de son remède sur le ventre de la jeune femme.

– M'accompagneras-tu jusqu'à Byzance pour mater les Perses, Sénosiris?

– Partout où tu vas… je suis là… avec toi, répondit-il pour la rassurer.

– Tu seras prêt dans trois jours ?
– Je suis prêt déjà, Électra.

Tout comme Sénosiris, trois jours plus tard, environ neuf cents personnes étaient prêtes, elles aussi, à marcher jusqu'à Byzance. En plus des soldats de la ville qui étaient presque tous là, il y avait beaucoup de femmes et quelques jeunes adultes bien décidés à se battre. Comme le leur avait demandé la reine, ils n'avaient ni armes ni armure et ne portaient que des sacs de nourriture et des gourdes remplies d'eau. N'importe quel individu un tant soit peu sensé aurait demandé à Électra quel était son plan pour vaincre les Perses, car des combattants sans armes avaient peu de chances de vaincre des soldats aguerris. Mais la confiance de ces gens était si grande qu'aucun d'eux ne pensa à le faire. Ils aimaient profondément leur nouvelle reine et si celle-ci leur avait demandé de sauter en bas des murs, ils l'auraient fait avec bonheur. Bien au-delà du magnétisme qu'exerçait Électra, ils avaient la certitude que rien de mauvais ne pourrait leur arriver. Ils voyaient cette quête de libération de Byzance comme un jeu dont ils acceptaient volontairement les règles. Malgré le décès tragique d'Héraclès, la fuite de leur mystagogue et l'assassinat d'Hitovo, la confiance régnait dans les cœurs, et le moral des habitants de Veliko Tarnovo était au beau fixe.

C'est ainsi que, par une froide matinée d'automne, la reine et son armée prirent la route du sud en direction de Byzance. Électra, rayonnante sur son cheval noir, avait choisi une robe rouge sang que son ventre bombé traversait comme un joli pain rond. Un énorme joyau vert ornait son nombril et d'extravagants bijoux dorés lui couvraient la tête, les poignets, les mains et les chevilles. À ses côtés, sur le dos de son âne Kheper, Sénosiris, tout de blanc vêtu à l'exception d'une épaisse cape bleue, avait l'allure d'un jeune prince oriental. Pour l'occasion, il s'était maquillé le tour des yeux ainsi que la bouche et le cou, ce qui lui donnait l'apparence d'un félin. Derrière eux, les gens du peuple suivaient à pied, dans leurs vêtements de tous les jours. Aucun d'eux n'avait l'air de penser qu'ils couraient à la défaite ou, pire, à la mort. Les visages exhibaient la confiance des grands combattants qui savent, bien avant le terme d'une bataille, qu'ils en seront les vainqueurs.

Le cortège se mit en marche, mais dévia un peu de la route de Byzance pour s'enfoncer pendant quelques jours dans les bois. Guidés par la reine qui savait où elle allait, les volontaires de Veliko Tarnovo gravirent une montagne par un chemin très escarpé. C'était cette même voie qu'avait empruntée Maïcha, la vieille louve, à chaque début de saison, et ce, pendant des années. Le même trajet qu'avait fait Varka en portant Électra sur son dos. Exactement le même sentier que des générations de guerriers hyrcanoï avaient jadis foulé pour aller se baigner au lac et en ressortir sous la forme de féroces loups. Ce parcours, Électra l'avait dans le cœur et dans le corps. Plus elle avançait vers le lac, plus elle sentait s'agiter l'enfant qui vivait en elle. C'était lui, dans son ventre, qui la guidait vers la création de Börte Tchinö, qui lui indiquait l'emplacement du mystérieux lac.

– PLONGEZ ! cria la reine une fois sa destination atteinte. PLONGEZ ET VOUS DEVIENDREZ PLUS PUISSANTS QUE LE PLUS GRAND DES GUERRIERS ! PLONGEZ ET VOUS AUREZ LA FORCE DE VINGT HOMMES !

Portés par les ordres de leur souveraine, les membres du cortège se lancèrent dans l'eau sans savoir que la baignade les transformerait en loups. Comme chaque fois, le lac accomplit le miracle et métamorphosa les membres en pattes, les nez en museaux et les bouches en gueules. La peau humaine fut remplacée par une épaisse fourrure, et les oreilles rondes devinrent pointues. Il y eut autant de transformations que de baigneurs, soit tous les volontaires de Veliko Tarnovo. Seuls la reine et son jeune bras droit, Sénosiris, demeurèrent au sec afin d'assister à cet incroyable spectacle.

– Je ne crois pas… je ne crois pas mes yeux…, dit le garçon, complètement médusé. Ils sont des bêtes… des bêtes… Je ne crois pas…

– Le père de mon enfant était un loup, Sénosiris…, lui confia Électra en admirant ses sujets qui se transformaient en animaux. Et les rives de ce lac furent notre lit d'amour. Je porte en moi un bébé qui ne sera ni humain ni animal. Je donnerai au monde le premier des Râjâ… le premier être d'une nouvelle race.

Voilà qui confirmait ce que Sénosiris s'était imaginé depuis le jour où il avait sauvé Électra des flots tumultueux de la rivière. C'est pour cette raison qu'il avait fait le long voyage des lointaines contrées du Nil jusqu'aux froides montagnes du pays des Thraces. Sous les ordres de son défunt maître, il était venu pour assister à la naissance d'un nouveau roi, et son travail de scribe allait bientôt commencer. Il rapporterait, pour son peuple et pour les générations futures, la grande histoire de ce premier souverain issu de la race des loups. Le jeune Égyptien témoignerait des moindres gestes de ce grand roi et deviendrait, si le désir d'Électra allait toujours en ce sens, son professeur et, pourquoi pas, son mentor.

En moins de temps qu'il n'en faut à un court orage pour masquer le soleil, neuf cents loups au regard de braise attendaient patiemment les ordres de leur reine. Les oreilles pointées vers le ciel et les babines relevées en signe d'impatience, les membres de la gigantesque meute étaient prêts pour le combat. Aucune armée, même la mieux entraînée ou la mieux équipée, ne pourrait repousser ces bêtes dont la rage semblait être le seul sentiment.

– Sénosiris, mon jeune ami, continua Électra en contemplant cette fois le résultat de la métamorphose, tu verras dans quelques jours ces loups attaquer Byzance. Je veux que tu sois à mes côtés lorsque j'entrerai en vainqueur dans la ville qui m'a vue naître. J'ai quitté Byzance comme une gamine capricieuse et innocente, j'y reviendrai en tant que souveraine d'un peuple d'insoumis. Si, pour quelque raison que ce soit, je devais faiblir à cause de ma grossesse avancée, je veux te sentir près de moi pour me donner la force de terminer ma tâche. Je ne sais dans quel état je trouverai la ville qui a bercé mon enfance, mais je veux rester forte. Devant ces loups, je ne dois montrer aucune faiblesse, tu comprends ?

– Oui… je serai là, répondit le garçon.

– Alors, très bien, fit Électra, enchantée. Allons massacrer ces misérables !

VIII

La lune était ronde lorsque les neuf cents loups enragés prirent d'assaut la ville de Byzance. Une lune aux reflets rouges annonçait aux Perses leur disparition des berges du Bosphore.

Jamais la garde ne put sonner l'attaque, car les bêtes profitèrent de la nuit pour se dissimuler. Une fois les gardiens des grandes portes éliminés, la meute eut tout le loisir de pénétrer dans la ville pour la nettoyer de fond en comble. Personne ne fut épargné, pas même les femmes et les enfants. Les loups avaient reçu l'ordre de broyer tous les humains qui se présenteraient devant eux et, sans discrimination, ils obéirent à leur reine.

Dans un concert de cris d'horreur et de hurlements inhumains, l'armée d'Électra commença par prendre le contrôle de toutes les sorties de la ville afin que nul ne puisse fuir. Une centaine de loups entrèrent ensuite dans le palais, alors que les autres allaient étriper l'armée perse endormie. Aussi rapidement qu'un nuage de sauterelles dévore un champ de blé, les bêtes se répandirent dans toute la ville en se dispersant par petits groupes de quatre ou cinq individus. Ainsi, chaque maison fut visitée et ses occupants, dévorés vivants.

– Les soldats de Byzance qui ont perdu la cité aux mains des Perses ne méritent pas de vivre, avait expliqué Électra à ses loups. Même chose pour ceux et celles qui collaborent avec les envahisseurs et les servent aujourd'hui comme s'il s'agissait de Grecs. Byzance doit être entièrement nettoyée par le sang et purifiée par le feu. Lorsque nous sortirons de ses murs en vainqueurs, cette ville ne sera plus qu'un souvenir et devra être reconstruite sur de nouvelles fondations. Nous trouverons

Byzance en fleurs et nous la quitterons en cendres. Telle est ma volonté !

Et ce fut précisément ce que les bêtes d'Électra s'employèrent à faire : tout détruire dans l'espoir de mieux reconstruire un jour. Mais, cette fois, les murs de la nouvelle Byzance seraient bâtis par le peuple du Râjâ. Avec les connaissances architecturales de Sénosiris, sa science des nombres et sa connaissance des étoiles, le Râjâ aurait une ville digne de lui. Enfin, c'est ce que la reine envisageait en allumant le feu qui allait bientôt dévorer la cité de son enfance.

Soudain, au moment où cessèrent les cris et les pleurs, Électra tomba face contre terre, terrassée par une douloureuse contraction. Quand Sénosiris essaya de la relever, la jeune femme sentit de l'eau s'écouler entre ses jambes. Sous la pression de la tête de son bébé, le bouchon muqueux du placenta avait cédé et l'enfant commençait déjà à sortir.

– C'est toi qui devras m'accoucher, Sénosiris, dit la reine en poussant un cri de douleur. Sais-tu comment il faut faire ?

Le petit Égyptien avait vu de nombreuses fois son maître donner la vie à un enfant, et cette opération ne l'intimidait pas le moins du monde. Sur les terres du Nil, il n'y avait rien de plus naturel et de plus simple qu'un accouchement, à condition bien sûr de respecter certaines règles bien précises.

– Oui... je vais faire ton accouchement, Électra..., dit calmement le garçon en s'assurant que l'enfant se présentait bien par la tête. Je vois des cheveux déjà...

Les loups, faute d'adversaires, avaient cessé le massacre et s'étaient tout naturellement placés autour d'Électra pour la voir accoucher. Des centaines de bêtes, le dos droit, les oreilles dressées et la gueule maculée de sang humain, attendaient patiemment la naissance de leur nouveau roi.

– J'AI MAL ! cria la reine. Il me déchire le ventre !

– Tout normal..., la rassura Sénosiris. Il y a beaucoup toujours de mal quand c'est la vie qui arrive !

Le col de l'utérus était bien dilaté. Ce qui, normalement, pouvait prendre jusqu'à douze heures lors d'un premier accouchement se faisait très rapidement chez Électra. Lorsqu'elle fut prête à expulser l'enfant, Sénosiris lui demanda de se retenir de pousser immédiatement. Il savait qu'un nouveau-né doit sortir le plus lentement possible afin d'éviter la déchirure des tissus. Malgré les quelques cris de douleur de la mère, l'accouchement fut parfait et, une fois la tête à l'extérieur, le corps sortit facilement de lui-même.

Comme un véritable expert, Sénosiris donna quelques petits coups dans le dos de l'enfant afin qu'il respire sa première bouffée d'air, puis déposa le nourrisson en pleurs sur le ventre de sa mère.

Le bébé était d'une laideur repoussante.

Malgré ses très grands yeux bleus qui reflétaient toute la candeur du monde, il était couvert de poils des pieds à la tête. La bouche, déjà remplie de minuscules dents pointues, s'ouvrait au milieu d'une figure où le nez avait plutôt l'allure d'un petit museau mouillé. Des griffes aux doigts et aux pieds, ainsi qu'un sexe démesurément long pour son âge, lui conféraient l'allure d'un satyre ou d'une chèvre déformée.

Pendant qu'Électra admirait sa progéniture avec fierté, Sénosiris fit chauffer la lame d'un couteau et coupa le cordon ombilical. L'union entre la mère et l'enfant était maintenant terminée.

Dans la ville de Byzance que les flammes dévoraient un peu plus à chaque seconde, la reine se leva et présenta à bout de bras le Râjâ à son peuple. Sur les restes sanglants d'une cité morte, l'arrivée d'un nouveau roi marquait le début d'une ère nouvelle. Devant la lune et sous le regard de la meute, Électra rugit de toutes ses forces :

– VOICI LE NOUVEAU MAÎTRE DU MONDE ! VOICI CELUI QUE LES DIEUX ONT ENVOYÉ SUR TERRE POUR RAVIR LE POUVOIR AUX HOMMES ! VOICI MON FILS ! VOICI VOTRE MAÎTRE ! VOICI LE RÂJÂ !

Les neuf cents loups se mirent alors à hurler pour saluer leur nouveau souverain.

Dans les étoiles, Börte Tchinö referma son œil.

Et la lune prit la couleur du sang.

Table des matières